FRANÇOISE BOURDIN

Françoise Bourdin a le goût des personnages hauts en couleur et de la musique des mots. Très jeune, elle écrit des nouvelles ; ainsi, son premier roman est publié chez Julliard avant même sa majorité. L'écriture se retrouve alors au cœur de sa vie. Son univers romanesque prend racine dans les histoires de famille, les secrets et les passions qui les traversent. Elle a publié une trentaine de romans chez Belfond depuis 1994 – dont quatre ont été portés à l'écran –, rassemblant à chaque parution davantage de lecteurs. Françoise Bourdin vit aujourd'hui dans une grande maison en Normandie.

Retrouvez toute l'actualité de l'auteur sur :
www.françoise-bourdin.com

L'HÉRITIER
DES BEAULIEU

FRANÇOISE BOURDIN

L'HÉRITIER DES BEAULIEU

belfond

© Belfond, 1998, 2003.
© Belfond 2013 pour la présente édition.

Belfond | un département **place des éditeurs**

place
des
éditeurs

ISBN 978-2-266-24348-3

*À Paul-Arnaud Hérissey, mon ami,
mon témoin.*

*Parce que en me faisant découvrir un
jour les presses du Mesnil-sur-l'Estrée il
m'a donné l'irrésistible envie d'écrire
une folle histoire d'imprimeur. Qui, bien
évidemment, n'est pas son histoire !*

Avertissement de l'éditeur

Les personnages et les situations de ce roman sont fictifs.

Toute ressemblance avec des personnes ou des situations existant ou ayant existé serait pure coïncidence.

1

Le Carrouges, été 1998.

Dès qu'il eut poussé le lourd battant, Barth devina qu'il se passait quelque chose d'anormal. Le hall était plongé dans l'obscurité et il songea aussitôt à une nouvelle défaillance de la ligne. L'électricité laissait vraiment à désirer dans cette bâtisse, sans compter tous les autres inconvénients qui, depuis longtemps, lui avaient fait prendre le Carrouges en horreur.

Son épaule heurta une vitrine et quelque objet tomba mollement sur le tapis. Exaspéré, il tâtonna sur sa droite pour trouver la porte du grand salon. À la seconde où il pénétra dans la pièce, les lumières s'allumèrent et un joyeux brouhaha s'éleva.

Surpris, Barth s'immobilisa sans même chercher à dissimuler sa contrariété. La quarantaine de personnes qui lui souriaient entonnèrent un chant d'anniversaire. D'un seul regard courroucé, Barth put constater que la famille était là au grand complet, entourée des amis les plus proches et des principaux cadres de l'imprimerie. Tout ce petit monde affichait la même expression béate.

— Charmante soirée, marmonna-t-il entre ses dents.

S'il y avait bien une chose dont il ne tenait pas à se souvenir, c'était qu'il avait à présent cinquante ans. Géraldine approchait, vaguement inquiète sous son air affable. Elle lui tendit une coupe de champagne qu'il ne se donna pas la peine de saisir. Ils restèrent face à face un instant, tandis que la chanson s'achevait sur une série de fausses notes.

— Bon anniversaire ! lança Irène de sa voix stridente, avant d'éclater de rire.

Barth chercha sa mère des yeux. Elle se tenait à l'autre bout de la pièce, comme pour le narguer. À moins que ce ne fût pour se protéger. Il se demanda si c'était elle qui avait eu l'idée de cette surprise grotesque. Elle ou Géraldine. Sa mère et sa femme, qu'il jugeait également stupides.

— Tu ne veux rien boire ? demanda Géraldine d'un ton navré. Pour trinquer…

Il lui aurait volontiers jeté le verre au visage, mais il se contenta de lui tourner le dos et se heurta à Agnès qui s'était faufilée jusqu'à lui.

— Je suis venue avec Stéphane, dit-elle très vite. Irène y tenait beaucoup. Dix lustres, ça se fête !

La veuve de son frère avait toujours utilisé un vocabulaire particulier. Victor aussi, d'ailleurs, avant qu'il ne se tue avec sa Kawasaki. L'univers du show-business ne lui avait pas porté bonheur, au bout du compte.

Tout en souriant machinalement, Barth essaya de reconnaître Stéphane parmi les invités. Le garçon devait avoir une vingtaine d'années à présent. Et c'était quand même son neveu.

Il le repéra presque tout de suite parce qu'il était l'un des rares jeunes de l'assemblée. Des yeux clairs, des cheveux trop longs et un teint cadavérique, c'était bien le souvenir qu'il en avait gardé. Sans doute le gamin se prenait-il pour Hamlet ou tel autre héros shakespearien. Levant la main, Barth claqua dans ses doigts pour attirer l'attention de Stéphane. C'était une injonction plutôt méprisante, mais il avait agi délibérément. Il nota la contrariété d'Agnès avec une satisfaction perverse.

— Comment vas-tu, oncle Barth ? demanda le jeune homme d'une voix forte, sans quitter sa place près de la fenêtre.

Ce qui constituait une petite déclaration de guerre. Barth franchit les trois mètres qui le séparaient de Stéphane, bousculant au passage l'un des directeurs de l'usine, qu'il rabroua :

— Eh bien, mon pauvre Richard, toujours planté n'importe où ?

L'autre recula précipitamment en bredouillant une excuse, mais Barth l'avait dépassé et apostrophait son neveu.

— Il y a combien de temps que tu n'étais pas venu ? Tu as une mine de déterré… Et les études, ça va ?

Il ne prenait aucun risque. Il savait par Irène que le garçon ne faisait rien de bon. Qu'il n'était inscrit nulle part, qu'il avait raté son concours d'entrée au conserva toire et qu'Agnès, si laxiste qu'elle fût, commençait à se faire du souci.

— Je ne souhaite pas que tu m'appelles « oncle ». C'est démodé. Mon prénom est Barthélemy, comme le massacre… Mais je te donne le droit de le raccourcir. En revanche, ne me tutoie pas, nous n'avons pas gardé les cochons ensemble, que je sache ! Sers-moi donc un whisky, avec deux glaçons.

Conscient du silence qui s'était fait autour d'eux, Barth se retourna et considéra les visages inquiets. Il gâchait la petite réception improvisée, tant mieux. Stéphane lui mit un verre dans la main.

— Je n'y tiens pas plus que vous, Barth, murmura le jeune homme avec lassitude.

Son amertume n'était pas feinte. Il n'avait jamais manifesté le moindre plaisir à fréquenter la famille et il ne portait même pas le nom de Beaulieu. Agnès, dans son obstination à être moderne, n'avait pas voulu que Victor reconnaisse son fils. Un beau gâchis.

— À quoi trinquons-nous ? grogna Barth. À être là ? Je ne t'y oblige pas, je ne t'ai pas invité. D'ailleurs, je n'ai convié personne. Ce sont les idées de ta grand-mère, qui est une emmerdeuse de première !

Il abandonna son neveu pour se diriger vers Irène et se planta devant elle, narquois.

— Où est mon gâteau ? Et les serpentins, les confettis ? Avez-vous trouvé suffisamment de bougies ?

— Oh, cinquante, ça n'a pas été facile ! riposta sa mère.

Elle connaissait sa peur de vieillir et en jouait, avec cynisme. Elle ne l'aimait pas, ne l'avait jamais aimé, même lorsqu'il était petit. C'était pourtant son fils aîné, le premier de ses enfants à avoir vécu après deux bébés décédés. Elle aurait dû l'adorer, le couver, s'y attacher désespérément, et c'était le contraire qui s'était produit. Elle l'avait rejeté dès le premier jour. De quel droit celui-ci braillait-il, suçait-il son lait avidement et l'empêchait-il de dormir ? Elle avait subi, impuissante, le défilé de tous les membres de la famille qui bêti-fiaient au-dessus du berceau, et elle l'avait pris en grippe. Pas seulement par esprit de contradiction, mais parce qu'elle était vraiment déprimée à ce moment-là. Octave, sans pitié, rêvait d'une nombreuse progéniture et faisait tout ce qu'il fallait pour assurer sa descendance. Elle aurait voulu lui fermer sa porte, l'envoyer au diable, mais il n'en était pas question, évidemment. Après Barthélemy, Delphine était née, puis Franklin. Cinq grossesses en six ans et Octave en réclamait encore ! Il remplissait ses devoirs de mari avec un enthousiasme écœurant. Victor était arrivé l'année suivante, puis Fabienne. La maison résonnait de cris d'enfants et d'éclats de rire qui augmentaient les migraines d'Irène. Exsangue, enlaidie, elle avait supplié son mari de la laisser en paix, faisant appuyer sa demande par le médecin de famille. Octave avait cédé, à regret, et n'avait jamais caché le mépris que lui inspirait cette dérobade. Mais Irène avait enfin pu souffler. Entre-temps, Octave s'était approprié Barth.

— Pourquoi avez-vous invité Agnès ? demanda abruptement ce dernier.

— C'est notre devoir de la recevoir. Stéphane est mon petit-fils et je n'en ai qu'un !

Elle ne pouvait pas se montrer plus désagréable, pourtant il encaissa le coup sans broncher.

— Si vous ne voulez pas répondre, je vais lui poser la question directement.

Bien sûr, Agnès était trop naïve pour mentir. Elle aurait pu jouer la comédie, après tout, c'était son métier, mais il aurait fallu la prévenir et Irène n'en avait pas eu le temps. Elle avait prétendu qu'elle arrangerait les choses, qu'elle convaincrait Barth ; hélas, à présent elle en était moins sûre.

15

— Nous devons faire quelque chose pour lui. Sa mère voyage beaucoup, avec sa carrière…

— Sa carrière ! Ne me faites pas rire, elle n'a jamais joué que les troisièmes couteaux.

— La question n'est pas là. Elle travaille, elle a besoin de gagner sa vie. Nous ne nous sommes pas montrés très généreux avec elle.

— Qui ça, nous ? Vous ou moi ? Je ne vous ai pas empêchée de l'inscrire dans vos bonnes œuvres !

Irène rejeta la tête en arrière pour mieux toiser son fils. Elle avait perdu toute autorité sur lui, mais elle pouvait sauver les apparences car il ne s'était heureusement jamais débarrassé de la solide éducation qu'il avait reçue.

— On nous regarde, ça suffit ! lâcha-t-elle avec rage. Nous fêtons ton anniversaire et, dans la foulée, nous hébergerons Stéphane pour un certain temps. Tu peux sûrement lui trouver un travail à l'imprimerie…

— Ah, c'est ça ? Quel genre de travail et pour combien de temps ? Il ne sait rien faire !

— Tu vas lui apprendre le métier.

Jamais elle n'aurait marché sur son territoire sans une bonne raison. L'imprimerie était le domaine réservé, exclusif et absolu de Barth. Il était si furieux de ce qu'il venait d'entendre qu'il ne sentit pas la présence de Stéphane derrière lui.

— Je vous apporte un autre verre, chuchota le jeune homme. J'ai supposé que vous parliez de moi. Irène et maman sont tombées d'accord mais vous n'êtes pas obligé de…

— Obligé ? Tu rêves, mon petit gars !

Stéphane ne parvint pas à soutenir le regard de Barth. Il s'était déjà détourné quand Irène lui posa la main sur le bras.

— Ne t'inquiète pas, ton oncle est un ours, il terrorise tout le monde…

Le ton était gai, insouciant, presque provocateur. Elle l'entraîna avec elle, ajoutant à mi-voix :

— Laissons-le tranquille pour le moment, il est de mauvaise humeur. Je vais faire servir le gâteau. Tu veux bien prévenir, à la cuisine ?

Il fallait qu'elle l'éloigne, Barth pouvait très bien exploser et Stéphane ne connaissait rien à la famille. Elle espérait qu'il apprendrait vite. De toute façon, il allait rester au Carrouges parce qu'elle en avait décidé ainsi. Elle était chez elle, quoi que ses enfants puissent en penser, Barth compris.

Elle vit Fabienne qui l'observait, assise dans le renfoncement d'une des portes fenêtres. C'était une petite peste aux idées indépendantes, sûre d'elle et agressive, mais qui avait réussi en dehors du clan Beaulieu. Son rédacteur en chef, Gabriel, se tenait près d'elle et fumait son horrible pipe. Irène les évita tout en leur souriant, pressée de rejoindre Agnès.

— C'est fait ! claironna-t-elle pour être entendue à la cantonade. Barth est ravi d'accueillir ton fils, ma chérie… Stéphane est ici chez lui.

Malgré elle, Agnès laissa échapper un soupir de soulagement. Elle n'aurait jamais imaginé avoir besoin de ces gens-là, et pourtant elle n'avait plus d'autre solution. Stéphane multipliait les sottises depuis deux ans. Tout ce qu'il avait retiré de la Sorbonne, avant d'abandonner sa première année de Lettres classiques, était l'habitude de fumer des pétards avec ses copains. Ces derniers mois, il en était venu à voler dans son sac. Certains matins, elle ne pouvait même pas le réveiller. Et, lorsqu'elle rentrait de voyage, c'était pour trouver l'appartement sale, le réfrigérateur vide et le téléphone débranché. Elle avait également subi un interrogatoire, au commissariat du quartier, qui l'avait inquiétée pour de bon. Alors, la mort dans l'âme, elle avait appelé Irène.

Tant que Victor avait été près d'elle, ils avaient ri ensemble de la famille, du Carrouges, et des imprimeries. Tout un petit univers conventionnel, bourgeois, détestable. Victor reniait ses origines avec humour, concédant un week-end annuel aux Beaulieu, entre deux tournages. C'était Barth qui avait demandé à voir une cassette vidéo de son premier long métrage ; jamais Victor ne l'aurait proposé de lui-même. Il savait très bien que sa mère n'y comprendrait rien et, effectivement, elle n'avait fait aucun commentaire après la projection. Barth n'avait prononcé que quelques mots, mais la pertinence de son jugement avait surpris Agnès. Depuis ce jour-là, elle avait conservé dans un coin de sa mémoire un début de sympathie pour lui. Un sentiment qui s'était confirmé au moment de l'enterrement de Victor, lorsqu'il l'avait serrée dans ses bras. Il l'avait obligée à relever le menton, l'avait enveloppée de son regard sombre et avait juré qu'elle pouvait compter sur lui.

En évoquant ce souvenir pénible, Agnès réalisa que Barth ne faisait que tenir sa promesse. Ce n'était pas à Irène qu'il venait de céder, il obéissait à son propre serment et à la mémoire de son frère. Il avait évidemment le sens de la parole donnée.

Les lumières s'éteignirent une nouvelle fois et il y eut un murmure d'excitation dans l'assistance. La lueur vacillante des bougies précéda l'énorme gâteau que portait Simon, le gardien. Des applaudissements éclatèrent et le lustre se ralluma.

— Bon appétit et amusez-vous bien, j'ai du travail ! lança Barth qui avait gagné la porte.

Avant qu'Irène ait pu se ressaisir, il était sorti.

Stéphane regarda autour de lui avec ennui. Il n'avait du Carrouges que des souvenirs flous. Entre autres, un dimanche pluvieux, dix ans plus tôt, où il avait joué à cache-cache avec sa cousine Clémence. Mais il avait oublié à quel point le manoir était vaste, biscornu et sinistre.

La chambre que lui avait allouée Irène donnait sur le parc. Ses murs tendus de toile rouge lui conféraient un air de petit théâtre. Encombrée de meubles lourds et de rideaux damassés, elle comportait une alcôve, une haute cheminée et trois fenêtres.

— Je ne sais pas si je vais me plaire là longtemps, annonça-t-il à sa mère qui attendait sur le seuil.

Comme la petite réception était finie et que le sort de son fils se trouvait réglé pour le moment, elle avait hâte de partir.

— Tu feras ce que tu veux, tu n'es ni en pension ni en prison.

Son libéralisme finissait par être pesant mais Stéphane devinait qu'elle était à bout de patience et à court d'argent. Il s'approcha d'elle et l'embrassa.

— Va à Lyon tranquille, lui dit-il gentiment.

Elle avait signé pour une tournée et devait rejoindre la troupe le lendemain matin. Il eut une brusque bouffée de tendresse pour elle. Depuis la mort de Victor, elle avait fait face avec courage et il avait soudain honte de lui-même, de son égoïsme comme de sa lâcheté.

— Allez, file ! Tu as juste le temps de rentrer à Paris…

Elle avait réservé une couchette dans le train de nuit, et elle devait encore faire ses valises.

— Tu laisses tomber tes conneries de drogue, hein ? insista-t-elle. Et si tu veux me joindre, tu appelles mon agent, il saura toujours où je suis…

Sans l'écouter, il la poussait vers le couloir. Il l'accompagna jusqu'à l'escalier, lui déposa un ultime baiser derrière l'oreille puis la regarda descendre. Elle ne faisait aucun bruit sur l'épaisse moquette tendue par des barres de cuivre à chaque marche. Le cœur serré, il attendit quelques instants encore avant de regagner la chambre rouge. Sa chambre. Comment avait-il pu en arriver là ? Où étaient donc passés ses rêves ?

La voix de Barth l'atteignit brutalement :

— Alors, jeune homme, on s'installe ? On prend possession ?

Son oncle était debout près du lit, très à l'aise, examinant d'un œil amusé le sac de voyage ouvert. Il en tira un livre qu'il jeta sur l'oreiller, puis un baladeur et des disques compacts qui suivirent le même chemin.

— Tu as peur de t'ennuyer ?

Continuant sa fouille, Barth avait éparpillé les jeans et les tee-shirts.

— Où sont les cravates ? Tu penses que tu vas venir travailler dans cette tenue ?

— Papa m'avait dit que vous étiez chiant, coupa Stéphane, mais à ce point-là…

Barth releva la tête et le dévisagea. Ses yeux sombres, bleu nuit, lui donnaient un regard étrange et difficile à soutenir dont il se servait sans scrupules.

— Bon début, apprécia-t-il. Mais maintenant que nous sommes entre hommes, il faut que je t'explique certaines choses.

Il alla droit à la fenêtre, l'ouvrit en grand. Lorsqu'il se retourna, sa silhouette à contre-jour parut très haute et très mince à Stéphane.

— Je ne veux pas entendre parler de ton père.

Prononcée d'un ton calme, la phrase était ambiguë. Barth laissa passer quelques instants avant d'enchaîner :

— J'aimais bien Victor. C'était un marginal… doué. Il avait des tas de choses à prouver et il était en passe de le faire. Dommage pour lui, pour ta mère et pour toi qu'il ait joué les cascadeurs sur cette moto. Je n'ai rien d'autre à dire à ce sujet, sauf qu'il est inutile de t'abriter derrière lui. Les morts ne sont jamais un prétexte.

Il s'interrompit pour allumer un cigare. À la lueur de la flamme, Stéphane distingua nettement les pommettes saillantes, le nez fin et les joues creuses de son oncle. Les femmes devaient le trouver beau et il faisait sans doute peur aux hommes. Victor avait toujours utilisé des mots bizarres pour parler de son frère aîné. Il le comparait volontiers à un rapace, parfois à un félin. Il l'appréciait autant qu'il s'en méfiait.

— Tu n'es pas ravi d'être parachuté ici, je suppose… D'abord, l'endroit est détestable, d'une prétention inouïe. Tu as remarqué ? Une véritable école de mauvais goût ! À une époque, on affichait volontiers son pognon… Mais passons sur le décor. Même si c'est lugubre, il existe quelques règles dont la seule à retenir est que c'est moi qui commande. Au Carrouges comme aux imprimeries. Tu vois, c'est simple… Et puisqu'on me demande de te trouver un travail, c'est que tu n'es pas foutu d'en dénicher un tout seul. Mais je ne voudrais pas que tu imagines je ne sais quel passe-droit… Tu n'es pas le prince héritier, que ce soit clair. Si le métier ou la famille t'avaient intéressé, tu te serais porté volontaire tout seul. Or c'est ta maman qui t'a traîné par la main ! J'en tire mes conclusions.

Barth marqua une nouvelle pause pour laisser une chance à Stéphane mais celui-ci gardait un silence obstiné.

— Je suis débordé de boulot, et il y a huit cents personnes qui comptent sur moi pour bouffer au sein du groupe Beaulieu. Je sais que tu te drogues, que tu n'hésites pas à voler quand tu as besoin d'argent, la liste est longue, bref tu es un raté complet. Tu n'as d'ailleurs aucune envie que ça change et, rassure-toi, je m'en fous pas mal ! Fais-toi oublier un moment, je n'en exigerai pas plus. Je t'offre un toit, un salaire de base si tu le mérites et si tu bosses, rien d'autre en perspective. Sauf mon pied au cul en cas de problème.

Agacé par le mutisme du jeune homme, il se tut pour de bon. Une querelle l'aurait davantage amusé que cette absence de réaction. Après quelques instants, il gagna la porte et sortit. Stéphane respira à fond, deux ou trois fois, les yeux fermés. Lorsqu'il les rouvrit, il regarda le désordre de ses vêtements, sur le lit. L'avenir semblait pire que ce qu'il avait craint. D'un bond, il fut à la fenêtre, la tête et le torse penchés au-dessus de la rambarde de fer forgé, luttant contre une nausée. Il était en état de manque. Heureusement, ce salaud n'avait pas touché à sa trousse de toilette. Il avait une réserve d'ecstasy qui lui permettrait de tenir le coup quelques jours. Ensuite…

Il pouvait encore partir. Faire du stop jusqu'à Deauville et prendre le train. Il lui restait assez de monnaie pour un billet. Et en fouillant l'appartement, il trouve-rait bien quelque chose à vendre.

Instantanément, cette idée l'accabla. Il descendait la pente un peu plus chaque jour. Le Carrouges ne serait pas pire que la clinique où Agnès l'avait envoyé l'année précédente. Elle y avait laissé ses économies en pure perte. Ici, le traitement serait gratuit, et Barth ne ressemblait guère à ces trop bienveillants psychologues qui n'avaient rien pu faire pour lui.

Stéphane décida d'attendre un peu. Un tout petit peu. Différer les mauvaises décisions, retarder le moment où on prend sa dose, bref s'obliger à patienter était le premier pas vers la guérison, les copains de galère lui avaient appris ça.

— J'espère que tu seras à la hauteur, *tonton*…

C'était sa dernière chance, il le savait. Quelque part, tout au fond de sa conscience, il comprenait que la brutalité de Barth serait peut-être sa planche de salut. À condition que le duel l'intéresse. Mais il ne devait pas être difficile de faire sortir un homme comme lui de ses gonds.

Sans s'en apercevoir, Stéphane s'était mis à sourire. Allons, il lui restait un peu de lucidité. Il décida qu'il fallait essayer de sauver ce qui pouvait l'être dans ce gâchis.

Barth partit tôt le lendemain matin, sans attendre personne, et surtout pas son neveu. Il s'arrêta à la grille du parc pour discuter avec Simon. Toujours levé à l'aube, le gardien était déjà occupé à traiter et à tailler les rosiers grimpants.

— Si la sécheresse continue, nous aurons des problèmes ! prédit-il en hochant la tête.

— Pourquoi n'arroses-tu pas ? s'étonna Barth qui avait baissé sa vitre.

La facture d'eau ne le concernait pas, après tout.

— Les massifs, oui, la pelouse à la rigueur… Mais l'allée devient poussiéreuse, les jeunes arbres souffrent, mes boutures ne donneront rien, la rocaille se déchausse… Et tu verrais le bois ! En tout cas, je remplis les abreuvoirs, pour les bêtes sauvages…

De part et d'autre des lourds piliers du portail, les acacias et les catalpas en fleurs semblaient déjà fanés. Simon désigna les chèvrefeuilles, derrière lui :

— Même eux, aucun parfum ! se lamenta-t-il.

Le mélange des odeurs et l'harmonie des couleurs étaient sa préoccupation constante.

— Fais comme tu l'entends, je m'en fous, riposta Barth en démarrant. C'est toi le chef !

Il agita la main avant de remonter la glace et de mettre la climatisation en marche. L'état du parc lui était indifférent et il déplorait le mal que se donnait Simon pour faire plaisir à tout le monde. Irène tenait à ses plates-bandes, Géraldine ne pensait qu'à l'entretien du court de tennis, Franklin imaginait sans cesse des jardins japonais et Delphine avait l'obsession du verger. Pauvre Simon ! Lui qui aimait la chasse et les broussailles, les taillis pleins de gibier…

Le moteur gronda et Barth se carra contre son dossier. Sa passion des voitures l'avait poussé à faire l'acquisition de ce coupé italien, rapide et surbaissé, au volant duquel il s'amusait comme un gamin. Irène avait déclaré qu'à force de vouloir faire jeune il frisait le ridicule. Mais Barth se sentait réellement jeune. Il n'allait pas se satisfaire d'une berline-corbillard pour se conformer à l'image qu'on attendait de lui. Et la conduite restait l'un de ses grands plaisirs.

Géraldine ne s'était pas réveillée lorsqu'il s'était levé, une heure plus tôt, ou alors elle avait fait semblant de dormir. Il ne passait que deux ou trois nuits par mois avec elle, au prix d'un grand effort de courtoisie, cependant elle restait d'humeur égale quel que soit le jour de la semaine. Toujours habillée avec goût, dynamique mais docile, attentive mais effacée, elle était le type même de l'épouse idéale. Il aurait presque pu l'aimer. Presque. Du moins au début. À quarante ans, elle était encore belle, et toujours aussi éblouie par son mari. En quinze ans, elle n'avait pas éprouvé la moindre lassitude. Ni affiché la plus petite rancœur. Pourtant, il ne lui avait pas donné d'enfant, et c'était bien lui le responsable, les tests l'avaient prouvé. La maternité aurait achevé l'épanouissement de Géraldine, il n'en doutait pas. Elle avait répété sur tous les tons que c'était sans importance mais, à l'évidence, elle était frustrée. Chaque fois qu'il tentait loyalement d'aborder le sujet, elle se dérobait pour ne pas l'accabler. Quand il avait suggéré l'adoption, elle avait fait la sourde oreille, comme pour lui laisser une chance. Pourtant, les résultats du laboratoire étaient sans appel.

Absorbé par ses pensées, Barth aborda trop vite le dernier virage de la descente sur Honfleur et il dut rétrograder en catastrophe. Le coupé répondit à la perfection. Dans quelques minutes, il serait à La Roque, chez lui. Dans cette imprimerie qu'il aimait par-dessus tout, qui était devenue son unique raison de vivre.

Sur les collines descendant vers la Risle, non loin du marais Vernier, La Roque s'élevait dans un endroit très isolé. Les visiteurs étaient surpris de découvrir en pleine forêt des bâtiments dont les façades de brique rouge et les toits pointus dataient de deux siècles. C'était une haute usine à la Zola, mais, dès qu'on passait la porte, on plongeait dans un monde ultramoderne, dominé par le bruit infernal des trois presses Cameron tournant jour et nuit dans les hangars.

À l'étage de la direction, Barth croisa George qui sortait d'une réunion avec ses chefs d'atelier. Ils échangèrent quelques phrases rituelles et une solide poignée de main. George vénérait Barth depuis vingt ans, lui faisant une confiance aveugle, et ne prenait jamais la moindre initiative personnelle. C'était un homme fidèle, honnête mais sans imagination, et qui mettait le travail au-dessus de tout. Barth lui avait donné la responsabilité de La Roque sans états d'âme. Quoi qu'il arrive, George ne trahirait ni l'imprimerie ni son patron. Ce qui était loin d'être le cas à Pont-Audemer, où les cadres rivalisaient d'ambition et se querellaient à longueur d'année, rêvant tous d'une place de dauphin. Barth s'amusait beaucoup de leurs intrigues et les renvoyaient régulièrement dos à dos. Le groupe Beaulieu, dont il était le président-directeur général, ne dépendrait jamais que de lui seul.

Il traversa son immense bureau et s'empara d'un téléphone. Franklin avait dû se charger de leur neveu. Il l'avait qualifié de *mignon* la veille au soir. Quand on connaissait les mœurs de Franklin, la réflexion ne manquait pas de saveur.

La standardiste reconnut sa voix et lui passa immédiatement son frère.

— Dis-moi, Frank, qu'est-ce que tu as fait du môme ?

Stéphane était parti boire un café. Barth éclata de rire à cette nouvelle.

— L'imprimerie n'est pas un club de vacances ! Confie-le à Richard en attendant que j'arrive. Trouvez-lui une blouse à sa taille, il peut donner un coup de main aux magasiniers pour occuper sa matinée.

Sans écouter les protestations outrées de son frère, il raccrocha. Richard était un jeune loup aux dents longues, il prendrait Stéphane en grippe à la minute où il apprendrait son lien de parenté avec les Beaulieu. Se croyant menacé dans ses prérogatives, il ferait tout pour casser le moral de l'intrus. C'était exactement ce qu'il fallait.

Il jeta un coup d'œil sur le planning ouvert devant lui et examina ses différents rendez-vous. Sa secrétaire tenait à jour deux agendas identiques, l'un à La Roque et l'autre à Pont-Audemer. Une véritable acrobatie dont elle s'acquittait consciencieusement. Il reprit son téléphone pour lui demander la liste des invités du déjeuner. Chaque mardi, sans exception, il organisait une réunion informelle autour d'un repas. Tous les cadres supérieurs étaient tenus d'y assister, en plus d'une demi-douzaine d'invités. Barth soignait ses gros clients, éditeurs, patrons de presse ou publicitaires, et cette corvée hebdomadaire faisait de lui un homme extrêmement informé. Pour ceux qui venaient de Paris, l'autoroute permettait d'accéder à l'imprimerie de Pont-Audemer en une heure et demie, ce qui facilitait les contacts. Une salle à manger avait été aménagée spécialement, avec une cuisine mitoyenne où le traiteur s'installait dès le matin. Les « mardis » de Barth Beaulieu étaient célèbres dans le monde du livre, et c'était toujours un honneur d'y être convié. Aucun chargé de communication n'aurait pu trouver meilleure idée. La décision avait été prise sept ans plus tôt à la suite d'une discussion avec Franklin et, à présent, c'était devenu une tradition.

Barth quitta son bureau et descendit jusqu'à l'étage de la composition. Malgré les parois de verre qui isolaient chaque informaticien, les claviers des ordinateurs produisaient un cliquètement sourd. C'était dans cette salle que les manuscrits dactylographiés étaient ressaisis et mis en forme. Barth jeta au passage un regard sur deux ou trois écrans avant de gagner l'escalier qui conduisait directement aux hangars. Dès qu'il eut poussé l'épais rideau de plastique rigide, le ronflement de la vieille Cameron lui parvint. Il se souvenait encore du jour où il avait signé le chèque au fabricant américain, douze ans plus tôt. Un investissement astronomique qui avait fait trembler le groupe pendant des semaines mais avait engendré une véritable révolution. Par la suite, Barth en avait acheté une seconde, puis il avait dû faire construire un nouveau bâtiment pour abriter la troisième, l'année précédente. La Roque n'imprimait plus que des livres mais il en sortait des dizaines de milliers chaque jour. Les rotatives et les presses traditionnelles avaient été regroupées à Pont-Audemer. La Roque tournait jour et nuit sur le principe des trois-huit et il était arrivé à Barth de venir en pleine nuit écouter ronronner les machines.

— Le calage est fini, on va rouler ! cria George qui avait surgi à son côté.

La chaîne accéléra sensiblement et Barth prit la passerelle métallique pour monter jusqu'aux rouleaux. Les énormes cylindres défilaient à toute allure au-dessus de lui dans une odeur lourde d'encre dont il ne se lassait pas. La matrice en résine tournait sur elle-même à la rencontre du papier tendu mais, à cette vitesse-là, on ne discernait plus rien des milliers de lignes et de caractères en relief.

George surveillait le bon déroulement des diverses opérations. La présence de Barth le rendait encore plus consciencieux. Sourcils froncés, il fixait les lames sur lesquelles le rouleau venait se séparer. Les feuilles s'entassaient à toute allure dans l'ordre précis des cahiers avant d'être happées par de monstrueuses pinces. Un passage bref au-dessus d'une colle spéciale enduisait les dos juste avant la rencontre des couvertures circulant à plat et brusquement repliées autour du volume. Quelques évolutions sur le tapis roulant permettaient à l'ensemble de refroidir un peu avant de passer sous les tranchants des massicots. Puis les livres s'empilaient par paquets de dix et se retrouvaient emprisonnés dans un film plastique. Ces diverses opérations ne prenaient que quelques secondes.

Au-dessous d'eux, un employé se mit à courir le long du tapis pour aller récupérer l'un des premiers exemplaires, qu'il examina soigneusement, vérifiant les bords de la couverture. Dans l'heure qui suivrait, trois mille volumes seraient ainsi emportés sur des palettes jusqu'aux camions. La cadence infernale de l'imprimerie n'autorisait évidemment aucun stockage.

— Je file à Pont-Audemer, annonça Barth à regret.

Sans s'aider de la rampe, il dégringola les marches et traversa le hangar. Au passage, il attrapa l'un des romans qui défilaient. Il avait lu le nom de l'auteur, machinalement, et savait que Simon serait heureux d'en avoir la primeur. Sa journée finie, le gardien passait des heures à lire. Dix fois de suite, il avait refusé la télévision que Barth lui proposait.

— Sacré Simon…, marmonna Barth en démarrant.

Il le connaissait depuis toujours. Simon était né au Carrouges pendant la guerre et il y avait grandi. Longtemps, Irène avait tremblé à l'idée qu'on découvre cette Juive réfugiée chez eux, enceinte jusqu'aux yeux et prise en pitié par Octave qui avait l'âme sensible. Mais personne ne les avait dénoncés. Aujourd'hui elle s'était approprié la volonté d'Octave et Simon était devenu sa grande œuvre de charité, voire d'héroïsme. À la Libération, la mère était restée dans le pavillon de chasse avec son bébé. Elle avait rempli le rôle de gardienne, d'aide ménagère et de femme de charge avec une reconnaissance éperdue. Taciturne, elle avait élevé Simon dans le culte des Beaulieu. À sa mort, vingt ans plus tard, Simon avait tout naturellement pris sa place.

À Pont-Audemer, devant l'imprimerie, Barth se gara à la place qui lui était réservée – et que personne n'aurait eu l'idée absurde d'occuper. Les quatre drapeaux aux emblèmes de l'Europe, de la France, du léopard normand et du groupe Beaulieu flottaient mollement au-dessus de la porte vitrée qui coulissa en silence. La standardiste adressa un signe de tête à son patron lorsqu'il passa devant elle. Ici, l'atmosphère était très différente de celle de La Roque. Barth avait bâti un complexe luxueux destiné à en imposer aux visiteurs. L'ensemble des locaux dégageait une impression de sérieux et de prospérité. Une fois encore, Franklin avait été à la hauteur. Consultée pour la forme, Delphine n'avait émis que des idées sans intérêt. De toute façon, Barth ne tenait jamais compte de l'opinion de sa sœur. Elle n'avait pas de rôle défini au sein du groupe et, le plus souvent, Barth se demandait à quoi il pourrait bien l'occuper.

Il ouvrit la porte de son bureau à la volée, faisant sursauter sa secrétaire. C'était devenu un jeu, entre eux, et elle ramassa sans se plaindre le dossier qui lui avait échappé.

— Quoi de neuf ? demanda-t-il d'un ton morne.

Avec un sourire encourageant, elle désigna une feuille posée bien en évidence sur le sous-main. Il y jeta un regard rapide tout en allumant un cigare. Puis il s'empara de son stylo pour rayer d'autorité quelques corvées.

— Celui-là, je ne le recevrai pas, c'est un mauvais journaliste et je n'en attends rien… Laurent verra le comptable à ma place, pour une fois… Décommandez-moi le rendez-vous avec Cégenbäum puisque je n'ai pas reçu les garanties bancaires… Qu'est-ce qu'on mange tout à l'heure ?

— Melon Parme, saumon en croûte et fraises.

— Ce traiteur n'a aucune imagination, nous aurons le même menu tout l'été !

Elle se permit un sourire. Non seulement Barth ne déléguait pas, mais, bientôt, il choisirait lui-même l'eau minérale ou le papier des toilettes !

Comme la porte n'était pas fermée, Franklin passa la tête et toussota.

— Je peux te voir deux minutes ?

— Une.

Discrètement, la secrétaire s'éclipsa pour laisser les deux frères ensemble.

— Est-ce que Stéphane déjeune avec nous ? attaqua Franklin.

— Tu veux rire ? Je te rappelle qu'il existe une cantine qui nous coûte d'ailleurs très cher !

— Écoute…

— Rien du tout ! Si qui que ce soit m'empoisonne la vie avec ce môme, je ne le laisserai même pas balayer !

Franklin savait faire la différence entre l'humour froid de Barth et une vraie colère. Leur mère avait eu le tort d'imposer Stéphane sans consulter personne.

— Tu vas lui en faire baver ? Pourquoi ? Victor n'est plus là pour le défendre… Il n'a que vingt ans, sois un peu indulgent.

— Non. Agnès l'a été, tu vois le résultat ? Lui mener la vie dure serait un excellent service à lui rendre, seulement je n'ai pas le temps. Si tu te sens l'âme pédagogue, amuse-toi bien. Et n'en profite pas pour le débaucher !

Barth fut le seul à rire. L'allusion avait blessé Franklin plus qu'il ne l'aurait voulu, mais il n'était jamais parvenu à se blinder.

— Ne fais pas cette tête-là, je plaisantais.

— J'en ris encore, dit Franklin d'une voix sinistre.

Après un bref soupir, Barth s'excusa quand même. Son frère lui était nécessaire et faisait du bon travail de relations publiques. Il pouvait bien être homosexuel ou n'importe quoi d'autre, il restait un vrai collaborateur. C'était de cette manière que, dans ses bons jours, Barth considérait le reste de sa famille : à quoi servaient-ils ? De son vivant, Victor avait détesté l'imprimerie. Delphine était vraiment trop effacée et son mari, Laurent, resterait pour toujours étranger aux Beaulieu. Et suspect. Il était déjà employé du groupe quand il avait commencé à sortir avec elle. Jamais il n'arriverait à prouver qu'il avait vu en elle autre chose qu'une héritière, une actionnaire, une aubaine. Quant à Fabienne, la cadette, elle s'était dépêchée de partir, à peine majeure, pour accumuler les preuves éclatantes de son indépendance. À cette petite sœur rebelle, Barth vouait une véritable affection. Elle n'avait pas rejeté l'imprimerie, au contraire, car elle adorait l'univers du papier et de l'écrit. Elle avait fini par monter son propre journal, une sympathique feuille de chou dont elle avait fait peu à peu un grand quotidien régional. Une carrière exemplaire menée de main de maître par une femme qui savait garder la tête froide. Depuis quelques années, elle accumulait les liaisons désastreuses mais sans aucune incidence sur son travail. Installée au Havre dans un appartement moderne et dépouillé qui était tout le contraire du Carrouges, elle venait seulement à Pont-Audemer pour faire entendre sa voix dans les conseils d'administration du groupe.

— Va accueillir les invités, déclara brusquement Barth, je vous rejoins tout de suite...

Il passa devant Franklin, sortit et emprunta le long couloir vitré. Il était presque 13 heures mais les déjeuners du mardi étaient toujours assez tardifs. Barth traversa toute la salle des rotatives, conscient de la brusque crispation des employés qu'il croisait. Être un patron redouté ne lui procurait aucune vanité, juste un simple sentiment de sécurité. Il s'enfonça dans les sous-sols qu'il connaissait par cœur, gagna la rampe d'accès où les camions venaient charger. Un magasinier discutait avec un chauffeur, agitant sous son nez un bordereau. Il y avait peu d'activité ; tout le monde devait manger. Barth revint sur ses pas et trouva Stéphane dans le hangar réservé aux livraisons en attente. Le jeune homme s'était assis sur des piles de catalogues pour fumer en paix. La blouse qu'on lui avait donnée était par terre à ses pieds, roulée en boule.

Barth vint se planter devant lui, tendit la main et lui arracha la cigarette des lèvres. Il l'écrasa avec soin sous son talon tout en désignant d'un geste les grands panneaux qui rappelaient l'interdiction absolue de fumer dans ces locaux.

— Tout est inflammable, tu n'avais pas remarqué ?

Il ramassa la blouse et la jeta sur les genoux de son neveu.

— Tu restes ou tu pars ?

Levant la tête vers lui, Stéphane lui adressa un drôle de regard.

— C'est l'épreuve de force ? demanda-t-il à mi-voix.

Au lieu de répondre, Barth alluma tranquillement un cigare. Il prit le temps d'apprécier la première bouffée avant de déclarer :

— Moi je peux, je suis le P-DG, je ne vois pas qui viendrait me faire une réflexion.

— Votre assureur, en cas d'incendie.

— Très juste ! admit Barth en l'empoignant par le coude.

Il l'obligea à se lever et l'entraîna hors du hangar. Ils gagnèrent l'extérieur par la rampe de chargement. Le soleil les fit cligner des yeux au même moment. Tout en se dirigeant vers une grande pelouse entourée de bancs, Barth déclara :

— Si tu veux déjeuner, la cantine est dans l'autre bâtiment. Si tu n'as pas faim, prends donc un peu l'air, ça ne te fera pas de mal. La blouse, ce n'est pas une humiliation, c'est pour que les vêtements restent propres. Dans ton cas, c'est superflu, mais la règle vaut pour tout le monde.

— Vous n'auriez jamais osé traiter mon père comme ça, répliqua bizarrement Stéphane.

— Ton père s'appelait Victor Beaulieu. Et toi ? Rien ne me prouve que tu sois son fils !

C'était odieux et imparable. Aux yeux de la loi, Stéphane était né de père inconnu parce que Agnès traversait alors une crise de féminisme militant.

— Vous savez très bien que…

— Non, je ne sais rien. Ta mère affiche des mœurs tellement libérales que tout est permis. Qui me dit que tu n'es pas le rejeton d'un ringard en tournée, hein ?

Avant que le jeune homme, abasourdi, ait pu réagir, Barth le prit par les épaules et le fit pivoter vers l'imprimerie.

— Regarde ça ! C'est un beau morceau, hein ? Alors tu veux ta part, mais je ne te donnerai jamais rien. Rien ! Où te crois-tu ? Chez des bourgeois de province en mal d'héritiers ?

— C'est pourtant ça, votre problème ! cria Stéphane en se dégageant.

Ainsi il connaissait la situation, sa mère l'avait bien renseigné, et il espérait en profiter. Avec ses yeux de drogué, sa chemise froissée et ses cheveux sales, il paraissait tellement minable que Barth renonça à sa colère. Il n'aimait que les adversaires à sa mesure, et son prétendu neveu ne faisait pas l'affaire. Du plat de la main, il le poussa, l'accula jusqu'à un banc, puis il désigna sa montre.

— La pause est finie dans dix minutes. Fais-toi tout petit et, à la fin du mois, tu auras gagné de quoi t'acheter un peu de came. En attendant, écarte-toi de mon chemin, ici comme à la maison. Je t'ai prévenu deux fois, c'est une de trop !

Il tourna les talons et s'éloigna vers l'entrée principale. Déjà, il avait chassé Stéphane de ses pensées, se remémorant la liste des convives pour essayer d'établir un plan de table. Machinalement, il rajusta son nœud de cravate. Il était toujours d'une élégance impeccable, prenant un réel plaisir à choisir les étoffes des costumes ou des chemises qu'il faisait tailler sur mesure. Avec l'âge, il était devenu très exigeant sur la qualité de ce qu'il portait, tout en sachant que s'attacher ainsi aux apparences était un signe supplémentaire de vieillissement. Le tournant de la cinquantaine l'accablait pour de bon. Combien de temps lui restait-il à battre tout le monde au tennis et à faire rougir les femmes ? Quand devrait-il s'incliner ? Il pouvait rester encore longtemps un redoutable homme d'affaires, un patron, mais il devait faire son deuil de la jeunesse, reléguer aux oubliettes les jeux de la séduction, apprendre à perdre sur certains terrains.

Hormis l'empire Beaulieu – ce qui n'était évidemment pas négligeable – il commençait à croire qu'il n'avait pas réussi grand-chose. Il n'était ni un bon fils, ni un bon frère, ni un bon mari, et pas un père. Il n'avait rendu personne heureux, même s'il avait donné du travail à beaucoup. Et ce qui subsistait de son avenir venait mourir sur le mur d'une déshérence dont il était le seul responsable.

La bouffée d'angoisse qui l'assaillit fut si soudaine et si violente qu'il eut l'impression de suffoquer. Il se demanda avec terreur s'il n'était pas au bord de la dépression. Depuis quand éprouvait-il des sensations de ce genre ? La sueur s'était mise à ruisseler dans son dos, plaquant sa chemise sur sa peau. Il s'arrêta devant la porte pour reprendre son souffle mais la cellule photo-électrique fit coulisser les vitres en silence et il entra. Tout le long du couloir qui menait à la salle à manger, il fit l'effort de se reprendre, d'afficher un sourire, de ne penser à rien.

Le premier à l'apercevoir fut Laurent, son beau-frère, qui poussa une exclamation destinée à avertir les autres convives. Tel un monarque saluant sa cour, Barth serra la main des invités qui s'étaient instinctivement rangés devant lui. Il distribua quelques phrases de courtoisie, présenta des excuses pour son retard et déclara qu'il se passerait d'apéritif. Tandis qu'il désignait leur place à ses hôtes, Franklin l'observa avec intérêt. Il avait fait patienter tout le monde, vaguement inquiet pour Stéphane, mais ce n'était certes pas leur neveu qui avait pu mettre Barth dans cet état d'anxiété et de fatigue. Il en fallait beaucoup pour l'atteindre, et encore davantage pour que cela transparaisse.

Il y avait douze couverts sur chaque table. L'une était présidée par Barth, la deuxième par Franklin et la dernière par Delphine et Laurent. Chacun allait se servir au buffet installé par le traiteur, Barth ayant décidé que c'était à la fois économique et démocratique. Il usait avec une virtuosité déconcertante de toutes les techniques modernes de communication que Franklin lui proposait. Il s'appropriait un jargon très actuel d'énarque quand il en avait besoin, maniait le paradoxe ou la référence littéraire sans vergogne. Il mettait deux minutes en moyenne pour jauger un interlocuteur, puis appliquait infailliblement la bonne méthode pour l'époustoufler. Débonnaire ou retors, jovial ou diabolique, il savait donner la bonne image au bon moment.

George entra discrètement et se glissa à la place qu'on lui avait laissée. Un problème d'encrage l'avait retenu à La Roque ; cependant il fit comprendre d'un clin d'œil que tout était rentré dans l'ordre. Les directeurs des différentes unités du groupe étaient présents sans exception, comme chaque mardi. Ils étaient censés exposer leurs soucis au patron dans une atmosphère conviviale. Bien entendu, ils étaient rares à s'y risquer. Sauf deux jeunes loups aux dents plus longues que les autres, Richard Steiner et Nicolas Pertuis. L'un dirigeait le service du personnel et l'autre le lourd département des expéditions. Leur rivalité et leurs ambitions démesurées faisaient le bonheur de Barth en lui offrant sa récréation secrète.

Avec une moue navrée, Delphine découvrit qu'elle venait de tacher son chemisier. Ce déjeuner l'assommait, comme chaque semaine ; de surcroît, la trace de melon ne partirait sans doute jamais sur cette soie délicate. En relevant la tête, elle croisa le regard bienveillant de son mari et elle se sentit mieux. Laurent était très gentil, attentionné et tendre, quoi que la famille puisse en penser. Il s'était résigné à être traité en intrus, avait accepté sans broncher de vivre au Carrouges, pourvu que Delphine continue de se blottir dans ses bras chaque nuit. Et il y avait vingt-deux ans que ça durait. Quelle constance pour celui qu'on considérait encore comme un arriviste !

À sa table, Franklin continuait de couler des regards inquiets vers Barth. Qu'était-il advenu de Stéphane ? Avait-il vraiment expédié leur neveu à la cantine et lui faisait-il balayer les hangars pour de bon ? Il en était parfaitement capable. Ce jeune homme tombé du ciel devait l'exaspérer pour de multiples raisons. Quant à voir en lui le fils qui lui manquait, il fallait être aveugle comme Irène pour supposer pareille ineptie. De là à se venger sur le rejeton de Victor…

Quelqu'un venait de rappeler l'intervention remarquée de Barth au dernier congrès de l'imprimerie et des rires s'élevèrent. Franklin se souvenait très bien des réponses de son frère aux questions posées sur la conservation du papier. Au lieu de proposer des solutions, l'éminent président-directeur général du groupe Beaulieu avait déploré que le papier ne s'use pas plus vite et ne soit pas détruit par le seul regard du lecteur ! Et pour mettre un comble à la stupeur de ses auditeurs, il avait rappelé froidement qu'il dirigeait une imprimerie, pas un musée.

— Vous avez été magnifique ! souligna Richard de sa voix de fausset.

Barth s'abstint de lui jeter un regard méprisant et fit comme s'il n'avait rien entendu. La servilité, tout comme sa patience, avait des limites.

— Le Bathyscaphe est le meilleur restaurant de Deauville, c'est évident ! Je dirais même de la côte.

Cette phrase venait d'être lancée avec autorité par un éditeur parisien. Le souvenir de Nicky vint frapper Barth de plein fouet et il sentit aussitôt son malaise qui revenait, angoisse et souffrance mêlées. Deux ans s'étaient écoulés depuis la rupture. En vain. Cette femme avait failli le rendre fou et il n'avait toujours pas surmonté la crise. Il s'obligea à faire face.

— Leur chef est prodigieux, répondit-il d'un ton neutre avant de changer de sujet.

Nicky et Le Bathyscaphe, toutes les heures inouïes passées là-bas et la brûlure de l'humiliation infligée… Il fit un effort désespéré pour retrouver son calme. Il ne devait plus y penser, jamais, ou il finirait par s'écrouler. Et ça, il n'en était pas question, il ne pouvait pas se l'offrir.

2

À travers les persiennes, un jour lumineux filtrait en zébrures obliques. Irène comprit qu'elle ne se rendormirait pas malgré ses efforts. Il n'était que six heures mais elle était réveillée depuis un long moment. Avec l'âge, ses besoins de sommeil s'étaient considérablement amoindris. Elle se leva, enfila le déshabillé de soie mauve qui était resté au pied du lit, et chercha ses mules du bout des pieds. Le souvenir de l'odieuse soirée de la veille lui revint. Barth s'était montré désagréable, agressif, insolent. Il n'avait pas adressé la parole à Stéphane – qui avait d'ailleurs boudé toute nourriture –, il avait qualifié le turbot d'insipide, renvoyé le vin à la cuisine et fumé entre chaque plat.

— Mon Dieu, je crois qu'il m'arrive de le détester, soupira-t-elle à mi-voix.

C'était un euphémisme mais elle ne s'avouait pas volontiers la froide haine que son fils aîné lui inspirait. Était-ce parce que Octave avait prétendu un jour que Barth lui ressemblait ? Non, depuis sa naissance, elle éprouvait une inavouable aversion pour lui. Jamais elle n'avait eu envie de l'embrasser ou de le câliner lorsqu'il était enfant. Il n'avait pas atteint cinq ans qu'elle le

41

prétendait impertinent et entêté. C'est à cause de lui qu'elle avait exigé ce vouvoiement qui la mettait à l'abri de toute familiarité. De quel droit, à présent, faisait-il trembler toute la maison ? Pourquoi lui et pas elle ? Elle avait pourtant tenté de résister lorsqu'il lui avait arraché les rênes du pouvoir, au Carrouges comme aux imprimeries. Mais elle avait dû s'incliner, et constater avec amertume qu'elle n'était pas de taille à lutter contre lui.

Elle pénétra dans la petite tour qui jouxtait sa chambre et où se trouvait sa salle de bains. Un vigoureux coup de brosse précéda son premier regard vers la glace. Elle détestait se voir décoiffée. Pensive, elle arrangea encore une mèche, du bout des doigts, et observa les rides qui creusaient son visage. Toutes les crèmes du monde n'y changeraient plus rien. Elle entrouvrit le déshabillé. Elle était restée très mince, presque sèche, pourtant son corps était comme affaissé depuis longtemps, abîmé par ses maternités successives.

Lorsqu'elle sortit dans la galerie, elle s'arrêta une seconde, attentive aux bruits de la maison, mais elle n'entendit que l'horloge et quelques craquements familiers. Avec la chaleur et la sécheresse de ce mois de juin, tous les bois du manoir jouaient. Elle longea plusieurs portes puis gagna l'office et enfin la cuisine, qui se trouvait au bout de l'aile qu'elle occupait. Elle était la seule à dormir au rez-de-chaussée et Simon contrôlait les fermetures chaque soir avant de gagner son pavillon de chasse. Renée en faisait autant quand elle montait se coucher.

D'un coup d'œil, Irène vérifia la propreté de l'évier et de la cuisinière. Puis elle chercha une improbable miette sur la table. Renée était sérieuse et Irène la tenait

42

bien en main. Pour une fois qu'une employée restait plus de six mois d'affilée ! En général elles rendaient leur tablier au bout de quelques semaines, épouvantées par l'ampleur du travail à fournir. Malgré l'aide efficace de Simon et les services réguliers d'une entreprise de nettoyage chargée des grosses besognes comme le lavage des fenêtres ou des sols.

En soupirant, Irène commença à préparer le café. Renée se donnait beaucoup de mal, et Géraldine l'aidait de son mieux, cependant la maison était trop grande. Une vingtaine de pièces, trois escaliers, des tours, des galeries et des couloirs... Une folie qui témoignait d'une autre époque, bien révolue. Irène promettait régulièrement de trouver quelqu'un pour soulager Renée, mais ce n'était pas si simple.

Quand Stéphane entra, il fit sursauter sa grand-mère qui faillit lâcher la bouilloire. Ouvrant le réfrigérateur, il prit une bouteille de jus d'orange, et se mit à boire au goulot.

— Tu es mort de soif, on dirait ! Est-ce que tu as bien dormi ?

Il avala encore une dizaine de gorgées avant de reprendre son souffle.

— Oui...

Gentiment, il se pencha pour l'embrasser et elle lui trouva une drôle d'odeur qui évoquait l'encens.

— Franklin m'a raconté ce qui s'est passé, hier... Barth est impossible en ce moment ! Il va te falloir un peu de patience, mon pauvre petit...

En l'observant, elle cherchait à reconnaître les traits de Victor. La couleur des yeux, peut-être, ce bleu clair qu'elle avait légué à tous ses enfants, hormis Barth.

— Simon est déjà au travail ? s'étonna Stéphane qui regardait au-dehors.

— Il est très matinal, été comme hiver. Toi aussi, on dirait ?

Le jeune homme bâilla et secoua la tête sans répondre. Irène ne lui était pas sympathique, il aurait préféré qu'elle se taise. Mon « pauvre » petit… Ton « pauvre » papa… Sa compassion était plutôt condescendante.

Un escalier grinça, quelque part au-dessus d'eux, et Irène se crispa. Quand Géraldine entra, elle eut un bref soupir de soulagement. Tandis qu'elles s'activaient toutes les deux autour du grille-pain et de la cafetière, il s'éclipsa. Le jus d'orange lui avait suffi. Il n'avait jamais faim mais toujours soif. L'effet de la drogue, sans doute. Pourtant il s'était abstenu d'en prendre, la veille, afin de ne pas entamer sa réserve. Et à quoi bon s'octroyer une dose d'énergie dévastatrice s'il ne pouvait ni danser ni se noyer dans de la musique ? L'un des médecins qui l'avaient suivi, pendant sa cure, avait affirmé qu'il n'y avait pas d'accoutumance à ces saletés de produits mais qu'en revanche leur effet destructeur laissait d'irréparables séquelles. C'était leur baratin professionnel, destiné aux repentants.

Il s'attarda un moment dans la galerie sud, jetant un coup d'œil dans les grandes pièces désertes. La salle de billard l'attira irrésistiblement. Il adorait ce jeu et il se demanda si Franklin accepterait une partie, un de ces soirs. C'était bien le seul membre de la famille à qui il avait envie de poser la question.

Au lieu de reprendre l'escalier de la tour, il emprunta l'autre, du côté opposé, ce qui lui permettrait de traverser tout le premier étage. Il voulait repérer la disposition des chambres. D'abord Franklin, à l'est, seul au bout de la maison, après la lingerie, comme si on avait voulu l'isoler. Ensuite une grande chambre qu'Irène ne lui avait pas proposée, puis celle de sa cousine Clémence qui n'habitait là que pendant les vacances, et celle de Delphine et Laurent. La tour était le domaine de Barth puis une autre galerie repartait vers l'ouest. La chambre bleue, celle de Géraldine, ensuite la chambre « aux oiseaux », et enfin la chambre rouge. Il fallait qu'il se souvienne de tout s'il voulait se déplacer la nuit. Le troisième escalier, en colimaçon, se trouvait juste devant sa porte. Les marches de pierre étaient raides et personne ne passait jamais par là. Ce serait parfait.

Il décida de prendre une longue douche tiède. Il avait tout son temps et il espérait maîtriser ainsi la nervosité qui le gagnait peu à peu, comme chaque matin.

Barth refit pour la seconde fois son nœud de cravate. Il s'observa sans complaisance mais, au bout d'un moment, il eut un petit sourire satisfait. Ses cheveux châtains, toujours aussi fournis, l'empêchaient de paraître son âge. Et son blazer, impeccablement coupé, soulignait sa minceur. Il se sentait très en forme, presque de bonne humeur.

Sortant directement sur le palier, il vit que la porte de Géraldine était ouverte. Au lieu de fuir, il entra résolument. Assise à sa coiffeuse, elle se concentrait sur son maquillage et une cigarette fumait dans un cendrier. Elle se retourna d'un mouvement vif pour lui sourire, cherchant par habitude à désamorcer une éventuelle colère.

— Tu n'oublies pas que nous recevons, ce soir ? Vers quelle heure penses-tu rentrer ?

Question de pure forme puisqu'il était toujours en retard, incapable de s'arracher à son imprimerie. Il regretta qu'elle l'ait interrogé car il était en train de la trouver jolie. Sa dernière visite nocturne était pourtant récente.

— Aucune idée, répliqua-t-il d'un ton plus sec qu'il ne l'aurait voulu. Bonne journée, ma chérie.

Indifférent à sa moue contrariée, il quitta la pièce en deux enjambées et dévala jusqu'au rez-de-chaussée. Dans la cuisine, il but son café debout, pressé de partir. Sur le perron, il s'arrêta tout de même un instant pour humer l'air tiède et chargé d'odeurs. Durant bien des années, il s'était demandé chaque matin pourquoi il continuait de vivre là. Pour être agréable à sa mère qui n'aurait pas pu rester seule au Carrouges ? Par respect d'une tradition familiale dont il n'avait que faire ? Parce que l'endroit était à la fois exceptionnel et invendable ? Comme il n'avait jamais trouvé de réponse exacte, il avait cessé de s'interroger. Géraldine affirmait qu'elle se plaisait ici. S'ils avaient eu des enfants, les choses auraient été différentes. Mais puisqu'elle refusait d'envisager l'adoption, ils n'avaient rien changé à leur vie. D'ailleurs la seule idée de faire l'inventaire de tout ce fatras de meubles et de tableaux pour répartir les biens entre les cinq enfants était décourageante. Et c'était donc un peu par paresse que perdurait le clan Beaulieu.

Tandis qu'il s'éloignait vers son coupé, Géraldine l'observait de sa fenêtre, dissimulée par les lourds rideaux. Elle avait eu droit à six mots ce matin, un record ! Elle gardait un pli amer au coin des lèvres tout en retournant à sa coiffeuse. Aimer Barth était la chose la plus ingrate au monde, pourtant elle ne pouvait pas s'en empêcher. Elle aurait dû être payée de retour car elle était encore belle, mais il ne daignait pas s'en apercevoir. Il n'avait jamais un geste de tendresse ou un regard complice. Ils vivaient comme de parfaits étrangers. Sauf lorsqu'il venait frapper à sa porte certains soirs. Trop rares, et impossibles à prévoir. Il en allait autrement au début de leur mariage, lorsqu'ils dormaient encore ensemble.

— Oh, Barth…, soupira-t-elle à mi-voix.

Prononcer son diminutif était un plaisir qu'elle multipliait dans ses phrases sans voir qu'elle l'exaspérait. Un jour, il lui avait demandé méchamment pourquoi elle se pâmait dès qu'elle lui adressait la parole. Mais elle aurait fait n'importe quoi pour attirer vers elle ce regard d'encre bleu nuit qui la faisait frémir. Elle consacrait des heures à son apparence pour qu'il la remarque, la plupart du temps en vain. Même les compliments qu'il lui adressait étaient distraits, convenus.

La journée qui commençait allait ressembler à n'importe quelle autre. Il lui faudrait s'occuper de mille détails insignifiants en attendant le soir, le retour de Barth. Irène voulait toujours que ses dîners soient parfaits et Géraldine l'aidait à dresser la table, arranger les bouquets, composer les menus. Renée devait déjà vérifier l'argenterie et les cristaux. Quelle robe déciderait-elle de porter ? La bleue était trop chaude, la blanche trop sport.

Elle sortit sur le palier et gagna le dressing qu'elle partageait avec Barth. Il n'y avait plus guère que devant ces placards ou dans la salle de bains qu'ils se retrouvaient parfois. Du bout des doigts, elle effleura les vêtements et, lorsque son regard se posa sur une manche de soie rouge, elle sut que son choix était fait. La robe était une merveille avec son vertigineux décolleté drapé et sa longue fente sur le côté. Elle transformait Géraldine en femme fatale. Elle ne l'avait mise qu'une fois, provoquant un froncement de sourcils chez Irène mais un vrai désir dans les yeux de Barth. Quel parfum avait-elle essayé ce soir-là ? Il fallait qu'elle s'en souvienne si elle voulait obtenir la même réaction de son mari.

Réjouie par cette perspective, elle fila s'habiller. En passant un short et un chemisier, elle ne se doutait pas que c'était ainsi que Barth la préférait. Mais elle n'avait jamais rien compris à son mari.

Les coudes sur les genoux, le menton reposant dans ses mains ouvertes, Richard offrait l'image d'un élève studieux ; cette attitude avait le don d'exaspérer Barth.

— En bref, vous vous en chargez, vous en êtes responsable, vous m'en débarrassez !

— Vous souhaitez qu'il apprenne tout en partant du bas de l'échelle, c'est ça ?

Avec une moue amusée, Barth repoussa cette suggestion.

— Non, dit-il gaiement. Je m'en fous.

Il se demanda tout de même s'il ne donnait pas trop de pouvoir à Richard en le laissant improviser. Il allait jouer sur les deux tableaux, comme toujours, en voulant plaire à son patron tout en se conciliant les bonnes grâces du neveu des Beaulieu.

— Ce sera tout pour le moment, ajouta-t-il d'un ton plus froid.

Aussitôt Richard se leva et se hâta de quitter le bureau. Son désir de bien faire avait quelque chose de lamentable.

Baissant les yeux sur son agenda, Barth détailla la liste de ses rendez-vous. Il déjeunait avec un éditeur parisien qu'il s'était juré de convaincre. Appuyant sur le bouton de l'interphone, il sonna sa secrétaire.

— Dites-moi, Jacqueline, où avez-vous réservé une table ?

Au lieu de répondre, elle annonça qu'elle arrivait. Il devait y avoir du courrier à signer. Il soupira. Il n'apposait jamais sa signature au bas d'une feuille sans l'avoir relue deux fois. La première pour le fond et la seconde pour la forme. Jacqueline était presque parfaite mais il lui arrivait de laisser passer une faute de temps à autre et il se faisait un malin plaisir de la débusquer.

Avec un petit sourire navré, elle déposa effectivement quatre lettres devant lui en murmurant :

— Je suis désolée mais M. Marec y tenait beaucoup, il a fait retenir au Bathyscaphe.

Elle savait bien qu'il allait être furieux, cependant elle n'y était pour rien. Au téléphone, l'assistante de Marec avait été catégorique.

— Merde, il y a d'autres restaurants dans la région ! explosa Barth.

Il était parvenu à y échapper jusque-là. Tout le monde savait qu'il ne voulait pas mettre les pieds dans cet établissement. Il n'avait pas expliqué pourquoi mais il n'avait nul besoin de se justifier.

— On a dû lui en parler, suggéra Jacqueline.

— Ah, les Parisiens, ce snobisme !

Marec avait sans doute entendu chanter les louanges du restaurant le plus couru de Deauville, le plus à la

49

mode et le mieux signalé dans les guides. Il devait déjà foncer sur l'autoroute à cette heure-ci. C'était lui qui se déplaçait et le marché était d'importance. Barth décida que rien ne devait compliquer ce rendez-vous délicat. Il ne pouvait pas attendre Marec devant Le Bathyscaphe et le saisir par le bras pour le traîner ailleurs !

— Parfait, dit-il d'une voix sinistre. J'irai.

Se gardant bien du moindre commentaire, Jacqueline disparut en abandonnant le courrier sur le bureau. Barth essaya de lire la première lettre mais il arriva à la formule de politesse sans savoir de quoi il était question. L'image de Nicky occupait entièrement son esprit. Il n'avait aucune envie de la voir, ni même de l'apercevoir. Quant à faire des mondanités avec elle, l'idée était révoltante.

Dès qu'il sentit que l'angoisse était en train de fondre sur lui, il se leva et marcha jusqu'à la baie vitrée. Il avait affronté des situations autrement périlleuses ou dramatiques dans son existence. Au lieu de réagir comme un gamin, il n'avait qu'à se concentrer sur son rendez-vous. Peu importait le lieu, après tout !

Quelques minutes avant 13 heures, lorsqu'il traversa le bureau de Jacqueline, il avait retrouvé son sang-froid et lança même une plaisanterie en sortant. Jusqu'à Deauville, il se livra à des calculs compliqués, évaluant le chiffre auquel il était prêt à descendre pour convaincre Marec d'imprimer ses livres chez lui. Devant Le Bathyscaphe, il émergea de son coupé avec seulement quelques minutes de retard, ce qui était un exploit pour lui. Prenant une profonde inspiration, il poussa la porte du restaurant et se retrouva dans l'atmosphère feutrée si typique de Nicky. La climatisation offrait une agréable fraîcheur qui le surprit. Une symphonie de Mahler, qu'il reconnut sans mal, était diffusée en sourdine.

— Monsieur Beaulieu, je vous conduis à votre table, susurra le maître d'hôtel qui venait de se matérialiser à son côté.

Bien sûr, tout était toujours parfait ici, on savait qui conduire où et on pouvait appeler chaque client par son nom. Barth suivit l'employé jusqu'à une table ronde, un peu isolée, d'où on voyait la mer. Marec était encore moins ponctuel que lui car il n'était pas arrivé. Contrarié, Barth s'installa et sortit immédiatement une boîte de petits cigares. Si seulement on voulait l'empêcher de fumer, il aurait une bonne raison de partir en faisant un scandale. Mais, au contraire, le maître d'hôtel lui présenta une allumette enflammée tout en s'enquérant de son désir pour un éventuel apéritif.

Avant de la voir, Barth entendit sa voix. Il n'avait jamais oublié ses intonations un peu rauques ni sa façon de rire en parlant. Elle précédait Marec qu'elle guidait vers lui. Sa courte jupe de soie beige dansait autour de ses jambes bronzées. Il leva la tête et croisa son regard, juste avant qu'elle ne se mette à sourire. Ce ne fut qu'une expression professionnelle, qu'elle assortit d'un petit signe de tête indifférent. Quand Barth salua Marec, il eut la sensation désagréable qu'il n'avait plus de salive.

— Ravi de vous rencontrer, parvint-il à articuler en tendant la main à l'éditeur.

Nicky s'éloignait déjà, après avoir déposé deux menus sur leur table.

— Je voulais absolument connaître cet endroit, il y a des mois qu'on m'en parle ! Le cadre est assez inouï…

D'un geste discret, Marec désignait les boiseries d'acajou, les cuivres et les drôles de fenêtres rondes. Le couvert était superbe, avec ses porcelaines sophistiquées, l'argenterie massive et travaillée, les verres de Bohême. Des abat-jour d'opaline diffusaient une lumière douce sur les nappes de dentelle et quelques tableaux d'excellente facture étaient mis en valeur par des éclairages dignes d'une galerie d'art.

— Le dernier bathyscaphe construit par la Marine s'appelle l'*Archimède*, non ?

— Oui, et il est conçu pour descendre à 11 000 mètres de profondeur, répondit distraitement Barth.

La nuit où Nicky lui avait parlé des bathyscaphes, bathysphères et autres sous-marins lui semblait bien loin désormais. Elle avait alors de l'enthousiasme à revendre et une imagination débridée qui la rendaient bavarde.

— Très séduisante, la patronne…, murmura Marec.

Il observait la jeune femme qui était en train d'accueillir de nouveaux clients. Barth mit aussitôt la discussion sur un terrain professionnel alors qu'en principe il attendait la fin du repas. Il n'espérait pas être le seul à regarder Nicky, mais il ne voulait en parler avec qui que ce fût.

Lorsqu'elle revint quelques minutes plus tard pour s'enquérir de leurs choix, elle n'avait pas de carnet à la main. Sa mémoire lui avait toujours suffi pour prendre les commandes. Pendant que Marec l'interrogeait complaisamment sur la préparation des rougets, Barth put la détailler un peu. La maternité ne l'avait pas changée, elle était restée mince et souple avec son ventre plat, ses petits seins provocants, ses hanches de garçon. Il reconnut tout avec un douloureux sentiment de familiarité. Le châtain de ses boucles, peau mate et regard doré, elle n'avait rien d'extraordinaire, mais elle était pourtant irrésistible.

En écrasant son cigare, Barth vit que ses doigts tremblaient. Il avait toujours su que ce serait difficile de se retrouver en face d'elle mais c'était bien pire que prévu. Toute la rancune accumulée n'y changeait rien. Elle l'avait trahi, humilié, ridiculisé, et il avait cru qu'il pourrait la rayer de sa mémoire, l'ensevelir dans un oubli salvateur. Or il n'en était rien. Rien ! Son cœur battait trop vite et il dut desserrer sa cravate, essayant en vain de se raisonner. Il allait devoir lui parler, au moins de ce qu'il voulait manger !

— Monsieur Beaulieu ? demanda-t-elle en se tournant vers lui.

— Je vous fais entièrement confiance, madame.

Cette phrase imprévisible, Barth n'avait pas eu le temps de la préparer. Elle avait jailli spontanément, à la fois pour l'excuser puisqu'il n'avait pas lu le menu, et pour la provoquer, elle. C'était la dernière femme au monde à qui il pouvait faire confiance, ils le savaient tous deux.

Le sourire de Nicky le prit au dépourvu, il eut l'impression qu'elle s'amusait vraiment. Mais elle redevint sérieuse aussitôt.

— Salade de homard tiède, damier de bar croustillant, récita-t-elle d'une traite.

C'était un coup bas car elle venait de lui rappeler ses plats préférés, ceux dont il raffolait deux ans plus tôt, autour desquels ils avaient discuté comme des amants passionnés. À l'époque où ils s'aimaient.

Barth réalisa avec stupeur qu'il l'aimait toujours. Il n'aurait jamais dû prendre le risque de passer cette porte. Il eut envie de se lever, de fuir, et tant pis pour Marec. Il n'était pas en état de mener ce déjeuner à bien. Lorsqu'il releva les yeux, Nicky avait disparu, remplacée par le sommelier qui lui présentait une bouteille de montrachet qu'il n'avait pas souvenir d'avoir commandée.

— Comment as-tu fait ? s'émerveilla Franklin en désignant le bout de papier sur lequel Barth avait griffonné l'essentiel de son accord avec Marec.

— Aucune idée, grogna-t-il. L'inspiration, sans doute…

Il n'en savait rien, c'était vrai, il ne gardait de son déjeuner que les images superposées des diverses apparitions de Nicky. Pour le reste, il était dans un tel état qu'il s'était sûrement montré plus retors et impitoyable que d'habitude. Il pouvait traiter ses affaires sans y penser tant il était rompu à ce genre de discussion.

— Formidable…, ajouta Franklin d'une voix songeuse.

Barth l'épatait, il devait en convenir. Les éditions Marec leur échappaient depuis plusieurs années, et en un seul déjeuner son frère avait réglé le problème.

— Tu fais une drôle de tête, ça ne va pas ? Tu devrais peut-être voir un médecin… Arrivé à la cinquantaine, quand on est surmené…

— La barbe, répondit Barth. Dis à Jacqueline que j'aimerais boire quelque chose.

Congédié, Franklin se drapa dans sa dignité avant de sortir. Il transmit l'ordre de son frère à la secrétaire, précisant qu'il n'était sans doute pas question d'une tasse de café !

Dès qu'il eut devant lui son whisky-Perrier, servi sans commentaire par Jacqueline, Barth alluma son énième cigare de la journée. Décidément, on ne lui laissait pas oublier qu'il avait cinquante ans ! Cinquante... Le meilleur de la vie était sans doute derrière lui à présent, et il pouvait bien se gaver d'alcool ou de tabac sans remords. Il n'y avait rien à sauver.

Il laissa tomber un glaçon dans le verre, d'assez haut pour faire rejaillir un peu de liquide sur son agenda, et observa l'auréole qui s'élargissait sur la page en brouillant l'encre. Les quelques mois de tourmente auprès de Nicky, deux ans plus tôt, avaient été la période la plus exaltante de son existence, mais la facture avait été à la hauteur ! Lui qui se vantait de savoir juger les gens, il s'était fait rouler comme un bleu. Il l'avait aimée, désirée comme un damné, il avait même envisagé de tout abandonner. Famille, maison, passé, et jusqu'aux imprimeries du groupe : il aurait volontiers fait table rase pour repartir. L'empire Beaulieu, il l'aurait reconstruit ailleurs, en tout cas il s'en était cru capable. Jusqu'au jour où elle avait décidé de le ferrer comme un vulgaire poisson...

Même s'il vivait cent ans encore, jamais il ne pourrait oublier cette expression d'extase et d'innocence qu'elle avait eue. L'aube se levait à peine, répandant une clarté grise dans la chambre de Nicky. Ils étaient saturés de bonheur et pourtant ils vivaient leurs derniers instants. Le moindre détail de cette scène s'était gravé dans sa mémoire pour l'éternité. Elle avait passé sa chemise à lui, qui lui faisait comme une robe de chambre, et elle s'était assise en tailleur au pied du lit.

Dès qu'elle avait commencé à parler, il avait compris qu'elle allait l'assassiner froidement. L'un après l'autre, les mots l'avaient atteint comme autant de poignards. Elle attendait un enfant, c'était *merveilleux*, elle en était *certaine*, elle l'avait fait *exprès*.

Il avala plusieurs gorgées mais l'alcool n'avait pas le pouvoir d'affaiblir un souvenir aussi cuisant. Il ne pouvait être le père de personne – ce qu'il était le seul à savoir – mais il y avait forcément un père. Donc elle l'avait trompé, avant de lui mentir, et il lui fut impossible de déterminer ce qui était le pire à supporter, de son infidélité ou de sa duplicité. Tandis qu'elle babillait, ravie, il l'avait regardée avec horreur, comme sa pire ennemie. Elle ne s'était interrompue que lorsqu'il s'était levé et avait commencé à se rhabiller. Il ne pouvait pas rester nu pour ce qu'il avait à dire. Elle lui avait rendu sa chemise à temps, sinon il la lui aurait sans doute arrachée. La jalousie et l'humiliation qui l'étouffaient avaient alors été recouvertes par une vague de violence qu'il avait eu du mal à contenir. Pour ne pas la frapper, il était parti. Mais elle l'avait poursuivi dans l'escalier et à travers la salle déserte du restaurant. En larmes, elle s'était interposée entre lui et la porte. Quelle comédienne admirable ! Quelle garce…

Il avait bu le calice jusqu'à la lie en lui apprenant une stérilité qu'il avait tue jusque-là, par pudeur et par orgueil. Il ne pouvait pas avoir d'enfant, ne le pourrait jamais. À elle, il restait tous les hommes de la terre, y compris le géniteur de celui qu'elle portait déjà. Comme elle ne s'attendait pas à ce genre de révélation, elle était restée sans voix. Il l'avait ensuite repoussée avec un tel mépris qu'elle avait dû se retenir à l'une des tables pour ne pas tomber. Sans un regard pour elle, il était allé jusqu'à sa voiture garée discrètement dans une rue adjacente. Il avait pris l'autoroute et il s'était fait arrêter par des gendarmes un peu avant Paris. L'amende lui avait coûté cher mais il avait échappé à la suspension de permis en faisant jouer ses relations. Il avait changé de voiture la semaine suivante, croyant déceler l'odeur de Nicky sur le cuir du siège passager. Elle avait patienté dix jours avant de venir le relancer directement à La Roque mais il avait demandé à George de l'éconduire. Le lendemain même, elle l'avait attendu sur sa place de parking, devant l'imprimerie de Pont-Audemer. Elle était têtue mais il savait l'être davantage. Il la laissa constater à loisir qu'il avait maigri, qu'il était hagard parce que, au point où il en était, il pouvait tolérer cette ultime vexation. Puisqu'elle l'avait anéanti, elle avait le droit de s'en réjouir si ça l'amusait, toutefois, leur lamentable histoire était terminée, il n'y avait rien à ajouter. Et il l'avait plantée là, petite silhouette fragile et révoltée sur laquelle il ne s'était pas retourné.

Il avait bien cru qu'il allait en crever. De douleur, de rage et de frustration. Il avait vécu un calvaire d'insomnies, hanté par Nicky et torturé par chaque aube naissante. Toute la famille, Géraldine comprise, avait pensé qu'il était stressé par les imprimeries, les responsabilités et le tournant de la cinquantaine qui approchait. Son seul refuge possible avait été sa petite sœur Fabienne, à qui il avait tout dit. C'est chez elle qu'il était allé s'écrouler, dix fois de suite, quand il n'en pouvait plus. Combien de petits déjeuners lui avait-elle offerts et combien de paroles apaisantes avait-elle murmurées ? Il lui avait fallu presque deux mois pour émerger de ce tunnel de souffrance et retrouver une vie à peu près normale. Depuis, il ne s'était plus jamais moqué des chagrins d'amour des autres. Ce qu'il avait pris jusque-là pour une maladie imaginaire avait failli le terrasser.

Son verre était vide à présent et il ne voulait pas en demander un autre. Mais avoir évoqué Fabienne lui donnait envie de la voir sur-le-champ. Il n'était que 17 heures et il avait le temps de faire un saut au Havre. Tant pis pour le dîner du Carrouges, les invités attendraient !

En sortant de son bureau, il tomba sur Richard et Stéphane qui discutaient avec Jacqueline dans le couloir. Il désigna son neveu d'un geste agacé.

— Il n'est pas au travail, celui-là ? Je me suis sans doute mal fait comprendre, mais je peux mettre les points sur les i…

Sans laisser le temps à quiconque de réagir, il les dépassa et s'éloigna.

Géraldine se récita mentalement le plan de table. Elle vérifia l'ordonnance des couverts, redressa une rose. L'ensemble des préparatifs restait conventionnel, un peu triste, mais Irène détestait changer quoi que ce soit aux habitudes de la maison.

— Vous n'avez pas ménagé votre vaporisateur, ma chérie ! lui lança sa belle-mère depuis le seuil de la salle à manger. Et cette robe… Quelle élégance !

Toute de noir vêtue, Irène raillait sa bru sans méchanceté. Barth serait obligé de regarder sa femme, ce soir, car il était impossible qu'un homme ignore ce décolleté. Et si ce déguisement de Messaline servait à les rapprocher, tant mieux.

Franklin, qui venait de rentrer, se joignit à elles. Stéphane le suivait, l'air boudeur. La journée à l'imprimerie s'était traînée en longueur, noyée de bruits et d'ordres.

— Barth est encore là-bas ? s'enquit Géraldine.

C'est ainsi qu'elle désignait Pont-Audemer où elle ne mettait jamais les pieds. Au début de leur mariage, Barth l'avait pourtant emmenée plusieurs fois à La Roque pour essayer de lui faire comprendre le fonctionnement d'une presse Cameron. Comme elle le regardait, béate, au lieu de s'intéresser à la machine, il avait vite renoncé. Néanmoins elle conservait un souvenir agréable de ces incursions et il n'y avait qu'à La Roque qu'elle se rendait encore de temps à autre.

— Non, il a déserté dans l'après-midi et je suppose qu'il rentrera directement ici.

Crispée, Géraldine se demanda à quelle heure il jugerait bon d'apparaître enfin et à quel point le gigot serait trop cuit. Elle ne s'interrogeait plus depuis longtemps sur l'emploi du temps de son mari. Deux ans plus tôt, elle avait eu la quasi-certitude qu'il traversait une crise d'indépendance – un mot pudique pour désigner une liaison – mais elle n'avait rien fait, n'avait posé aucune question. Irène lui avait recommandé la patience et, effectivement, tout était rentré dans l'ordre. Depuis, il ne découchait plus, même s'il rentrait parfois à des heures innommables.

Stéphane observait la table et se demandait s'il serait obligé d'assister à ce dîner. Sa grand-mère lui fournit spontanément la réponse en lui annonçant qu'elle l'avait placé à côté d'elle. Il devait s'agir d'une faveur mais il ne lui adressa même pas un sourire. La perspective de cette soirée l'assommait.

— Montons nous changer, suggéra Franklin en lui posant familièrement une main sur l'épaule.

Dans le hall, il énuméra les invités avec une ironie mordante. L'inévitable Dr Martin, le maire et son épouse qui affichaient une dévotion pour les Beaulieu, le président du Conseil général qui était le partenaire favori d'Irène au bridge, quelques raseurs sans intérêt, et la famille au grand complet.

— L'ennui est garanti, tout comme la veillée que nous devrons à notre cher président ! Il adore faire poireauter maman, il sait que ça la rend folle de rage.

— Elle n'a jamais fait servir sans lui ? plaisanta Stéphane.

— Non, elle aurait trop peur qu'il renverse la table en arrivant ! À vrai dire, il en est capable…

Mais Franklin n'avait pas l'air inquiet, bien au contraire. Les mouvements d'humeur de Barth étaient l'une des rares distractions du Carrouges.

— Ce type, Richard quelque chose, il va vraiment falloir que je le subisse ? dit soudain le jeune homme.

— Tant qu'il te sera insupportable, Barth te l'imposera, répondit tranquillement son oncle. Mais si tu copines avec lui, tu en seras vite débarrassé.

— Le mode d'emploi n'est pas compliqué ! Il est vraiment simpliste, ton frangin…

Ils étaient parvenus au premier étage ; Franklin jeta un coup d'œil dans la galerie qui était déserte. Puis il se tourna vers Stéphane qu'il dévisagea.

— Simpliste ? Tu rêves ! Retors, incompréhensible, n'importe quoi mais pas clair. Et pas méchant non plus. Maintenant, si tu veux un tuyau, demande plutôt de travailler à La Roque. Sur la chaîne, les gars ne sont pas spécialisés, il suffit de savoir appuyer sur les boutons.

Mais, là-bas, Barth est moins chiant. Tu pourrais faire semblant de t'intéresser à la fabrication…

— Le côté bon élève, quoi !

— Eh bien… En fait, c'est *réellement* intéressant.

Jugeant qu'il avait accompli son devoir, Franklin se dirigea vers sa chambre. Stéphane ferait ce qu'il voudrait de ses conseils, il s'était montré honnête.

Fabienne pointa le doigt vers une pendulette design sur laquelle il n'était pas vraiment aisé de lire l'heure.

— Tu as vu ? Nous allons être en retard.

Mais elle ne bougeait pas, pelotonnée au fond de son canapé blanc, pas plus pressée que Barth de rejoindre le Carrouges. D'autant plus qu'elle n'avait pas partagé de tête-à-tête avec lui depuis longtemps. Quand elle le voyait lors des conseils d'administration ou des fameux déjeuners du mardi, il était toujours dans son rôle de président-directeur général.

— Où est Gabriel ? interrogea-t-il. Il me fuit ?

— Non, il doit regarder les infos, et sur toutes les chaînes à la fois, comme d'habitude !

Barth appréciait rarement ses amants et c'était réciproque. Il ne comprenait pas la prédilection de sa sœur cadette pour ces intellectuels, souvent entichés de politique, qu'elle dénichait la plupart du temps parmi ses propres collaborateurs. L'élu du moment était son rédacteur en chef et semblait s'éterniser.

— Tu l'uses moins vite que les autres, on dirait…, risqua-t-il prudemment.

Ils avaient le même caractère et détestait l'un comme l'autre qu'on se mêle de leurs affaires, publiques ou privées.

— Je dois vieillir, répondit-elle en riant.

Puis elle se pencha brusquement au-dessus de la plaque de métal martelé qui tenait lieu de table basse.

— Est-ce que tu vas bien, toi ?

Au lieu de répondre, il se contenta de la regarder. Elle le connaissait trop pour qu'il s'offre un mensonge de courtoisie. Avec un soupir, elle se rejeta sur ses coussins.

— Tu l'as revue ?

— Contraint et forcé. Traîné par un gros client.

— Et alors ? Ça rouvre la plaie ?

— Oui.

Son regard sombre quitta celui de Fabienne. Un tel aveu d'échec le blessait profondément. Il n'avait pas réussi à guérir, ni à oublier, et il en avait honte.

— Je crois qu'il serait temps de partir…, déclara Gabriel qui se tenait sur le seuil du salon sans oser entrer.

Comme s'il n'avait rien entendu, Barth alluma un cigare. Fabienne attendit quelques instants avant de se lever puis elle annonça qu'elle ferait la route avec son frère. Gabriel sortit ses clefs de voiture et se mit à jouer avec, s'abstenant de tout commentaire. C'était un assez bel homme, qui ne paraissait pas ses quarante ans, et qui était généralement sociable, disert, curieux de tout. Mais il éprouvait une violente antipathie pour Barth et il préférait se taire ou l'éviter. Il ne comprenait pas l'indulgence de Fabienne pour son frère aîné, ni qu'elle soit toujours prête à voler à son secours alors qu'il devait être l'individu le moins vulnérable qui soit.

Ils quittèrent l'appartement en silence et se séparèrent en bas de l'immeuble. Fabienne s'installa dans le coupé de Barth, bouclant ostensiblement sa ceinture.

Elle savait d'avance qu'il foncerait sur l'autoroute 131 jusqu'au pont de Normandie. Pas pour rattraper son retard mais pour le plaisir de la vitesse.

— Tu n'as vraiment trouvé personne d'autre pour te tirer de là ? murmura-t-elle tandis qu'il se faufilait dans les rues encombrées du Havre.

Mais bien sûr, il n'avait rien fait. Au contraire, il s'était soigneusement gardé des rencontres ou des coups de cœur, attentif à ne pas renouveler pareil désastre. Et Géraldine était inapte à lui redonner le goût de l'amour.

— Qu'est-ce qu'elle avait de si...

— Elle était *pour moi*, coupa-t-il.

Ce qui le mettait dans une impasse. Nicky l'avait trahi de façon odieuse et personne ne lui succéderait. D'une certaine manière, Fabienne le regrettait. Elle avait senti son frère prêt à tout pour cette femme et elle aurait volontiers assisté en spectatrice à l'éclatement de la famille Beaulieu. Irène ne s'en serait jamais remise ! Barth refaisant sa vie ailleurs et sans eux, à presque cinquante ans ! Cela aurait été une tempête plutôt réjouissante à laquelle, hélas, il ne fallait plus songer.

— Elle t'a parlé ?

— Oh oui ! Elle m'a dit « bonjour monsieur ».

Fabienne avait eu droit à la même formule polie et désincarnée chaque fois qu'elle avait franchi la porte du Bathyscaphe. Nicky gardait le secret de son mensonge, trop fière pour en discuter avec qui que ce soit. Fabienne l'avait aperçue enceinte, énorme et maladroite, puis elle l'avait revue quelques mois plus tard, poussant un landau, mais n'avait jamais obtenu autre chose qu'un simple signe de tête. Le bébé s'appelait Guillaume et, apparemment, il n'y avait pas de père.

— Pourquoi n'a-t-elle pas changé de ville, de pays !

Il avait dit ces mots d'une voix tendue, toujours partagé entre la rage et la détresse dès qu'il s'agissait d'elle. Si seulement elle s'était enfuie, s'ils n'avaient pas respiré le même air et vécu sous le même ciel, si elle avait été se cacher pour expier, peut-être aurait-il eu un peu moins mal.

Le jour où Fabienne avait découvert que Barth pouvait souffrir pour une femme, elle était tombée des nues. Jamais elle ne l'aurait cru capable d'éprouver autre chose que du désir ou un sporadique besoin de conquête. Il n'avait poussé aucune aventure jusqu'à la liaison et s'était montré plutôt avare de confidences. Mais, avec Nicky, dès le début, il avait fallu qu'il se confie. Gonflé de fierté, transformé, il s'était précipité chez sa sœur pour lui raconter son coup de foudre et de folie. Une révélation, à ses dires. Et qui l'avait rendu primesautier, bienveillant, joyeux, bref tout ce qu'il n'était pas. Quelques mois plus tard, il était tombé de très haut. À la douleur d'une brutale rupture s'était ajoutée une intolérable blessure d'orgueil. Car Fabienne savait à quel point Barth était obsédé, depuis douze ans, par sa stérilité vécue comme une tare. Non seulement les enfants qu'il n'aurait jamais lui manquaient vraiment, non seulement l'empire Beaulieu était condamné après lui et par sa faute, mais son incapacité à être père l'empêchait même de mépriser Géraldine ! C'était lui le fautif, Irène le lui faisait sentir lourdement, évitant le sujet avec ostentation comme s'il s'agissait d'un handicap inavouable. Alors bien sûr, en cherchant à lui faire endosser une impossible paternité, Nicky avait frappé sans le savoir à l'endroit le plus sensible.

Avec un petit soupir résigné, Fabienne s'enfonça dans le siège et colla sa nuque contre l'appui-tête. Même en se tenant éloignée de la famille, elle ne pouvait pas se désintéresser de Barth. Pourquoi n'avait-il pas quitté le Carrouges, lui qui était tellement indépendant ? Pourquoi n'avait-il pas cherché à en savoir plus au sujet des adoptions ? Fabienne lui avait parlé du Brésil, elle aurait pu le mettre en relation avec un réseau très sûr, là-bas, mais il n'avait pas donné suite. Géraldine faisait semblant de garder l'espoir d'une grossesse et affirmait trop haut qu'elle ne souffrait d'aucune frustration. Irène avait dû la convaincre que les enfants étaient une source de tracas puisque, comme elle se plaisait à le répéter, les siens avaient *gâché* son existence. Qu'aurait-elle fait de cette existence si Octave ne lui avait pas imposé une telle fécondité ? Irène n'était pas plus douée pour les affaires que pour aimer.

Le pont se profilait devant eux, impressionnant ouvrage d'art dont les haubans narguaient le ciel. Fabienne profita de l'arrêt au péage pour observer son frère à la dérobée. Malgré elle, c'était un homme comme lui qu'elle cherchait à travers ses multiples amants. Un homme qui possède la même force de caractère ou une personnalité similaire. Jusqu'ici, elle avait été d'échec en échec, consciente de sa quête impossible mais incapable de régler son problème. Un père lui avait manqué… ce n'était pas la seule explication. Elle n'avait que peu de souvenirs d'Octave, dont la mort ne l'avait pas vraiment affectée. Barth s'était tout de suite imposé comme chef de famille, empêchant Irène d'accéder à un pouvoir dont elle avait pourtant rêvé. De quatorze ans sa cadette, Fabienne avait regardé son frère aîné avec autant d'admiration que de reconnaissance. Jamais elle n'avait eu peur de lui alors que Delphine, Franklin et même Victor courbaient l'échine. Le jour de ses vingt ans, lorsqu'elle avait annoncé qu'elle partait tenter sa chance loin de l'empire familial, il avait été le seul à applaudir.

— Réveille-toi, microbe, on est arrivés !

En émergeant du coupé, elle scruta la longue allée obscure.

— Tu as semé Gabriel ?

— S'il conduit comme il écrit…

Chaque matin, en lisant l'éditorial du quotidien, Barth levait les yeux au ciel. Il lui était même arrivé de téléphoner à sa sœur pour lui demander où elle avait dégotté son rédacteur en chef. « Non seulement il est nul, mais il est pernicieux. Comme tous les écolos ! Tu ne devrais pas mélanger les affaires et les galipettes ! » Une inutile mise en garde qui faisait sourire Fabienne.

— En tout cas, grâce à lui, nous ne serons pas les derniers ! persifla Barth en s'effaçant pour la laisser entrer.

Ils eurent droit à un regard furieux de leur mère tandis qu'ils saluaient les invités. L'apéritif avait traîné en longueur et Stéphane, affalé dans un canapé, avait sans doute trop bu.

— Voulez-vous que nous passions à table ? proposa Irène d'une voix glaciale.

— Je prendrais bien quelque chose en attendant Gabriel, répliqua Barth.

Il alla jusqu'à la desserte et se servit un peu de whisky qu'il noya d'eau gazeuse.

— Je vais faire comme vous, murmura Stéphane qui l'avait rejoint.

D'un geste précis, Barth éloigna la bouteille au moment où le jeune homme allait s'en emparer.

— Non. Toi, tu finis la soirée à la flotte ou dans ta chambre, au choix.

Bien qu'il n'ait pas élevé la voix, sa phrase tomba dans un silence et tout le monde put l'entendre. Franklin, à l'autre bout du salon, fit un mouvement, et Barth tourna la tête vers lui. L'arrivée de Gabriel, suivi de Géraldine, provoqua une heureuse diversion. Barth détailla sa femme de la tête aux pieds, esquissa un sourire puis vida son verre.

— Madame est servie, annonça Renée d'un ton morne.

Comme chaque fois qu'il y avait du monde, elle ne finirait son service que tard dans la soirée. À coup sûr, bien après minuit. Mais Irène lui donnerait sa matinée du lendemain, selon la tradition.

— Géraldine, vous êtes absolument éblouissante, disait le Dr Martin en la suivant vers la salle à manger.

Volontairement, Barth resta en arrière, à côté de son neveu qui n'avait pas bougé. Il attendit que le salon soit vide puis il lui fit face.

— Ici, on dîne en cravate. Je te donne une minute pour redescendre.

Son regard sombre ne fit qu'effleurer le jeune homme, néanmoins la menace était tangible.

En sueur, assoiffé, Stéphane émergea d'un rêve qui devait être un cauchemar. Il alluma aussitôt, s'obligea à respirer lentement. Le silence du Carrouges l'inquiétait et il se leva pour s'approcher de la fenêtre grande ouverte. Anxieux, il attendit longtemps mais ne perçut aucun bruit en provenance du parc. La nuit s'engluait dans une écœurante tiédeur. Toujours oppressé, il se mit à espérer que des moustiques ou des papillons soient attirés par la lumière de sa chambre, n'importe quoi qui bouge un peu. Mais il reconnaissait là les signes avant-coureurs du manque. Il avait été privé d'alcool au dîner et la cigarette de haschich qu'il avait fumée en se couchant n'avait fait qu'exaspérer son envie. Il pouvait très bien s'octroyer un cachet, il lui en restait une demi-douzaine. Pourtant, il fallait qu'il trouve vite le moyen de s'en procurer d'autres.

Pieds nus, il traversa la pièce pour aller ramasser son tee-shirt et son caleçon. À quatre heures du matin, il ne risquait pas de rencontrer grand-monde, toutefois il ouvrit sa porte très lentement. La galerie était obscure et silencieuse. Tout au bout, il lui faudrait passer devant la chambre de Barth, ce qui le faisait hésiter. Mieux valait emprunter l'escalier en colimaçon qui débouchait face aux appartements d'Irène. Elle avait peut-être le sommeil léger mais les murs du Carrouges étaient épais. Il s'engagea sur les marches de pierre et se retrouva en quelques instants au rez-de-chaussée. Deux minutes plus tard, il fouillait les placards de l'office. Un peu fébrile, il faillit casser une pile de bols en faïence avant de découvrir la réserve d'alcool. Il y avait trois bouteilles de whisky, deux de vodka et deux de gin encore cachetées. Après une hésitation, il choisit le scotch pur malt, persuadé qu'il s'en consommait assez dans la maison pour qu'on ne remarque pas son larcin.

Attentif à rester silencieux, il gagna le salon. Là il but, au goulot, une longue rasade de vieille poire puis quelques gorgées de cognac. Le mélange ne le fit même pas grimacer. Il ne cherchait pas la saveur mais l'effet salvateur que la boisson n'allait pas tarder à lui procurer. Il avait besoin d'oublier qui il était – c'est-à-dire rien – pour le moment.

Comme il y avait toutes sortes de flacons et de carafes sans étiquette sur la desserte, il goûta au hasard des liquides forts et parfumés. Puis il se dirigea vers le petit salon où il avait repéré un ordinateur et un Minitel. Sur ce dernier, il pourrait obtenir une liste de soirées *rave* [1]. De celles où des jeunes comme lui achetaient avec le droit d'entrée leur ration d'ecstasy.

L'alcool commençait à lui faire oublier toutes les difficultés qui l'attendaient. Il n'avait aucun moyen de locomotion et le Carrouges était loin de tout. Peut-être pourrait-il emprunter la voiture de Franklin ? Ou, au pire, le vélo de Simon ? Quoi qu'il en soit, il allait se trouver à sec dans quelques jours. Non seulement de drogue, mais d'argent. Sans grand espoir, il ouvrit les tiroirs du bureau dans lesquels il ne découvrit que des jeux de cartes, puis il passa à un secrétaire en marqueterie, tout aussi décevant.

S'étant habitué à la pénombre, il retourna dans le hall et cette fois prit l'escalier de la tour, comme par provocation. Sa bouteille sous le bras, il traversa le palier en ignorant la porte de Barth. Devant la chambre de Géraldine, il crut entendre un bruit et il se mit à courir le long de la galerie, soudain beaucoup moins courageux. Ce n'était pas l'idée de se faire surprendre qu'il redoutait, mais plutôt celle qu'on lui confisque cet alcool dont il avait besoin.

1. *To rave* : avoir le délire. Ces rassemblements, très surveillés par la police, changent de lieu de rendez-vous jusqu'au dernier moment.

Une fois à l'abri, chez lui, il voulut donner un tour de clef et constata qu'il n'y avait ni serrure ni verrou, aucun moyen de s'enfermer. Il resta aux aguets quelques instants mais ne perçut qu'un épais silence. Le bruit de la ville lui manquait, c'était la première fois qu'il en faisait la constatation. Il avait grandi dans l'atmosphère rassurante d'une vie lointaine mais grouillante, s'écoulant sous les fenêtres et ne cessant jamais tout à fait. Même à quatre heures du matin, le bruit des pneus sur les pavés, une portière qui claquait, une sirène ou un démarrage intempestif suffisaient à lui rappeler qu'il n'était pas seul au monde. Ici, au contraire, tous les habitants du Carrouges auraient pu être morts. Il lui faudrait attendre l'aube pour avoir au moins la compagnie des oiseaux. Comme pour lui donner tort, un craquement sec le fit sursauter. Il jeta un coup d'œil à l'imposante armoire normande qui trônait entre deux fenêtres, puis il but avidement quelques gorgées de whisky. Il décida qu'il détestait ce manoir ridicule et toute la famille Beaulieu avec.

Un irrésistible besoin de partir s'empara de lui. Barth n'avait aucune envie de faire quelque chose pour lui et le méprisait ouvertement ; d'ailleurs il n'avait besoin de personne, il avait été lâche d'accepter la stupide proposition de sa mère qui voulait juste avoir la conscience tranquille durant sa tournée. À Paris, il avait des copains, il était libre, et il savait comment se procurer de l'argent.

À quatre pattes, il tâtonna sous le lit pour trouver son sac de voyage. Dans quelques minutes, il pourrait traverser la pelouse en courant, gagner le portail et l'escalader, s'enfuir comme un voleur. Il ouvrit la fermeture Éclair d'une main, saisit son baladeur et ses écouteurs de l'autre. Tandis qu'il enfournait ses affaires en vrac, ses doigts rencontrèrent un petit objet qu'il extirpa pour l'examiner. Ce n'était pas un bonbon, malgré sa forme amusante. Le petit cochon qu'il tenait entre le pouce et l'index était bel et bien de l'ecstasy. Les comprimés se présentaient souvent sous forme d'animaux, parfois de Schtroumpfs. Comment cette précieuse dose avait-elle pu s'égarer au fond du sac ? Les autres étaient toujours enfermées dans un sachet de plastique, à l'abri de sa trousse de toilette.

Il s'assit à même le sol, faisant sauter le cachet dans sa paume. Il avait bu suffisamment d'alcool pour s'offrir un formidable voyage s'il l'avalait maintenant. Et il savait très bien qu'il n'allait pas résister à la tentation.

« Si tu rentres à Paris, jusqu'où iras-tu pour te procurer ces trucs-là chaque soir ? Jusqu'à bousculer une petite vieille pour lui piquer son porte-monnaie ? »

Rien ne l'avait préparé à penser une chose pareille. C'était comme si quelqu'un d'autre, tapi dans sa tête, avait réfléchi à sa place. Il plaqua ses mains sur ses tempes, sentant les battements de son cœur qui accéléraient. L'ecstasy faillit lui échapper et, d'un geste naturel, il le plaça sur sa langue.

— Je ne suis pas un voleur, articula-t-il à mi-voix. Ça, non !

Pourtant, s'il avait trouvé de l'argent lors de son expédition au rez-de-chaussée, il n'aurait pas hésité. Et sans doute allait-il continuer d'en chercher, les nuits prochaines. Il déglutit pour avaler le petit cochon rose. L'effet de la drogue serait violent mais assez bref. Personne ne viendrait le réveiller un dimanche matin, du moins il l'espérait. Il récupéra son baladeur dans le sac et se hissa sur son lit. Il prit soin de bien ajuster son casque, décidé à mettre le volume à fond. Les basses de la techno commencèrent à vriller ses tympans et il s'absorba dans la contemplation du plafond, attendant avec impatience l'immanquable accélération si joliment appelée *speed*.

3

Heureusement pour Stéphane, ce fut Franklin qui le tira du lit en fin de matinée. L'énergie dépensée à secouer la tête en rythme et à se tortiller sur son matelas l'avait épuisé.

S'il comprit à quoi le jeune homme avait consacré sa nuit, il n'en dit rien. Mais cette gentillesse presque complaisante agaça son neveu au lieu de l'émouvoir. Ils descendirent ensemble pour le tardif petit déjeuner qui tenait lieu de repas du midi le dimanche, à la mode anglaise. Simon avait été chercher les inévitables vien- noiseries qui trônaient par douzaines dans une grande corbeille, voisinant avec des jattes de confitures faites à la maison. Il y avait également des fruits, un plateau de fromages entouré de toasts, des Thermos de thé et de café, mais aussi du vin blanc dans un seau à glace. Chacun descendait à l'heure qui lui convenait et se servait à sa guise. Irène se voulait très moderne avec cette coutume libérale qui lui permettait surtout de laisser Renée se reposer. Barth, lui, haussait les épaules chaque fois qu'il se retrouvait devant cette table hétéroclite.

Géraldine affichait ce matin-là des yeux brillants, des cernes, et un sourire qui n'avait rien de compassé. Stéphane en déduisit que la robe rouge de sa tante avait dû produire l'effet escompté. Il voulut observer Barth mais, en tournant la tête, il croisa le regard de son oncle posé sur lui. Il essaya en vain de le soutenir puis il céda et s'absorba dans sa tasse de café.

Épaule contre épaule, Delphine et Laurent semblaient mal réveillés. Irène tentait de maintenir un semblant de conversation en faisant des projets pour la journée. Les après-midi dominicaux révélaient imman-quablement l'ennui qui pesait sur la famille Beaulieu. La cohabitation ne réussissait à personne. Durant l'enfance et l'adolescence de Clémence, il y avait eu un peu de gaieté. Surtout les rares week-ends où Victor daignait leur rendre visite, amenant avec lui une bouffée d'air parisien et son gamin accroché derrière lui sur sa moto. Stéphane et Clémence se retrouvaient avec plaisir, ravis de rompre leur solitude d'enfant unique. Et tandis que les cousins s'égaillaient dans le parc en déjouant la surveillance de Simon, Victor racontait son dernier ou son prochain tournage. Pour lui, Irène s'était toujours montrée assez bienveillante. Il la divertissait avec ses histoires et surtout il lui permettait de narguer Barth. En manifestant de l'affection à Victor, elle semblait donner la preuve de sa capacité à aimer, démontrant qu'elle pouvait être une mère comme les autres et que sa mésentente avec son fils aîné ne venait pas d'elle. En réalité, elle n'éprouvait qu'un sentiment vague, qui tenait plus de la sympathie que de l'amour, pour Victor comme pour Franklin. L'un parce qu'il vivait au loin, l'autre parce qu'il était faible, mais tous deux la flattant d'une certaine manière. Alors que Barth l'affrontait chaque jour, lui volait son autorité et la ramenait au temps d'une soumission imposée par Octave. Elle se disait parfois que son veuvage ne lui avait *servi* à rien.

Stéphane se souvenait de ces quelques dimanches au Carrouges et regrettait l'absence de Clémence. Delphine lui avait appris que la jeune fille reviendrait dans quelques semaines pour les vacances. Il l'enviait de faire des études aux États-Unis, pays qu'il imaginait comme un paradis pour les jeunes de son âge.

— Est-ce que quelqu'un accepterait d'être mon adversaire au tennis ? demanda Géraldine en reposant délicatement sa tasse de porcelaine.

Sa question visait Barth contre qui elle adorait jouer même si elle n'était jamais parvenue à le battre. Pourtant, elle s'entraînait trois fois par semaine avec un professeur qui venait au Carrouges lui dispenser ses coûteux conseils. Mais, lorsqu'elle se retrouvait face à son mari, elle ne songeait plus qu'à prendre des poses avantageuses au lieu de soigner son revers ou son service.

Comme personne ne répondait, Franklin se sentit obligé de se dévouer. Delphine et Laurent, toujours inséparables, investiraient sans aucun doute le verger dès qu'il ferait un peu moins chaud. Au moment où Irène commençait à interroger Stéphane sur son programme de l'après-midi, espérant trouver en lui un adepte du gin-rummy, Barth l'interrompit.

— Je vais te faire visiter la propriété, ça t'occupera !

Déjà, il avait jeté sa serviette sur la table et il était debout. Stéphane se leva pour le suivre, sans même penser à protester. Ils étaient parvenus dans l'allée quand il réalisa qu'il avait obéi, ce qui lui sembla comique. Ni son père ni sa mère ne l'avaient habitué aux ordres, à ce ton de commandement dont Barth usait à longueur de temps.

Une brume de chaleur donnait aux pelouses un aspect ondulant de mirage. La sécheresse avait craquelé la terre sur les talus où les fleurs s'étiolaient. En quelques instants, Stéphane fut en sueur. Son oncle avançait à grandes enjambées, indifférent au soleil de plomb et à la poussière qu'ils soulevaient en marchant.

— On fait un marathon, ou quoi ? grommela le jeune homme qui s'essoufflait.

— Avance et boucle-la, tu respireras mieux !

Obliquant vers la maison de Simon, Barth maintenait son allure. Sans s'arrêter, ils passèrent devant les anciennes écuries qui n'abritaient plus que les outils de jardin. Stéphane aperçut un petit tracteur, une remorque et des vélos. Dès qu'ils pénétrèrent dans le bois, une ombre tiède et chargée d'insectes les enveloppa.

— C'est Simon qui défriche les sentiers, mais pas trop parce qu'il aime le gibier ! Toutes ces broussailles abritent des lièvres…

Barth s'arrêta net et Stéphane buta contre lui.

— Je parie que tu n'as jamais vu de lièvre… ni même de lapin !

Narquois, il toisait son neveu.

— Toi, à part les éléphants roses…

C'était une allusion, mais à quoi ? Avait-il constaté la disparition de la bouteille de whisky ? Non, il ne perdait sûrement pas son temps à vérifier les placards ou à surveiller le niveau des alcools. Avait-il fouillé la trousse de toilette et découvert les petits cochons ? Probablement pas, sinon il aurait fait un esclandre. À moins qu'il ignore les diverses apparences de l'ecstasy. Après tout, il avait cinquante ans, c'était un provincial, et ses connaissances dans ce domaine devaient être très limitées !

— Il y a aussi des sangliers. Si nous en rencontrons, tu n'auras qu'à rester derrière moi.

Il repartit et Stéphane le suivit, morose, se tordant les pieds dans ses tennis avachies. Cette promenade forcée l'ennuyait prodigieusement. Assailli par les moustiques et autres bestioles auxquelles il ne pouvait même pas donner de nom, il faisait de grands gestes désordonnés. Devant lui, Barth conservait sa cadence malgré les pièges du sentier. Il était plus grand, plus souple, et beaucoup plus en forme que son neveu. Au bout d'une demi-heure, celui-ci finit par se laisser tomber sur une souche où il resta hébété, regardant la silhouette de Barth qui s'éloignait entre les arbres.

Contrairement au parc, les bois n'étaient pas silencieux mais emplis de mystérieux bruissements, frôlements, bourdonnements perceptibles malgré le cri des oiseaux. Stéphane ferma les yeux, abruti par la chaleur et la fatigue.

— Qu'est-ce que tu fous, bon Dieu !

Barth avait rebroussé chemin et se tenait devant lui. Il alluma le cigare qu'il venait d'extirper de sa poche de chemise.

— Je vais rentrer, murmura le jeune homme.

— Sûrement pas !

D'un geste brusque, Barth le prit par le coude, le releva et le propulsa sur le sentier.

— Avance…

Le ton de sa voix n'augurait rien de bon. C'était le moment ou jamais de se révolter et Stéphane lui fit face la tête haute.

— Foutez-moi la paix !

Il avait crié, sans pouvoir se maîtriser, et n'obtint qu'un éclat de rire en réponse.

— Tu veux rentrer où ? demanda Barth, narquois. Si c'est chez ta mère, casse-toi vite et bon vent ! Sinon… Eh bien, je crois qu'il va te falloir poser un pied devant l'autre…

Le regard sombre de Barth restait fixé sur lui et le mettait mal à l'aise. Combien de temps allait donc se prolonger cette infernale promenade ?

— Ouste ! dit Barth avec un mouvement de la main très expressif.

Malgré lui, Stéphane se remit en marche. Il n'était pas en état d'affronter qui que ce soit, et son oncle moins que tout autre. Il le devinait infatigable, amusé à la perspective d'une querelle, et capable de toutes les provocations. Un soudain mal de tête commençait de lui broyer les tempes. Il avait soif et tentait d'ignorer un douloureux point de côté.

— Tu te traînes, tu sais ! Ah ! elle est belle, la jeunesse…

Trébuchant sur une racine, Stéphane se mordit la langue. Le goût du sang lui donna un haut-le-cœur, mais il s'acharna à continuer sa route. C'était ridicule, presque irréel, cependant il ne voyait pas ce qu'il pouvait faire d'autre. Est-ce qu'il avait peur de cet homme, derrière lui, qui transformait patiemment l'après-midi en cauchemar ?

Le chemin montait, à présent, et des cailloux roulaient sous leurs semelles. Devant lui, Stéphane aperçut un haut grillage en parfait état.

— Il y a une porte, sur ta gauche, l'avertit Barth.

Brusquement ils furent dans un champ, hors de l'ombre protectrice des arbres.

— Le domaine du Carrouges s'arrête là mais je ne désespère pas de racheter ce bout de terrain… Suis-moi.

Piétinant les cultures, Barth était repassé devant lui. Cent mètres plus loin, il s'arrêta enfin. Lorsque Stéphane le rejoignit, il découvrit ce qu'il prit pour la mer, en contrebas, mais qui n'était que l'estuaire de la Seine. La réverbération intense lui fit détourner les yeux.

— Le spectacle ne te plaît pas ? railla son oncle. Alors je vais te montrer autre chose…

Ils longèrent un pré où quelques vaches broutaient sans entrain.

— Je ne me sens pas bien, murmura Stéphane dont la vue se brouillait.

L'effort, la chaleur, la sensation de soif l'avaient d'abord vidé de toute énergie, mais maintenant il éprouvait un véritable malaise. Barth se retourna, l'observa une seconde sans la moindre compassion. Puis il revint sur ses pas, leva la main et le gifla à plusieurs reprises en prenant son temps.

— Holà, ça va mieux ?

Dénuée de toute émotion, sa voix restait ironique.

— Un peu plus et tu tournais de l'œil comme une jeune fille !

Il poussa Stéphane devant lui jusqu'à ce qu'ils atteignent la lisière du bois. Sans qu'il ait pu réaliser ce qui arrivait, le jeune homme se retrouva la tête plongée dans un abreuvoir métallique. Suffoquant, il lutta contre la main de Barth qui le maintenait sous l'eau. Lorsqu'il put enfin respirer, il se mit à tousser.

— Simon veille toujours à ce que les bêtes aient de quoi boire… Surtout avec cette sécheresse…

Le cigare de Barth ne s'était pas éteint, sa chemise n'était même pas éclaboussée. Trempé, tout à fait lucide à présent, Stéphane se mit à crier.

— Vous êtes cinglé ou quoi ? Pour qui vous prenez-vous ? C'est mon poing dans la gueule que vous voulez ?

— Essaie…, suggéra Barth en souriant.

— J'aurais pu claquer d'hydrocution !

— Je ne sais pas si ta mère m'en aurait voulu.

La dureté de la réponse stupéfia Stéphane. Jusque-là, il s'était imaginé vaguement qu'il s'agissait d'un jeu, d'une sorte d'épreuve, mais le cynisme de son oncle n'avait rien d'affecté. Désespérément, il chercha quelque chose à dire, conscient d'être ridicule avec son tee-shirt mouillé et ses mains qui tremblaient. Quand il sentit les larmes lui monter aux yeux, il eut une brusque envie de disparaître. Il se détourna et s'appuya à un tronc d'arbre. En fait, l'eau lui avait fait du bien, il était obligé de le constater. Le bruit des pas qui s'éloignaient le soulagea aussi. Il retrouverait seul son chemin. Barth n'avait pas été jusqu'au bout de la leçon qu'il voulait lui donner, ce qui prouvait qu'il était capable de savoir où s'arrêter. Au lieu de se sentir humilié comme il l'aurait dû, Stéphane n'éprouvait que des sentiments diffus et contradictoires. Est-ce que son oncle l'aidait, bien malgré lui, en se montrant odieux ?

Il se laissa glisser contre l'écorce pour s'asseoir sur la terre sèche, se demandant ce qu'il faisait là. Repoussant une fourmi de la main, il finit par s'allonger. Sa mère avait-elle cessé de l'aimer sans qu'il s'en aperçoive ?

Lui avait-il infligé assez de déceptions pour qu'elle se détache de lui ? Et, si c'était le cas, que lui restait-il ?

D'un bond il fut debout et se mit à courir le long du sentier. Agnès était peut-être son dernier rempart. *Peut-être*. De toute façon, elle était trop fragile pour le poids mort qu'il représentait. Et il risquait de l'entraîner au fond du gouffre ; ce serait l'ultime récompense de cet amour maternel qu'elle n'avait pas perdu, il en était certain. Ou, du moins, il voulait l'être tant il en avait besoin.

Deux fois de suite il manqua de s'étaler, et il ne rattrapa Barth que sur la pelouse du parc, hors d'haleine.

— Je veux travailler à La Roque ! s'écria t il en portant la main au point de côté qui s'était remis à le faire souffrir. Il paraît que c'est plus amusant et que je n'aurais pas Richard Machinchose à supporter !

Sans se donner la peine de répondre ni manifester la moindre surprise, Barth alla jusqu'au court de tennis. Il observa un smash impeccable de Franklin avant de s'informer :

— C'est lui qui t'a donné le tuyau ? Tu vas te faire chouchouter par le pédé du clan Beaulieu ?

Stéphane eut un petit rire grêle, trop haut perché.

— Je crois bien que c'est lui le moins taré de la famille, répliqua-t-il.

— Ma famille n'est pas la tienne, rappela Barth qui n'avait plus envie de se fâcher.

La présence de son mari handicapait visiblement Géraldine qui venait de perdre son service. Au changement de côté, elle passa devant eux en souriant.

— Elle est belle, dit Stéphane spontanément.

— Oui, mais elle est très bête. Et, à la longue, ça fatigue… Tu n'as pas de petite copine, toi ? Quelqu'un pour partager tes défonces ?

Cette nouvelle réflexion exaspéra Stéphane. Il cherchait une riposte lorsque Barth ajouta :

— Pour La Roque, je suis d'accord.

Il attendit un remerciement qui ne vint pas et il haussa les épaules.

— Je suis plutôt plus exigeant là-bas et la cantine est moins bonne. Mais rassure-toi, les balais sont les mêmes !

Comme il regardait toujours les joueurs, Stéphane ne voyait que son profil. Il se souvenait que son père comparait Barth à un rapace. À cause du menton volontaire, sans doute, des pommettes trop saillantes et de la fixité du regard.

De sa raquette, Franklin frappa le grillage, interpellant le jeune homme.

— Qu'est-ce qui t'est arrivé ? Tu es tombé dans une fosse à purin ou quoi ?

Sur le tee-shirt encore humide, la poussière s'était collée. Quelques brins d'herbe traînaient dans ses cheveux hirsutes et son jean était déchiré au genou.

— Où est la différence ? ricana Barth. Il est comme d'habitude, non ?

Cette fois Stéphane trouva le courage de le planter là et il rassembla ce qui restait de sa dignité pour s'éloigner vers le manoir.

Nicky sortit de l'étouffante cabine d'essayage. Devant l'un des miroirs en pied du magasin, elle se regarda de face, de profil, puis décida qu'elle prenait l'ensemble. Elle avait toujours su choisir ses vêtements, avec une préférence pour les matières fluides, toute la gamme des beiges et des bleus. Sa silhouette longiligne lui autorisait des extravagances dont elle savait profiter.

Elle se rhabilla en hâte, paya ses achats et quitta la boutique. Dans la rue, elle se mit à sourire, consciente d'avoir commis une folie. Bien sûr, elle avait besoin de renouveler ses tenues pour recevoir ses clients, mais aujourd'hui il ne s'agissait que d'un caprice, d'une consolation. La présence de Barth chez elle, quelques jours plus tôt, l'avait bouleversée. Une fois pour toutes, elle avait classé le *président* Beaulieu au rang de souvenir. Assez détestable pour ne plus y penser. À Deauville, elle ne l'avait que rarement aperçu depuis deux ans, et il ne s'était jamais permis de franchir sa porte.

Après avoir jeté ses paquets à l'arrière de sa voiture, elle eut envie de s'offrir une promenade sur les planches malgré l'affluence estivale. Généralement, elle préférait la relative tranquillité de la piscine d'eau de mer au chahut qui régnait sur la plage. Mais elle s'obligeait à nager plusieurs fois par semaine pour effacer la fatigue des heures passées debout dans son restaurant, et de toutes les nuits où elle se couchait trop tard, bien après la fermeture.

— Vieux con, murmura-t-elle rageusement.

Le groupe qu'elle venait de croiser se retourna sur son passage. Tant pis pour eux. C'était l'image de Barth qui lui avait arraché ces deux mots. Stupide, il l'avait bien été, et en effet il avait vingt ans de plus qu'elle. Une différence d'âge qu'elle s'était efforcée d'ignorer à l'époque de leur liaison. Il était sportif, toujours en forme – et franchement séduisant ! –, toutefois il avait la cinquantaine aujourd'hui. D'ailleurs son visage s'était marqué, ses traits semblaient plus creusés, quelque chose s'était encore durci dans son profil. Son âge le rattrapait et ça devait l'angoisser. Après l'amour, il répétait parfois qu'elle aurait pu être sa fille et qu'ils n'avaient aucun avenir ensemble. Pourtant il en avait fait, des projets fous ! Et elle y avait cru, comme une midinette, ce qui était risible pour une femme aussi avisée qu'elle.

Rajustant ses lunettes de soleil, elle s'arrêta pour contempler la plage grouillante de monde. Elle avait rendez-vous avec le comptable dans moins d'une demi-heure, et ensuite elle irait chercher Guillaume chez sa nourrice. Elle le faisait dîner tôt pour avoir le temps de jouer avec lui. Lorsqu'elle devait descendre dans la salle du restaurant, peu avant l'ouverture, elle passait le relais à Bernadette qui était sa « femme à tout faire » depuis la naissance du bébé. Elle s'en était bien sortie, menant de front sa maternité et ses affaires. Elle avait même pu s'offrir le luxe de dédaigner l'aide que sa mère avait proposée sans grande conviction. Mais ses parents étaient Parisiens avant tout et Nicky n'imaginait pas son fils grandissant loin d'elle, à l'ombre de cet appartement bourgeois en bordure du parc Monceau. Finalement, le seul problème qu'elle ait rencontré avait été la sollicitude un peu excessive de son chef cuisinier, Louis, qui en avait profité pour installer une certaine familiarité entre eux. Louis détestait Barth, s'était réjoui ouvertement de la rupture et avait même juré de l'empoisonner s'il osait franchir la porte du Bathyscaphe. Mais Louis se comportait toujours comme un gamin malgré ses indéniables qualités derrière les fourneaux.

Pourquoi Barth était-il venu déjeuner ? Par provocation ? Elle l'avait traité avec une courtoise indifférence, comme n'importe quel client important, et il avait paru s'en contenter. Peut-être voulait-il se prouver quelque chose qu'elle ignorait. Un de ces paris qu'il engageait contre lui-même. Il avait sans aucun doute souffert de leur séparation, mais c'était bien lui qui l'avait décidée, avec une surprenante lâcheté. Jamais il n'avait laissé à Nicky la possibilité de lui expliquer les choses. Pourtant, elle s'y était préparée avec soin, persuadée qu'elle saurait le convaincre, et la manière abrupte dont il avait réagi l'avait laissée abasourdie. Elle n'avait pas pu se tromper à ce point sur son compte. Dès le début, elle l'avait jugé. Il ne ressemblait à personne, volontaire jusqu'à l'obstination, courageux, orgueilleux, assoiffé de tendresse, et surtout très intelligent. Alors pourquoi cette colère et ce silence buté ? Pourquoi un tel mépris ? Pourquoi ce prétexte confus auquel elle n'avait rien compris ?

Trois hommes se retournèrent sur le passage de la jeune femme, et l'un d'eux siffla sans équivoque. Indifférente, elle n'y prêta aucune attention. Elle savait qu'elle plaisait, que les regards s'attardaient volontiers sur elle, mais elle s'en moquait. En perdant Barth, un beau rêve lui avait échappé, lui laissant un goût amer de frustration. Où et quand retrouverait-elle quelqu'un comme lui ? Peu importaient leurs vingt ans d'écart, leurs situations respectives, elle avait cru jusqu'au bout qu'ensemble ils seraient les plus forts. Tout ça pour le voir fuir en pleine nuit, épouvanté et lamentable, comme un pauvre type.

— Vieux con…, répéta-t-elle entre ses dents.

Un leitmotiv qui ne la soulageait même pas. D'une démarche soudain plus rapide, elle regagna sa voiture. Elle détestait penser à Barth, se l'interdisait, et en général elle y arrivait. Ah, si seulement il n'avait pas eu la mauvaise idée de venir déjeuner !

En quelques minutes, elle parvint dans la cour du restaurant où elle se gara. Elle projetait d'aménager un jour cet espace avec une tonnelle et de la verdure pour y installer quelques tables les soirs d'été.

— Regarde un peu ce que j'ai déniché ! l'interpella Louis.

Tout bronzé dans son short et son tee-shirt blancs, il se tenait debout à l'entrée des cuisines, une barquette de fraises des bois à la main.

— C'est la petite fermière de la Croix-Sonnet qui les vendait et je lui ai pris tout ce qu'elle avait ! Je me suis lancé dans une nouvelle recette de soufflé aux fruits rouges…

Au lieu de faire la sieste, Louis partait souvent à la recherche de produits frais. L'hiver, il essayait toutes sortes de préparations qu'il testait sur elle. Impitoyable, elle critiquait jusqu'à ce qu'il atteigne la perfection. Alors seulement elle se décidait à inscrire le nouveau plat au menu, ce qui les obligeait à chercher une appellation adéquate et leur faisait piquer des fous rires. Il adorait les mots rares, devenait poète dès qu'il était question de gastronomie ; elle, elle tenait plutôt à ce que les clients comprennent ce qu'ils lisaient.

Ils entrèrent ensemble dans la relative fraîcheur de l'office. Les fraises et les framboises embaumaient.

— J'attends le comptable, dit-elle en poussant la porte de la cuisine.

— Non, c'est lui qui patiente depuis un bon quart d'heure…

Elle jeta un regard affolé vers sa montre, surprise de s'être promenée si longtemps. Louis la suivit des yeux tandis qu'elle se hâtait de rejoindre la salle. Lorsqu'elle disparut, il esquissa un sourire. Un jour ou l'autre, elle redeviendrait accessible. Et il n'était pas pressé. Elle ne parvenait déjà plus à maintenir entre eux la même distance qu'au début.

Jeune chef particulièrement brillant, les divers postes qu'il avait occupés lui auraient permis de travailler dans n'importe quel grand établissement. En acceptant un contrat pour l'été au Bathyscaphe, quatre ans plus tôt, il s'était imaginé qu'il s'agirait d'une courte halte sur la côte normande. C'était presque un cadeau qu'il lui avait fait à ce moment-là mais, comme ils se connaissaient depuis le lycée, il avait trouvé normal de lui donner un coup de main pour lancer son restaurant. Ils avaient fait l'école hôtelière à la même époque, après leur bac, et étaient toujours restés en contact. Le succès du restaurant avait été immédiat, inespéré. Deux étoiles au *Guide Michelin* avaient provoqué un formidable engouement de la clientèle. Le Bathyscaphe devint à la mode puis, petit à petit, une étape incontournable, et enfin un classique. Dix fois au moins, Louis proposa à Nicky une association financière qu'elle refusa pour conserver son indépendance. C'était elle qui était endettée, donc c'était elle qui engrangeait les bénéfices. Riant de son obstination, il se contenta de substantielles augmentations de salaire, repoussant toujours le moment de partir sans savoir pourquoi il restait. Il en prit seulement conscience lorsque Nicky s'engagea tête baissée dans sa liaison avec son imprimeur. La fureur et la jalousie qui se mirent à le ronger dès qu'il apercevait le nom de Beaulieu dans les réservations lui firent découvrir avec stupeur son amour pour elle. Mais il était trop tard pour le lui faire savoir. Il vécut des mois difficiles, spectateur impuissant d'une passion dévastatrice dont il prédisait l'issue. Mais aucune de ses mises en garde ne parvint à raisonner Nicky et, au moment de la rupture, il sut qu'elle aurait du mal à s'en remettre.

Patient, amical, il attendit la naissance du bébé en adoptant un comportement de grand frère. Elle ne s'était jamais plainte, jamais confiée, et Le Bathyscaphe ne souffrit pas de la tempête. Quand les choses se calmèrent un peu, Louis commença quelques discrets travaux d'approche. Un soir, elle se laissa embrasser, juste avant de lui asséner qu'elle n'avait aucune envie d'aller plus loin. Après l'amour fou, les substituts ne lui disaient rien. Horriblement vexé, Louis avait failli partir pour de bon. Mais il était resté.

La minuterie du four s'éteignit, le sortant de sa rêverie. Il ouvrit la porte de verre trempé et une délicieuse odeur s'échappa. Nicky allait pouvoir goûter ce soufflé d'un nouveau genre dès qu'elle en aurait terminé avec ses comptes. Il posa délicatement le moule sur l'un des plans de travail en Inox. Toute la cuisine avait subi une rigoureuse mise aux normes lorsque Nicky avait fait l'acquisition du Bathyscaphe. Ventilation, peinture alimentaire, éléments de métal, carrelage en hauteur et fourneaux à induction évoquaient un véritable laboratoire. Louis y œuvrait à l'aise, débordant d'imagination. Il ne s'était fixé qu'un seul but : fonder son propre hôtel-restaurant aux abords de la quarantaine. Comme il avait encore quelques années devant lui, il supposait que ce serait suffisant pour convaincre Nicky de partager l'aventure avec lui. À condition, bien sûr, que Barth Beaulieu ne réapparaisse pas dans leur vie.

La semaine se traîna lentement pour Stéphane. Il partait le matin à sept heures avec Barth qui ne lui adressait quasiment pas la parole durant le trajet jusqu'à La Roque. Dès le premier jour, George l'avait affecté au vieux hangar, celui qui abritait la plus ancienne des presses Cameron. On lui avait donné des boules de plastique destinées à le protéger du bruit de la machine et son travail était simple, répétitif, sans grand intérêt. Les autres employés l'avaient bien accueilli. Ils n'étaient que cinq dans le bâtiment et on lui expliqua que, vingt ans plus tôt, quatre-vingts personnes étaient nécessaires pour effectuer les mêmes tâches. À présent il suffisait de surveiller la Cameron.

Commençant à huit heures, Stéphane avait le temps de traîner un peu dans les locaux où personne ne lui demandait rien. Il errait parmi les grands cylindres surmontés d'étiquettes qui évoquaient davantage des rouleaux de moquette que de futurs livres. À l'étage de la composition, les gens étaient trop absorbés par leurs écrans pour lier conversation avec lui et il préférait descendre bavarder avec les ouvrières chargées de découper les plaques au cutter. C'était la seule partie de la fabrication qui soit encore manuelle. Impossible d'automatiser cette taille précise des feuilles de résine qui variait selon les formats. Quand la sirène retentissait, sinistre, Stéphane se hâtait de remonter en ajustant les boules dans ses oreilles. L'odeur de l'encre, du papier ou même de la colle ne lui déplaisait pas. S'il s'ennuyait trop, il tendait la main vers un des grands bacs où s'entassaient les premiers exemplaires de chaque tirage, ceux qui avaient servi aux différents réglages d'impression et qui seraient jetés. Il lisait quelques lignes au hasard, parfois des pages entières jusqu'à ce que le contremaître ou George lui-même le rappellent à l'ordre. Avec ce dernier, Stéphane s'était vite senti à l'aise. Le directeur de La Roque était un homme simple à comprendre car il était entièrement dévoué à Barth. Son président était son dieu et l'imprimerie sa religion.

À l'heure du déjeuner, Stéphane constata qu'un certain nombre d'employés préféraient manger leur casse-croûte sur place plutôt que se déplacer jusqu'à la cantine. C'était un gain de temps, chacun pouvant aménager ses horaires, mais le jeune homme ne s'imaginait pas demandant des sandwiches à sa grand-mère chaque matin ! De toute façon, il lui fallait attendre interminablement, une fois son travail achevé, avant que George, ou Barth, ou parfois même Franklin, enfin n'importe qui de disponible propose de le ramener au Carrouges. Il avait donc tout loisir de continuer à musarder dans l'imprimerie. Les premiers jours, il se contenta de bouder, l'air désœuvré, mais comme personne ne le remarquait, il finit par s'intéresser malgré lui au fonctionnement complexe de La Roque. Seul l'étage de la direction lui était interdit, bien que nul ne se fût exprimé clairement sur ce point. George lui avait seulement précisé qu'il n'avait « rien à faire ici » lorsqu'il l'avait rencontré dans l'escalier menant au second.

Imprévisible, Barth surgissait parfois dans l'un des bâtiments, provoquant toujours le même affolement parmi le personnel. On découvrait trop tard sa haute silhouette immobile sur l'un des escaliers métalliques, au-dessus d'une presse, son regard sombre s'attardant sur la chaîne et sur les gens. Stéphane trouvait cette attitude scandaleuse, comparait son oncle à un proviseur de lycée, et restait bien décidé à ne pas se laisser terroriser.

Pour rompre la monotonie de ces journées, il aurait aimé boire ou fumer mais il n'en avait pas la possibilité. Il était contraint de patienter jusqu'au soir et, dès son retour au Carrouges, il s'octroyait quelques rasades avant le dîner. Barth, qui n'était pas dupe, saluait toujours son entrée dans le salon, au moment de l'apéritif, par une plaisanterie grinçante ou un sourire méprisant. Son hostilité ne désarmait pas. Lors d'une de ses excursions nocturnes à travers le manoir, Stéphane avait trouvé un message rédigé à son intention, bien en évidence dans le tiroir du bureau qu'il était en train de fouiller. « *Il n'y a pas d'argent ici. Ni ailleurs. Va plutôt dormir.* » Stupéfait, puis furieux, il avait déchiré le papier avant de se précipiter à l'office. Les grands placards étaient fermés à clef. Il avait couru jusqu'au salon et vidé le fond d'une carafe d'armagnac. Si Barth le surveillait, s'il se mettait à cacher les bouteilles, s'il avait décidé de jouer au chat et à la souris avec lui, qu'allait-il devenir ? Il avait besoin d'alcool et de drogue. Dans son affolement, il était monté chez Franklin qu'il avait réveillé et qui n'avait rien compris à son histoire, mais qui avait promis d'acheter une provision de whisky dès le lendemain. Ce soir-là, malgré la chaleur, Stéphane s'était couché en frissonnant. Recroquevillé sous ses draps, il avait failli pleurer de rage, de découragement, d'humiliation. Il ne lui restait que quatre cachets d'ecstasy et quelques cigarettes de haschich. La peur de manquer le tenaillait, l'empêchait de trouver le sommeil. Pour la première fois de sa vie, il se demandait avec angoisse ce qu'il allait devenir. Hormis Franklin peut-être, tout le clan Beaulieu lui semblait haïssable. Il ne souhaitait ni se faire accepter d'eux ni leur ressembler.

Pour occuper son week-end et pour échapper au genre de promenade que lui avait infligée Barth, il traîna du côté de chez Simon, espérant trouver le moyen d'« emprunter » le vélo une nuit prochaine. Le gardien le remarqua, engagea la conversation et lui offrit un verre de pastis. Sa petite maison était bien arrangée, rutilante de propreté, et ils burent en parlant de gibier. Contrairement à ce que Barth avait supposé, Stéphane possédait des notions de chasse. Lorsqu'il était enfant, puis adolescent, son père l'avait parfois emmené avec lui. Bon tireur, Victor participait volontiers à des battues chez un producteur de ses amis qui était propriétaire de quelques centaines d'hectares en Sologne.

Simon sut écouter le jeune homme avec bienveillance et lui rappela que son père, au même âge, avait la réputation d'être un fin fusil. Cette première discussion permit à Stéphane de découvrir qu'il existait au moins une personne au Carrouges qui acceptait de parler de Victor avec enthousiasme. Il revint le lendemain, puis chaque soir. Avant ou après le dîner, il filait passer un moment chez Simon.

Il ne fallut que quelques jours à Barth pour repérer les allées et venues de Stéphane, mais il ne chercha pas à s'y opposer. Simon ne pouvait avoir qu'une heureuse influence sur son neveu, malgré le pastis. Et c'était mieux que le voir errer sans but, ce qui avait le don d'exaspérer Barth.

La deuxième semaine fut la répétition exacte de la première. La Roque avec le bruit infernal de la Cameron, les interminables soirées en famille et les escapades chez le gardien. Mais Stéphane n'était pas en mesure d'oublier la tentation de la drogue et il avait épuisé ses réserves. Cédant à la panique, il se mit à pianoter fébrilement sur le Minitel chaque nuit. Hélas, les rendez-vous qu'il parvenait à localiser étaient trop éloignés ou trop vagues, l'adresse des *rave-parties* évoluant au fil des heures afin d'échapper aux contrôles de police. Avant l'aube, il finissait par remonter se coucher et tentait de se consoler avec le whisky complaisamment fourni par Franklin. Quand son réveil sonnait, il émergeait hagard, épuisé, mais il lui fallait descendre vite pour ne pas faire attendre Barth.

Lorsque le 30 juin arriva enfin, il se sentit un peu soulagé à l'idée de l'argent qu'il allait toucher. N'importe quelle paie serait la bienvenue, il ne se faisait guère d'illusions. Ce fut George qui lui remit un chèque dérisoire qu'il empocha sans commentaire. Quelques coups de téléphone à d'anciennes relations, à Paris, lui furent nécessaires pour se procurer ce qu'il cherchait. Il se fit adresser le paquet en poste restante, à Pont-Audemer, et emprunta ouvertement le vélo de Simon pour aller le chercher lui-même. La quinzaine de cachets tenait dans une petite enveloppe matelassée d'aspect anodin, tout son salaire y était passé.

Géraldine gardait les yeux baissés, absorbée dans la contemplation du tapis d'Aubusson. La voix d'Irène résonnait de façon désagréable à travers la bibliothèque.

— Tu ne peux pas continuer à le traiter comme ça ! Tu l'as mis à l'épreuve, soit, mais tout a une fin !

— Eh bien, ce n'est pas pour tout de suite ! répliqua Barth sans élever le ton.

À bout d'arguments, Irène s'énervait. Debout près d'un guéridon, elle faisait mine d'arranger des fleurs dans un vase. La tige d'un lys cassa net entre ses doigts. Son petit-fils l'inquiétait avec sa mine de déterré et son air aux abois. Discrètement consulté, Franklin s'était montré rassurant mais évasif. Or la présence de Stéphane au Carrouges donnait à Irène une responsabilité qu'elle comptait bien exploiter.

— Agnès a téléphoné, de Toulouse, et je lui ai dit que tout allait bien, mais je ne le pense pas.

— Non, vous ne pensez pas.

Géraldine retint son souffle. Barth allait rarement aussi loin avec sa mère. En général, il se contentait de la narguer mais sans l'injurier. Elle leva les yeux pour observer son mari qui se tenait dans le renfoncement d'une fenêtre, jouant avec le volet intérieur. Le soir tombait sur le parc qu'il contemplait depuis un moment, morose. Franklin s'était absenté, juste après dîner, comme il lui arrivait fréquemment de le faire pour ses rendez-vous galants. Il menait une vie discrète que la famille ignorait, en principe, cependant tout le monde savait que son ami du moment s'appelait Marc et n'avait pas vingt ans. Quant à Stéphane, il était parti chez Simon au moment où Delphine et Laurent montaient se coucher, se tenant par la taille.

— Ne sois pas grossier, veux-tu ? siffla Irène entre ses dents.

Avec une certaine lenteur, Barth se tourna vers sa mère.

— Personne ne pense à rien ici, sauf moi. Ce n'est pas une insulte.

Vexée, Géraldine songea qu'il aurait au moins pu l'épargner, elle. Après tout, elle n'était pas responsable de cette haine qu'ils accumulaient, les uns les autres, et elle avait honnêtement essayé de se fondre dans le clan Beaulieu sans provoquer quiconque.

— Vous n'êtes même pas fichue d'arranger ces fleurs, c'est dire !

Il traversa la pièce dans toute sa longueur pour sortir et, lorsqu'il passa près d'Irène, elle eut un petit mouvement de recul. Sans s'arrêter, il la toisa une seconde, ravi de la crainte qu'elle venait de manifester malgré elle.

— Je crois qu'il me déteste, laissa tomber Irène dès que la porte se fut refermée sur son fils aîné.

— Il est fatigué…, plaida Géraldine sans conviction.

— De quoi ? Des affaires ? Il les adore ! Il s'est approprié le groupe avec délices ! S'il osait, il vivrait à La Roque, il camperait dans son bureau ou même sur ses machines !

À présent qu'elles étaient seules, Irène laissait éclater sa fureur.

Je ne sais pas comment vous faites pour le supporter !

C'était une provocation, elle savait pertinemment que sa bru adorait Barth.

— Vous avez eu raison de faire chambre à part. Si seulement j'en avais obtenu autant d'Octave !

Son rire irrita Géraldine. C'était Barth qui avait pris la décision de dormir seul et elle en avait beaucoup souffert. Comme il se levait très tôt, il avait choisi ce prétexte courtois et même proposé de lui laisser la chambre de la tour. Elle avait décliné son offre, certaine qu'il préférait rester chez lui, et Franklin l'avait aidée à arranger la pièce bleue, de l'autre côté de la salle de bains. Celle qui aurait dû faire office de nursery. Depuis qu'elle s'y était installée, elle devait attendre le bon vouloir de son mari. Il venait lorsqu'il en avait envie. Car jamais elle n'aurait osé frapper à sa porte, il le savait très bien.

— Franchement, Géraldine, je me fais du souci…

Irène s'était laissée tomber sur le canapé de cuir, près d'elle, et elle tendit la main pour allumer l'une des lampes pagode.

— Voyez-vous, le petit Stéphane me donne des idées, je songe à l'avenir… À mon âge, on se préoccupe de ce genre de choses. Vous me comprenez ?

Réprimant un frisson désagréable, Géraldine hocha la tête. Dès qu'il était question de la succession Beaulieu, elle se sentait mal à l'aise. Irène lui tapota le bras parce qu'elle avait perçu sa gêne.

— Vous avez le beau rôle, croyez-moi. Si vous saviez ce que j'ai subi et comme c'est pénible, cette marmaille…

C'était une conversation qu'elles avaient eue si souvent que Géraldine en était écœurée d'avance.

— Sans parler de ceux que j'ai enterrés. Ces petits cercueils, quelle tristesse ! Mais, à mon époque, on se résignait. L'acharnement thérapeutique n'existait pas, on ne cherchait pas à faire vivre un prématuré de huit cents grammes et on avait raison. Et puis vous savez, c'est curieux, les hommes veulent des enfants, et après, ils vous laissent vous débrouiller avec les problèmes… Bref, ne parlons plus du passé !

L'autre ne demandait pas mieux.

— Je n'imagine pas Clémence prenant la suite de Barth ! D'ailleurs, Delphine a préféré l'éloigner, elle a eu raison. Je ne sais pas ce que cette gamine fait exactement à New York, mais au moins elle y est tranquille. L'idée de se retrouver sous les ordres de son oncle la consternait. Et quand on voit comment il traite Stéphane, on la comprend !

— Mais qu'est-ce que vous supposiez, Irène ? coupa Géraldine. Qu'il allait le nommer vice-président ? Qu'il allait s'y attacher ?

— C'est mon petit-fils, quand même !

— Justement.

— C'est le seul héritier de la famille, que ça plaise à Barth ou non.

Il y avait une certaine ambiguïté dans la phrase. Irène avait dissuadé Géraldine de recourir à l'adoption et soudain elle parlait d'héritier, de succession.

— Pour l'état civil, il est né de père inconnu, c'est le seul problème, poursuivit Irène. Victor a commis une belle sottise ! À quoi pensait-il pour ne pas assurer l'avenir de son fils ? Quand on a la chance de s'appeler Beaulieu, on en fait profiter sa descendance !

Elle en parlait de manière détachée et pourtant elle avait piqué une véritable crise d'hystérie lorsqu'on lui avait appris l'accident mortel de Victor. Et elle n'avait jamais cherché à se rapprocher de Stéphane depuis. La démarche venait d'Agnès seule, mais avait dû lui ouvrir des horizons. Ce garçon représentait peut-être pour elle un moyen inespéré de reprendre la barre.

— Si Barth le rejette, nous n'y pourrons rien, déclara Géraldine pour temporiser.

— Oh, vous ! Dès qu'il s'agit de votre mari, vous devenez une petite chose effrayée !

— Non, c'est faux, dit posément sa belle-fille.

Une façon comme une autre de rappeler qu'elle avait su prendre des risques quand Irène le lui avait demandé. Mais le sujet était tabou entre elles et le silence tomba aussitôt. La bibliothèque où elles se tenaient n'avait rien d'une pièce intime, se trouvant dans le prolongement du salon dont les doubles portes restaient toujours ouvertes. Ni les hauts rideaux damassés ni les sombres boiseries ne réchauffaient cet endroit trop vaste. L'idée des trois grands canapés de cuir blond, disposés en U, venait naturellement de Franklin. Ils étaient flanqués de lampes chinoises et, à condition de n'allumer que celles-ci, on pouvait au moins lire en paix, oublier les milliers de reliures emprisonnées sur les rayonnages derrière leurs fines grilles de cuivre.

— Il doit exister un moyen, reprit Irène. Barth a cinquante ans, et Franklin quarante-cinq. Ils seront à la retraite dans vingt ans. Et, à ce moment-là…

Un moment qu'elle ne verrait pas, de toute manière, et son acharnement à parler d'avenir intrigua Géraldine. Jamais Irène ne s'était intéressée aux imprimeries, c'était notoire. La seule chose qui pouvait encore la distraire de sa vieillesse, aujourd'hui, était la perspective de déstabiliser Barth, de le déposséder au bout du compte. Coincée dans sa nombreuse famille qui ne comptait que des soumis, Irène pouvait voir en Stéphane un joker imprévu dont elle allait se servir à des fins très personnelles. Delphine et Franklin ne pesaient rien devant Barth, Fabienne s'était désolidarisée, et Victor avait fait n'importe quoi avant de mourir. Il ne restait personne, hormis Clémence qui se méfiait ouvertement de sa grand-mère.

— Ne le poussez pas à bout, soupira Géraldine.

Sans bien les comprendre, elle pressentait des motivations troubles. Elle était seule à savoir, en revanche, qu'au besoin Barth n'hésiterait pas à écraser sa mère. Aucun respect filial ne l'arrêterait si elle sortait du rôle qu'il lui avait assigné. Deux ou trois fois, il avait confié à Géraldine qu'il se moquait de la haine de sa mère et qu'il la lui rendait au centuple.

« Et encore, songea-t-elle, il ne sait pas tout ! »

Le secret qu'elle partageait avec sa belle-mère avait de quoi l'angoisser. Mieux valait ne pas y penser, ne rien changer à l'ordre péniblement établi.

— J'ai mon plan ! dit Irène d'un air décidé.

Comment pouvait-elle être assez folle pour se croire plus forte que son fils aîné ? Est-ce qu'elle n'avait donc pas compris qu'il la surveillait ? D'un coup d'œil apeuré, Géraldine essaya de percer l'obscurité au-delà des lampes. Avec ces portes grandes ouvertes, n'importe qui pouvait surprendre une conversation. D'ailleurs, où était Barth en ce moment précis ? Enfermé dans la chambre ronde de la tour, sirotant un dernier verre dans sa baignoire ou lisant un dossier bien calé sur ses oreillers ?

« Mon Dieu, si jamais il est allé frapper chez moi, c'est trop bête ! »

D'un bond, Géraldine quitta le canapé. Sa précipitation amena un sourire sur les lèvres d'Irène qui la laissa partir sans insister. Elle écouta ses pas décroître, étouffant un petit soupir. La nuit avait envahi le parc dont on ne voyait plus rien, au-delà des fenêtres. À une époque, Irène avait tenté de s'intéresser à la décoration du Carrouges. Pour ça, au moins, Octave ne s'était pas montré contrariant. En déplaçant les meubles, en installant de lourdes tentures ou en faisant l'acquisition de grands tableaux de l'école hollandaise, elle avait donné une solennité supplémentaire au manoir familial, l'avait rendu triste et guindé. Après chaque naissance, comme pour se venger, elle exposait sur des guéridons fragiles les coûteux bibelots qu'elle sortait des vitrines. Immanquablement, les enfants cassaient quelque chose et elle avait une raison de se plaindre. Elle aurait ainsi souhaité leur interdire les pièces de réception et les cantonner à la salle de billard ou au petit salon de télévision, mais Octave les laissait courir partout, ravi de cette gaieté autour de lui lorsqu'il rentrait de l'imprimerie. Le jour où Barth, juché sur des patins à roulettes, avait percuté l'armure dont elle avait orné la galerie du premier étage, Octave s'était tordu de rire au lieu de sévir. Une autre fois, c'était la collection d'épées qui avait dégringolé dans l'escalier, mais elle était seule à ce moment-là et elle l'avait puni. D'ailleurs, à chaque fois que l'occasion s'était présentée, elle avait essayé de mater ce petit garçon trop turbulent. Déjà très orgueilleux, Barth ne se plaignait jamais auprès de son père. Frondeur, rétif, il se laissait même accuser à la place de ses frères et sœurs, prenant très au sérieux son rôle d'aîné. Et si Irène avait été plus avisée, elle aurait pris garde aux drôles de regards qu'il lui jetait alors.

Agacée par ces souvenirs dont elle n'avait que faire, elle se leva à son tour. À présent, en tout cas, personne ne cassait plus rien.

La tête dans les mains, assis au bord de son lit, Barth avait entendu Géraldine s'agiter dans la salle de bains comme si elle voulait signaler sa présence. Il n'avait pas bougé durant un bon moment puis, finalement, avait allumé un petit cigare qu'il regardait maintenant se consumer dans le cendrier. Il se sentait las, engourdi à force d'être immobile, et il s'obligea à remuer. S'il ouvrait les fenêtres, il serait embêté toute la nuit par les moustiques, autant supporter l'odeur de la fumée. D'ailleurs sa chambre était fraîche, Renée ayant pris soin de l'aérer pendant le dîner.

Depuis plus d'une heure, il réfléchissait à l'opportunité d'investir dans une nouvelle presse. Sa décision serait lourde de conséquences pour l'avenir du groupe. Il ne pouvait pas faire tourner quatre Cameron, il n'y avait pas assez de clients pour cela en France. Mais il pouvait remplacer la plus ancienne, qui sortait quatre mille exemplaires à l'heure, par la dernière-née des ateliers américains, laquelle en produisait plus du double. Avait-il quatre-vingt-dix-sept millions à y consacrer ?

Son unique concurrent sérieux, installé à cinq cents kilomètres de là, pouvait le prendre de vitesse. Il restait si peu de place sur le marché que le premier à se décider serait le seul à rentabiliser pareille acquisition. Depuis quelques années, Barth s'était tourné vers les débouchés européens. Il était révolté lorsque des ouvrages français étaient imprimés à l'étranger et, rendant coup pour coup, il avait décidé de faire des offres alléchantes aux Allemands et aux Anglais. Le livre se portait plutôt mal ces temps-ci, ou plus exactement la littérature générale. Particulièrement dans les éditions originales, trop chères, pour lesquelles le lecteur attendait la sortie en collection de poche. En nombre, Barth progressait, mais la diversification des titres rendait les bénéfices des tirages moins intéressants. Où était l'heureuse époque des trois cent ou

quatre cent mille exemplaires des succès de librairie ?
Désormais, pour atteindre de tels chiffres, il ne fallait
plus compter que sur la mort subite d'un président de la
République ! Ou sur les souvenirs croustillants d'une
star. Mais c'était l'affaire des éditeurs, pas la sienne, et
il n'y pouvait rien. Pas davantage que pour les libraires
qui avaient fini par se laisser grignoter à la fois par les
grandes surfaces et par les clubs de livres par correspondance. Lui, il imprimait pour tout le monde, peu importait le client et le mode de diffusion. Il ne donnait pas
son avis sur le contenu. Ni pour les livres de La Roque
ni pour les publications diverses de Pont-Audemer.
Ayant un jour feuilleté brièvement un magazine de télévision à bas prix tout chaud sorti de ses rotatives, il
s'était contenté de déclarer que c'était « poignant de
connerie » mais qu'il espérait que le tirage continuerait
de grimper.

Ce qui avait fait la fierté – et la fortune – de son
arrière-grand-père était d'avoir imprimé Flaubert puis
Maupassant. Les Beaulieu avaient trouvé là leurs titres
de noblesse et une véritable philosophie professionnelle. Personne n'avait démérité depuis, le métier avait
terriblement changé pourtant. Octave avait su amorcer
un virage, toutefois c'était Barth qui lui avait fait
prendre les décisions les plus radicales. Rongé par un
cancer, son père l'avait laissé diriger seul les imprimeries dans les derniers temps de sa vie. Et Barth s'était
retrouvé président-directeur général alors qu'il n'avait
pas trente ans. Il avait commencé par acheter l'usine de
Pont-Audemer, au bord de la faillite, parce qu'il fallait
impérativement qu'il désengorge La Roque. Depuis,
rien ne l'avait arrêté. Il n'attendait pas les opportunités,
il les provoquait. Au lieu de se limiter à l'impression, de

se contenter de conserver l'acquis de cinq générations, il s'était résolument dirigé vers une chaîne de production intégrée, adjoignant sans cesse de nouvelles unités à son groupe. Que ce fût pour la reliure, le simple brochage ou même le routage, il ne voulait dépendre de personne et avait fondé ses sociétés en achetant tous les terrains disponibles autour de l'imprimerie de Pont-Audemer. Persuadé qu'il devait encore se diversifier, il avait le don de prévoir l'avenir. Les jaquettes des disques laser, les plaquettes publicitaires, les modes d'emploi épais comme des annuaires, les catalogues, la cartographie, les affiches les plus rudimentaires ou les ouvrages d'art les plus sophistiqués : tout le passionnait. Et malgré une mécanisation de pointe qui aurait dû le conduire à licencier, il avait au contraire décuplé la masse salariale et se retrouvait aujourd'hui avec près de mille employés. Un record absolu qui l'avait propulsé en tête du syndicat du patronat.

Son unique problème – et il n'était pas négligeable – tenait à sa solitude. On l'accusait de ne pas savoir déléguer, mais à qui aurait-il pu ? Franklin avait montré ses limites et ses faiblesses dès le début. Il voulait bien travailler à condition que ce soit amusant, qu'on ne l'écrase pas sous les responsabilités et qu'on lui laisse des loisirs. Victor avait quitté la région dès qu'il l'avait pu. Delphine était pleine de bonne volonté, comme son mari d'ailleurs, mais tout ce qui les changeait de leur routine les effrayait. Quant à Fabienne, elle avait choisi d'exercer ses talents en dehors du groupe. De tous les enfants d'Octave, il ne restait que Barth pour reprendre le flambeau, ce qu'il avait fait. Maintenant, l'habitude de diriger seul les affaires étant prise, il n'était plus question de partager. La participation des membres de la famille au conseil d'administration était de pure forme. Même Irène ne votait pas contre Barth lorsqu'il annonçait un changement. Cependant elle aurait pu le faire, elle en avait la possibilité. Si tous les autres se liguaient un jour contre lui…

Il se résigna à ouvrir la fenêtre après avoir éteint. La nuit était claire, il ferait beau le lendemain et la sécheresse se poursuivrait, navrant Simon.

En se penchant, il essaya d'apercevoir la maison du gardien à travers les feuillages des marronniers. Il ne distingua aucune lumière car les fenêtres ne donnaient pas vers le manoir, sauf celle de la chambre. Est-ce que Stéphane était encore là-bas ? Et son engouement pour Simon était-il sincère ou bien était-ce seulement une manière de bouder la famille ? Avec un soupir, Barth alla chercher un autre petit cigare. Il s'était habitué à l'obscurité et il repéra son briquet sur le secrétaire. Non, décidément, il n'aimait pas ce gamin. La mine qu'il avait chaque matin en s'installant dans le coupé ! Il donnait l'impression d'avoir une sempiternelle gueule de bois, il était vraiment négligé, voire sale, et sa mine boudeuse lui faisait une belle tête à claques.

Un bruit de voix, très assourdi, ramena Barth près des rideaux. Peu après, il vit la silhouette de Stéphane, soulignée par son tee-shirt clair, qui traversait la pelouse. Si Renée et Simon avaient bien fait leur travail, il devrait trouver porte close. À moins qu'Irène ne lui ait confié une clef, elle en était capable.

Il entendit assez distinctement un bruit de serrure qui le renseigna. Le garçon avait effectivement ouvert et il négligeait de refermer les verrous. Un comble. Comment Victor l'avait-il élevé ? Il s'était sans doute contenté de le trimbaler d'un plateau de cinéma à une salle de montage, assis derrière lui sur cette foutue moto. C'était sa façon de se libérer d'Irène, du Carrouges, de tous les Beaulieu, car il affichait trop son libéralisme excessif pour en être authentiquement imprégné. Avec Agnès, il avait trouvé la partenaire idéale puisqu'elle était sincère, elle. La dernière fois que Barth avait vu Victor vivant, il lui avait déclaré qu'il ne servait à rien de se « déguiser » en metteur en scène, qu'il aurait toujours l'air indécrottablement bourgeois. Mais, il s'agissait d'une plaisanterie. Malgré leurs dix ans d'écart, Barth l'aimait bien et c'était réciproque. Quelques années plus tôt, dans l'une des rares conversations qu'ils aient eu ensemble, alors qu'ils débattaient de théologie, Victor avait soudain demandé à son frère de veiller sur Agnès et sur le petit si jamais il lui arrivait quelque chose. Prémonition ou phrase de circonstance ? En tout cas, Barth n'avait pas oublié. Il n'oubliait jamais rien, c'était l'une de ses forces.

— Chose promise…, murmura-t-il en écrasant son cigare.

Il resserra la ceinture de son peignoir et sortit silencieusement. Il longea la galerie ouest sans se presser, certain de ce qu'il allait trouver. Lorsqu'il ouvrit la porte de la chambre rouge, Stéphane ne s'en aperçut pas tout de suite. Son casque sur les oreilles, le volume à fond, il se balançait d'avant en arrière, agenouillé au milieu du lit. Par terre, une des bouteilles fournies par Franklin était débouchée. Dans sa main droite, il tenait une sorte de cigarette malodorante dont il aspirait goulûment des bouffées.

Barth observa le spectacle quelques instants puis il avisa un petit sac plastique, sur la table de chevet, contenant des comprimés aux formes étranges qu'il identifia immédiatement. Il ne s'attendait pas à un tel étalage. Il était décidé à fermer les yeux sur ce qu'il verrait et à avoir une discussion, mais sa propre colère le prit au dépourvu. Il arracha le casque avec violence et le piétina.

Saisi, Stéphane se retrouva dans un silence angoissant. Par réflexe, il sauta à bas du lit, de l'autre côté, et s'affala sur le parquet. Le temps qu'il se redresse, Barth avait allumé le lustre qui inonda la pièce d'une clarté trop crue.

— Tu comptais tous les bouffer d'un coup ? demanda-t-il en désignant l'ecstasy.

Sa voix était neutre mais son regard sombre vrillait Stéphane.

— Ma parole, tu nous ferais une petite overdose sans prévenir…

— Laissez ça ! cria Stéphane en voyant les doigts de son oncle se refermer sur le sachet.

Pris de vertige, il ne réussit à contourner le lit que d'un pas hésitant. Il avait trop bu, trop fumé, et la rupture avait été brutale.

— C'est comme ça que tu occupes tes nuits, alors ? Et tu as même réussi à trouver un pourvoyeur… Bien organisé, le môme !

Si Stéphane s'était tu, Barth aurait continué d'hésiter sur la conduite à tenir. Mais dans le brouillard où il se trouvait, le jeune homme avait perdu ses repères et sa prudence.

— Foutez-moi la paix, sortez de ma piaule. Vous avez bousillé mon casque, connard !

Il tenait toujours son joint entre le pouce et l'index, et Barth lui saisit le poignet, le frappa d'un coup sec contre le mur. Stéphane sentait l'alcool, la transpiration, la crasse. Il se retrouva propulsé à plat ventre sur le matelas, la tête dans l'oreiller. Avec un grognement, il se retourna, essaya de s'asseoir mais ne réussit qu'à prendre appui sur un coude.

— Vous m'en paierez un autre, dit-il d'une voix pâteuse. Tout votre fric de plouc qui sert à rien… pauvre mec… fruit sec…

Quand Barth s'assit au bord du lit, il aurait dû se méfier. Stéphane n'était pas en état de le faire, ne ressentant qu'une vague euphorie à chercher des insultes bien senties.

— Bois donc un coup, mon bonhomme, murmura son oncle.

Le contact brutal du goulot contre ses lèvres lui fit ouvrir la bouche malgré lui. Il avala de travers et tenta de repousser Barth qui maintenait la bouteille de whisky.

— Puisque tu aimes ça, régale-toi !

Il sentit une main qui l'attrapait par les cheveux et il déglutit plusieurs fois. À la limite de la suffocation, il eut un hoquet.

— Et puis, tiens, un petit Schtroumpf pour planer…

Cette fois, il se débattit mais Barth lui tenait la tête dans un étau, écrasant l'articulation du maxillaire près des oreilles.

— Un petit deuxième pour la route, tu vas faire un grand voyage…

Il voulut cracher les deux comprimés qui s'étaient collés sur sa langue, mais de nouveau l'alcool lui inonda la bouche.

— Et un petit dernier, parce que quand on aime on ne compte pas !

Se tordant comme un ver, Stéphane parvint enfin à se dégager, à bout de souffle, complètement paniqué.

— Arrêtez, vous êtes dingue, il faut que je dégueule, bégaya-t-il.

— Pas question de perdre la marchandise ! s'écria Barth en le ceinturant.

Le cœur de Stéphane battait si vite qu'il eut l'impression qu'il allait mourir. Tout tournait autour de lui, devenait flou, pourtant il était encore assez conscient pour être terrifié. Il se mit à crier, d'une voix fluette, et se raccrocha à Barth sans savoir ce qu'il faisait.

— Tu veux boire ? Tu as encore soif ? Allez, il en reste un peu !

Le liquide rejaillit sur ses joues, sur son menton, lui brûla un œil, mais il en absorba quand même. Cessant de lutter, il se laissa aller en arrière et Barth vida le fond de la bouteille sur lui.

En s'engageant dans le dernier virage avant le Carrouges, Franklin se sentait fatigué. Marc s'était montré désagréable et n'avait pas voulu finir la nuit avec lui. Comme il prétendait avoir encore envie de danser, il l'avait carrément congédié pour continuer à se trémousser sur la piste, affreusement provocant dans son jean de cuir. Une soirée plutôt ruineuse qui s'achevait en fiasco, une fois de plus.

La grille était grande ouverte et, au bout de l'allée, le perron était éclairé. Surpris, Franklin accéléra. À quatre heures du matin, il devait se passer quelque chose ! Il abandonna sa voiture sans la ranger, escalada les marches de pierre et entra dans le hall en courant. Tout était silencieux mais il aperçut Barth dans le petit salon.

— Qu'est-ce qui se passe ? demanda-t-il en avançant, très inquiet.

— Rien de grave…

La robe de chambre de soie noire faisait paraître son frère plus grand, plus mince et plus sinistre que de coutume.

— Le gamin a forcé la dose et j'ai dû appeler une ambulance.

— Quoi ?

— Shooté jusqu'au trognon à l'ecstasy. Tu connais, j'imagine ?

Sourcils froncés, Franklin essayait de déchiffrer l'expression de Barth. Son calme avait quelque chose d'exagéré.

— Qu'est-il arrivé exactement ?

Barth se laissa tomber dans un des fauteuils de velours gris. Il n'avait même plus envie de fumer tant il était las.

— Tu ne veux pas te contenter de la version officielle ? ironisa-t-il. C'est ce que j'ai raconté à notre chère mère et à Delphine, que j'ai renvoyées se coucher. En fait…

Prenant une profonde inspiration, il s'interrompit pour chercher ses mots avant d'avouer :

— Je ne dormais pas, je pensais à la boîte, et puis je ne sais pas ce qui m'a amené à Victor mais j'ai eu envie d'aller parler à Stéphane que j'avais vu rentrer. Je trouvais qu'il était temps de faire quelque chose. Bien entendu, il était à moitié saoul.

— Je lui ai procuré du whisky parce que tu l'empêches de boire à table.

Barth ignora la réflexion et poursuivit :

— Il avait sa petite provision de dope à portée de la main et je la lui ai fait avaler de force.

— Vraiment ? Et… beaucoup ?

— Pas mal. Je n'ai pas l'expérience de ces trucs-là.

— Il aurait pu te claquer entre les doigts !

— Ne me prends pas pour un con.

Il y eut un silence puis Franklin s'enquit, à mi-voix :

— C'était un geste de colère ou tu voulais lui donner une leçon ?

— Les deux. Je pense que ça suffit comme ça, il s'est assez foutu de nous.

— Dans quel état était-il quand il est parti ?

— Vivant, évidemment. Mais pas très… présent.

Barth riait, ce qui consterna Franklin ; il n'avait pas encore entendu le pire.

— J'irai à l'hôpital demain matin. Je vais le faire interner quelques jours en psychiatrie.

— Tu plaisantes ?

— Pas du tout. Il faut que ça serve à quelque chose. Qu'il ait vraiment la trouille.

— Il ne sera pas d'accord, et il est…

— C'est moi qui décide. Ça s'appelle un placement volontaire de la famille. Les toubibs vont le cuisiner mais, surtout, ils vont le sevrer. Je n'ai pas le temps de m'occuper de lui. Je ferai quand même un effort, quand il rentrera. Un dernier essai, si tu préfères. Je sais que tu n'apprécies pas ma méthode mais qu'est-ce que tu as fait, toi ? Et maman ? Vous vous apitoyez mais vous êtes nocifs, exactement comme Agnès !

Une seconde, Franklin se demanda si son frère n'avait pas raison, puis il secoua la tête, furieux.

— La manière forte ne marche pas à tous les coups ! Pas avec tout le monde…

— Non ? Eh bien, je n'en connais pas d'autre !

En se levant, Barth constata que le ciel avait pâli. Il n'avait plus le temps de se coucher à présent. Son frère était toujours figé, image même de la réprobation.

— Si tu nous faisais du café avant qu'on parte au boulot ?

Incapable de trouver la réplique appropriée, Franklin se détourna et sortit. En direction de la cuisine.

4

Clémence avait toujours su compenser l'ingratitude de son visage par un sourire espiègle et une excellente coupe de cheveux. Le bronzage qu'elle ramenait de Floride mettait ses yeux clairs en valeur, ce qui la rendait presque jolie. En la regardant défaire sa valise, Delphine constatait des changements subtils dans le comportement de sa fille. Davantage d'assurance et de gaieté, quelque chose d'un peu aguicheur, en tout cas une surprenante décontraction.

— Si mes copains de là-bas pouvaient voir cette maison, ça les rendrait dingues ! La moindre tourelle, en France ou en Écosse, est pour eux le summum du glamour. Ils sont d'une candeur ! Et malgré ça, l'enseignement est vraiment efficace. Tu n'as pas idée...

Sa mère l'écoutait, ravie, se félicitant une fois de plus de l'avoir expédiée au loin. De même que, à la fin de l'année universitaire, elle lui avait joyeusement permis de passer deux semaines à Miami avec ses copains, en récompense. Tout ce qui retardait son retour au Carrouges était une aubaine. Car Delphine, moins docile qu'on aurait pu le croire, avait décidé que jamais personne ne tyranniserait sa fille. Ni Irène ni Barth ne lui imposeraient leur loi, et si un jour Clémence devait affronter l'imprimerie, ce ne serait pas en passant par la petite porte.

Tout en l'aidant à suspendre ses vêtements, Delphine jugea opportun de lui raconter les événements des derniers jours. L'arrivée de Stéphane, la mauvaise volonté de Barth, et enfin la soudaine hospitalisation. Enfermé dans sa clinique du Havre où les visites n'étaient pas autorisées, le malheureux jeune homme était à la merci des médecins… et de son oncle. Lequel prétendait, sans autre commentaire, que tout allait pour le mieux. Irène avait eu beau se mettre en colère, soutenue par Frank, Barth était resté inflexible.

— Mon Dieu, soupira Clémence, j'avais oublié tout ça…

Elle désignait ainsi l'ensemble des Beaulieu, peut-être même la France entière maintenant qu'elle s'était américanisée.

— Enfin, maman, personne n'a protesté ? Au moins Fabienne ?

Elle n'imaginait pas que sa mère ait pu se dresser contre Barth. Mais elle avait beaucoup d'admiration pour sa tante Fabienne et la croyait capable de braver n'importe quel interdit.

— Barth lui a donné sa version et elle s'est rangée à son avis.

— Et Agnès ?

— Barth a réussi à la joindre, il a eu une longue conversation avec elle, jusqu'à ce qu'elle s'en remette entièrement à lui.

— Très bien, décida Clémence en laissant tomber une pile de tee-shirts, j'y vais !

Sa mère lui barrait l'accès de la porte, l'air affolé.

— Où ça ? Au Havre ? On ne te laissera pas le voir !
J'ai essayé…

C'était un aveu contraint, elle aurait préféré que
personne n'en sache rien.

— Mais non, maman, c'est à Barth que je veux
parler, dit-elle en la repoussant doucement.

Son pas lourd – elle était chaussée d'invraisem-
blables godillots à semelles compensées – résonna dans
la galerie. Devant la chambre de la tour, elle hésita, puis
frappa résolument. Barth se retourna, la main sur le
nœud de cravate qu'il achevait.

— Bon voyage ? demanda-t-il d'une voix douce.

Contrairement à ce qu'elle avait cru, Clémence
constata qu'elle avait toujours peur de lui. Quand
l'Atlantique les séparait, elle se persuadait qu'elle était
affranchie, mais dès qu'elle se retrouvait devant lui ses
appréhensions revenaient. Durant son adolescence, elle
avait été vaguement amoureuse de lui, sans jamais se
l'avouer, ce qui l'avait rendue timide et maladroite. Elle
le suppliait de venir la chercher au lycée et, lorsqu'il
consentait à faire le détour, elle l'exhibait à ses amies
avec une fierté de propriétaire. Elles n'étaient pas
nombreuses à posséder un oncle pareil, avec ses yeux
bleu marine, son élégance folle et ses voitures de sport.
Mais, à quinze ans, elle avait soudain pris conscience
qu'il n'était qu'un leurre, un modèle d'homme inaccessible et finalement redoutable. Elle en avait eu la révélation lorsqu'elle avait surpris les regards tristes que son
père lui lançait. Laurent ne pouvait pas rivaliser avec
Barth dans le cœur de sa fille et il en souffrait. Elle avait
alors cessé d'idolâtrer le tyran de la famille et s'était
demandé pour la première fois ce qu'avait pu être la vie
de ses parents jusque-là.

— Tu as mal choisi ton vol, ajouta-t-il en souriant. Ta mère a passé une nuit blanche.

Delphine avait tenu à se rendre elle-même à Roissy, où l'avion devait atterrir un peu avant cinq heures du matin.

— Je voulais te demander…, commença-t-elle prudemment.

Il lui fit face, bienveillant et attentif.

— Il paraît que Stéphane…

— Oh, ne t'occupe pas de ça, ma chérie, coupa-t-il sans cesser de sourire. Ce n'est pas très grave, tout sera rentré dans l'ordre d'ici quelques jours et tu verras ton cousin. Si tu peux lui faire entendre la voix de la raison, tu me rendras service.

Malin, il attendait sa réaction, mais elle ne savait déjà plus que dire.

— Clémence, murmura-t-il en fronçant les sourcils, est-ce que tu te drogues ?

— Bien sûr que non ! riposta-t-elle avec véhémence. D'ailleurs, là-bas, on ne peut même pas fumer une cigarette blonde sans passer pour un camé !

— Alors tu n'es pas en mesure de comprendre, conclut-il tranquillement.

Il l'avait amenée où il voulait, lui clouant le bec sans difficulté.

— Je file à La Roque, déclara-t-il en ramassant sa boîte de petits cigares. Repose-toi bien !

Ce qui était une fin de non-recevoir si jamais elle avait eu envie de l'accompagner. Il passa devant elle, lui donna une tape affectueuse sur l'épaule.

— Nous fêterons ton diplôme tous les deux, c'est promis ! Je suis très fier de toi. Mais si tu pouvais penser à changer de chaussures, franchement…

Avant qu'elle ait pu trouver une repartie, il avait franchi la porte, la laissant seule dans sa chambre. Elle se demanda si c'était une preuve de confiance ou d'indifférence. Peu importait, d'ailleurs, puisqu'elle n'avait rien pu faire pour son cousin.

En soupirant, elle se laissa tomber sur le lit ; la pièce lui sembla familière, différente pourtant. Elle mit quelques instants à découvrir que Barth s'était débarrassé de toute trace de Géraldine. Cet univers masculin, sobre et bien rangé, était celui d'un célibataire. Une seule lampe de chevet, aucune photo et aucun bibelot, un unique oreiller au milieu du grand lit. Sur la cheminée, une carafe de whisky était posée sur un plateau d'argent mais il n'y avait pas de verre. Brusquement, Clémence se sentit envahie par un sentiment de compassion qui l'étonna elle-même. Barth n'était pas à plaindre ! Il était seul parce qu'il l'avait voulu. Sa femme ne demandait qu'à l'aimer, c'était une évidence, et pourtant elle se morfondait, comme d'habitude. Si Clémence devait s'apitoyer sur le sort de quelqu'un, ce n'était pas sur celui de son oncle ! Pas *celui-là*, en tout cas.

Résignée, elle sortit et referma soigneusement la porte. Elle avait dormi tout le long du vol et elle se sentait en pleine forme. Elle décida que sa première visite serait pour Simon.

Marc bougea un peu dans son sommeil, mais sans se réveiller. Franklin acheva de boutonner sa chemise et laissa errer son regard sur la silhouette abandonnée dont la nudité le troublait. La nuit avait été courte, ils étaient rentrés tard, cependant, pour une fois, Marc s'était montré détendu, presque tendre. Une victoire éphémère qui ne trompait pas Franklin.

Il s'arracha à sa contemplation et quitta le studio sans bruit. Autant rester sur une bonne impression. Marc n'aurait qu'à tirer la porte en partant. Dehors, le soleil était déjà chaud mais il y avait encore peu d'animation dans la rue. Lorsqu'il avait choisi cet immeuble discret et luxueux à Deauville, Franklin s'était convaincu lui-même qu'il faisait un placement financier. Plus prosaïquement, il avait besoin d'une tanière, d'un endroit inconnu du clan Beaulieu. Sans illusion sur le genre de partenaires qu'il y ramènerait, il l'avait meublé simplement, avec son goût très sûr et sans dépense superflue. Et il lui était même arrivé d'y dormir seul, pour le plaisir de l'indépendance. C'est comme ça qu'il avait découvert, deux ans plus tôt, la voiture de Barth garée dans une rue tranquille, à l'aube. Tenant à préserver sa propre tranquillité, il n'en avait jamais parlé à personne. Si son frère avait une liaison, ils seraient deux à vouloir cacher quelque chose et cette complicité inattendue les rapprocherait. Mais, par la suite, il n'avait plus revu la voiture.

Franklin prit un café au comptoir d'un petit bar qu'il affectionnait. Il avait hâte de retrouver son bureau de Pont-Audemer et le dossier sur lequel il travaillait. Le groupe Beaulieu recevait des confrères européens d'ici à trois semaines, une sorte de symposium imaginé par Barth qui, décidément, n'était jamais à court d'idées. En invitant chez lui, à ses frais, les plus gros industriels de l'imprimerie, Barth se plaçait comme l'unique partenaire français et reléguait ses concurrents dans l'anonymat. Une opération coûteuse mais qui devrait favoriser des échanges très rentables. Franklin avait déjà chiffré le budget prévisionnel et bâti les grandes lignes de l'organisation, toutefois, il lui restait une foule de détails à régler. Si quoi que ce soit laissait à désirer dans le déroulement de cette opération de prestige, Barth le tiendrait pour directement responsable.

Les portes coulissantes s'écartèrent devant lui en chuintant, et l'hôtesse lui adressa un clin d'œil pour l'avertir que le patron était déjà là. Il longea le couloir jusqu'au bureau de Barth, qui était grand ouvert.

— Tu surveilles les allées et venues ? demanda-t-il en s'installant face à son frère.

— À cette heure-ci, il n'y a pas grand-monde à observer, personne ne fait de zèle ! Sauf toi…

Franklin faillit se justifier mais s'en abstint. À quarante-cinq ans, il n'avait pas de comptes à rendre, même quand il ne rentrait pas de la nuit.

— Clémence est arrivée ?

— Si son avion s'était écrasé, j'aurais su où te l'annoncer !

Le sous-entendu n'était pas nouveau. Barth avait exprimé à plusieurs reprises son ironie et sa réprobation pour le mode de vie de son frère. Il enchaîna, soudain plus conciliant :

— Où en es tu de ton organisation cosmopolite ? J'aimerais que l'on passe en revue le déroulement précis de ces deux journées.

— D'accord. Ce sera prêt en début d'après-midi.

Sur son agenda ouvert, Barth raya la case de quatorze heures.

— Et pour le gamin, comment ça se passe à la clinique ? Les visites sont toujours interdites ?

Franklin s'était levé, comme pour indiquer qu'il n'attachait pas grande importance à la question. Naturellement, son frère ne fut pas dupe.

— Le médecin-chef nous préviendra en temps voulu, sois tranquille.

— Écoute, Barth, tu ne peux pas…

— Excuse-moi, j'ai un rendez-vous.

Le ton était sans équivoque et Barth contournait déjà son bureau pour raccompagner son frère jusqu'à la porte.

— À tout à l'heure, vieux…

Dès qu'il se retrouva seul, il esquissa un sourire. Ils étaient tellement faciles à berner, tous ! Même Agnès, l'affranchie, la Parisienne, avait gobé son histoire sans broncher. Merci Barth, tu es si gentil, Barth. Il ne ressentait pas la moindre culpabilité, pas le plus petit regret. Son neveu avait eu exactement ce qu'il méritait, et sa terreur de l'internement serait un excellent remède. Il s'était agrippé à son oncle comme un noyé lorsqu'il avait compris ce qui l'attendait. Refusant de rester, il avait prétendu signer une décharge sur-le-champ et, lorsqu'il avait réalisé que son avis ne comptait plus, il avait carrément paniqué. La clinique était un établissement psychiatrique et ne s'occupait pas de drogués. Barth avait justifié l'état de Stéphane par une tentative de suicide, avait menti en affirmant que ce n'était pas la première, et le corps médical en avait conclu que le jeune homme présentait un danger pour lui-même et sa famille. Alors, quand il avait entendu qu'on allait le garder chez les fous contre son gré, le malheureux s'était mis à se débattre et à hurler jusqu'à ce qu'on lui administre un calmant. Exactement ce que Barth avait prévu. La leçon était dure mais présentait des avantages. Stéphane devrait patienter quelques jours avant d'établir la preuve de sa santé mentale, il n'aurait aucun accès à la drogue ou à l'alcool, et il serait bien obligé de se soumettre, ne serait-ce qu'en apparence, s'il voulait se tirer de là.

— Je me demande où il en est…, marmonna Barth, songeur.

À force d'éluder cette question, il finissait par ressentir une vague curiosité. Il feuilleta son agenda et composa un numéro sur sa ligne privée. Le médecin qu'il obtint se montra enthousiaste et optimiste. La sortie du jeune homme pouvait être envisagée sans problème, sous la condition d'un suivi en ville. Très paternel, Barth affirma qu'il s'occuperait personnellement de son neveu, lui assurant le gîte, un emploi, et surtout un environnement affectif de qualité. Il promit de venir chercher lui-même Stéphane le lundi suivant.

En raccrochant, il eut un scrupule. Peut-être aurait-il pu abréger un peu cette épreuve ? Bah, trois jours de plus seraient une abstinence supplémentaire. Il était vraiment temps de lui forger le caractère si on voulait en tirer quelque chose.

La messe du dimanche attirait peu de fidèles, et beaucoup de touristes. Ces derniers entraient et sortaient tout au long de l'office, admiraient un instant les voûtes de bois des deux nefs semblables à des coques de bateaux renversées, puis repartaient comme ils étaient venus sans se donner la peine d'un signe de croix.

Géraldine n'était pas une catholique très convaincue mais elle était attachée aux traditions. Accompagner Irène dans ses brusques poussées de dévotion ne l'ennuyait pas et elles étaient les seules de la famille Beaulieu à franchir la porte de l'église Sainte-Catherine. C'est là que Barth l'avait épousée devant Dieu – et une multitude d'invités – bien des années auparavant.

Un mouvement, autour d'elle, la tira de ses réflexions. L'office venait de se terminer et Irène la poussait hors de la travée. Dès qu'elles furent dehors, la chaleur les accabla.

— Passons chez le pâtissier, je réglerai la note et nous prendrons un gâteau pour ce soir, décida Irène.

Sa manière de tout régenter, du moins ce que son fils avait bien voulu lui laisser, n'exaspérait plus Géraldine depuis longtemps. Elle savait très bien s'abstraire quand elle s'ennuyait, et faire les courses avec sa belle-mère l'assommait. Elle suggéra distraitement un feuilleté aux framboises et patienta devant la boutique.

Toute son enfance et son adolescence l'avaient préparée à vivre de cette manière. Épouser un homme de sa condition, voilà ce que ses parents lui avaient proposé pour toute ambition. Elle était la fille unique d'un industriel prospère, mais qui commençait alors à connaître des difficultés financières, et d'un ancien mannequin devenu championne de golf. Ils lui avaient présenté au moins une vingtaine de charmants garçons bien nantis qu'elle avait poliment récusés les uns après les autres. À cette époque, elle se croyait très moderne et affranchie, elle voulait d'abord vivre, c'est-à-dire s'amuser. Quelques voyages prétendument formateurs et autant d'aventures vécues en toute liberté ne lui avaient apporté que des désillusions. La faculté de droit où elle s'était inscrite par la suite n'avait pas suscité en elle de vocation particulière. Mais à vingt-trois ans, juste au moment où elle commençait à s'ennuyer ferme, elle avait rencontré Barth. Elle en était tombée amoureuse instantanément et, du jour au lendemain, elle avait vu la vie sous un angle différent. À la stupéfaction de ses parents, elle s'était transformée du tout au tout. Elle avait abandonné ses jeans et ses baskets, ses copains étudiants et le Code civil, avait changé de coiffure et de conversation. Élégante, souriante, sûre d'elle, elle était partie à la conquête du président-directeur général de l'empire Beaulieu, jusqu'à ce qu'il la demande en mariage. Et elle n'avait pas attendu le jour de la noce pour se glisser dans son lit. Le Carrouges, la future belle-mère, rien ne l'avait freinée dans son irrésistible élan. Puisque Barth la voulait pour femme, c'est qu'il l'aimait lui aussi, elle s'en était persuadée sans mal. Dix ans les séparaient, ce qu'elle jugeait insignifiant et, au pire, elle serait sa fille, sa petite sœur, tout ce qu'il voudrait tant qu'il garderait sur elle ce regard bleu sombre qui la faisait frissonner. Non seulement elle en était folle, au point de s'aveugler sur ses silences ou sa froideur, mais en plus elle le désirait physiquement avec toute la force de sa jeunesse.

Il lui fallut un an pour comprendre que son avenir ne serait pas exactement tel qu'elle l'avait imaginé. D'abord, son mari travaillait au moins douze heures par jour, six jours sur sept. Son titre de président n'en faisait pas un oisif mais, au contraire, un forçat. Ensuite le Carrouges était le territoire d'Irène, qui s'y cramponnait furieusement, et il était impossible d'y connaître un moment d'intimité avec une si nombreuse famille. Enfin les imprimeries étaient le centre de toutes les préoccupations et Barth détestait d'emblée les futilités qui pouvaient l'en éloigner. Il restait courtois avec sa femme, mais d'une manière si convenue qu'elle ne pouvait vraiment pas prendre ça pour de l'amour.

Inquiète, puis minée, Géraldine s'était alors accrochée à l'espoir d'une maternité. Il rêvait d'enfants et il le disait, elle acquit donc la certitude que ce serait le salut de leur couple. Une autre année s'était écoulée, durant laquelle Clémence, seule enfant de la famille, avait fait ses premiers pas et prononcé ses premiers mots sous l'œil attendri mais frustré de son oncle Barth. La troisième année de leur mariage, l'angoisse s'était installée pour de bon dans la tête de Géraldine. Et elle avait commis l'erreur irréparable de se confier à Irène… Elle aurait dû parler à sa propre mère, ou à Delphine qui était une belle-sœur plutôt agréable. Hélas, Delphine l'exaspérait dans son rôle de jeune maman triomphante, et elle n'avait que des contacts très superficiels, voire mondains, avec ses parents.

Géraldine fit quelques pas devant la vitrine du pâtissier pour surmonter sa nervosité. Il valait mieux ne plus songer au passé. Elle avait quarante ans, sa vie n'était pas finie ! Même si Barth était de plus en plus distant et distrait, inutile de se leurrer. Quand il lui faisait l'amour, à présent, elle avait l'impression qu'il pensait à autre chose, qu'il était très loin d'elle. Leurs échanges se bornaient à une simple politesse qui la désespérait toujours, à laquelle elle ne s'était jamais accoutumée. Elle subissait son indifférence polie comme une injure mais n'osait rien tenter. Ce n'était pas la peur de l'affronter qui la retenait, c'était juste un sentiment d'angoisse mêlé de culpabilité. S'il apprenait un jour ce qu'elle avait osé accepter, cautionner, affirmer sans honte pour ne pas le perdre, de quoi serait-il capable ? De toute façon, c'était beaucoup trop tard pour réparer.

— Dépêchons-nous ou ils auront tous quitté la table quand nous arriverons ! lui jeta Irène en passant devant elle.

La messe leur faisait manquer une partie du petit déjeuner dominical, ce qui perturbait leurs habitudes. Tout en marchant, Irène vérifiait la facture du pâtissier qu'elle payait en fin de mois pour éviter des comptes fastidieux avec Simon ou Renée.

— Le petit sort demain, c'est Barth qui ira le chercher. Quelle histoire…

La boîte de vitesses craqua quand Irène passa la première. Elle conduisait très mal mais personne n'osait le lui faire remarquer. Géraldine boucla sa ceinture tout en songeant au malheureux Stéphane. Elle connaissait suffisamment son mari pour imaginer qu'il ne leur avait pas dit la vérité. Une fois de plus, il avait agi comme il l'entendait, sans prendre l'avis de personne, sans même avoir conscience de sa cruauté. S'ils avaient eu des enfants, aurait-il fait preuve de la même dureté à leur égard ? C'était une pensée assez réconfortante. Après tout, cette stérilité était peut-être un mal pour un bien ?

Lorsque la voiture s'engagea, beaucoup trop vite, dans l'allée du Carrouges, Simon et Clémence n'eurent que le temps de se réfugier sur la pelouse. Ils étaient lancés dans une discussion sur les mérites comparés des fusils à canons superposés ou juxtaposés.

— Un de ces jours, madame finira dans les piliers du portail, maugréa Simon.

Sa vénération des Beaulieu ne l'aveuglait pas entièrement, c'était l'une des nombreuses raisons qui le rendaient sympathique à Clémence. Tout comme son amour des animaux sauvages ne l'avait jamais empêché d'être chasseur.

— Alors tu me disais que Stéphane s'y connaît en armes, lui aussi ?

— Comme son père. Victor faisait ma joie, il tirait sans épauler ! Tu ne peux pas t'en souvenir, tu étais trop petite.

Il venait de lui raconter le lien fragile qui s'était tissé entre Stéphane et lui, leurs conversations nocturnes, le malaise du garçon. Encore intriguée par cette révélation, elle revint à la charge.

— Et vous bavardiez tous les soirs, en cachette de Barth ?

— Non, tu penses bien que non… Ton oncle sait toujours ce qui se passe chez lui et c'est très bien comme ça. Il m'a juste recommandé de ne pas le faire boire… Parce qu'il y va fort sur la bouteille, c'est vrai, certains soirs il me sortait des trucs plutôt embrouillés… Mais ça devait le soulager. Il n'est pas bien dans sa peau, ce gamin-là !

Pour appuyer sa déclaration, il fit claquer sa langue.

— Viens, ajouta-t-il, je vais te montrer mes dernières plantations.

Dès qu'il avait appris son retour, il avait bordé la plate-bande de pensées. Depuis qu'elle était petite, il lui faisait la surprise de nouvelles couleurs chaque année.

— Des lacs de Thoune ! s'exclama-t-elle.

— Oui, et des Drus là-bas, des Écrins… Je t'ai tout fait en bleu et violet, tu aimes ?

— J'adore ! C'est tellement… Oh, Simon !

Elle appuya son front contre la salopette tachée du gardien. C'était son ami depuis toujours. Elle seule pouvait comprendre pourquoi Stéphane l'avait spontanément choisi pour confident. Il possédait toute la chaleur et la spontanéité qui manquaient tant aux

Beaulieu. Sans craindre de la salir avec ses doigts pleins de terre, il se mit à lui tapoter les cheveux d'un geste rassurant.

— Et ce n'est pas tout ! Viens un peu par ici, dit-il en l'entraînant vers la pelouse qu'il avait semée de plumbagos bleu cobalt.

Stéphane n'avait rien dit en présence du médecin, conservant un demi-sourire crispé et l'air sage. Ce ne fut qu'une fois installé dans le coupé de Barth, lorsqu'ils se mirent à rouler sur le parking de la clinique, qu'il laissa éclater sa fureur.

— Je vais prendre un avocat, vous faire un procès, vous dénoncer aux flics…

— Tu devrais aussi écrire un bouquin là-dessus, ça rapporte ! *Deux semaines d'enfer chez les fous*, *Interné malgré lui*…

Le rire de Barth était si spontané qu'il avait quelque chose de glaçant.

— Vous ne vous rendez même pas compte…, ragea Stéphane. C'était quoi, juste un jeu ?

— Une leçon de choses ! La théorie ne sert à rien, il faut mettre en pratique.

— Et si je racontais cette histoire aux médias ? Un respectable industriel, un médecin complaisant…

— Et un petit crevard shooté jusqu'à la moelle, tu oublies un morceau du titre.

Stéphane donna un violent coup de poing sur le tableau de bord, devant lui.

— Ça suffit ! Je suis sérieux !

— Mais non. Tu es en colère, tu es ridicule. Tu me fais perdre mon temps et mon argent. Je regrette qu'ils ne t'aient pas mis la camisole de force, jeté dans une cellule capitonnée, soumis aux électrochocs ! Là, tu pourrais te plaindre. Au lieu de quoi je t'ai offert deux semaines de repos, loin des tentations, et tu m'engueules ! Ce toubib n'était pas de mes relations mais je n'ai eu aucun mal à le convaincre. Tu es le type même du déséquilibré.

— Je n'ai jamais tenté de me suicider. Ni chez vous ni ailleurs. Je sais très bien contrôler ce que je prends quand je veux m'offrir un voyage. Alors que vous n'aviez aucune idée de ce que vous faisiez en m'obligeant à ingurgiter ces...

Incapable d'aller plus loin, Stéphane reprit son souffle. Le souvenir de cette scène lui était odieux, provoquait encore une bouffée de peur viscérale.

— Laissez-moi à la gare, articula-t-il très bas.

— Tu me prends pour ton larbin ou quoi ? explosa Barth. Tu te débrouilleras pour trouver un bus !

Le coupé était déjà arrêté au bord d'un trottoir. Stéphane n'avait aucune idée de l'endroit où ils étaient. Quelque part dans la banlieue du Havre, au milieu d'immeubles sinistres. Barth le saisit par le bras et il sursauta.

— Tu as le choix. Dépêche-toi de descendre, je suis pressé. Tu ne penses pas que je vais essayer de te retenir, quand même ?

Pour mieux se faire comprendre, il lâcha le garçon et ouvrit la portière. Dans le silence qui suivit, leurs regards se croisèrent. Stéphane s'aperçut, désemparé, qu'il n'avait aucune envie de quitter l'abri de la voiture. Pour aller où et pour faire quoi ?

— Eh bien, tu vois ! Alors boucle-la !

Il démarra dans un crissement de pneus et Stéphane n'eut que le temps de refermer la portière qui faillit heurter un réverbère. Durant quelques minutes, ils roulèrent sans se parler, aussi butés l'un que l'autre. Dès qu'ils furent sur l'autoroute, Barth mit la radio pour écouter les nouvelles, puis il alluma un de ses petits cigares. Il ramenait son neveu au Carrouges, exactement comme il l'avait prévu, et il était assez content de lui. Fabienne l'avait menacé de représailles si l'histoire se terminait mal mais il n'avait jamais douté de l'issue. Au fond c'était simple, les gens finissaient par faire tout ce qu'il voulait. Sauf Nicky, bien entendu.

Penser à la jeune femme le mit aussitôt mal à l'aise. Il baissa sa vitre et laissa s'engouffrer un air tiède. Combien de temps allait-il encore songer à elle dès qu'il relâchait son attention ? Pourquoi était-ce avec son image tapie au fond de la tête qu'il s'endormait chaque soir ? Et même lorsqu'il lui arrivait, à bout de nerfs, d'aller frapper chez Géraldine, c'est à la peau de Nicky qu'il rêvait.

— Nous recevons des partenaires étrangers cette semaine, dit-il à voix haute. À condition que tu déniches une cravate, je te laisserai observer discrètement ce petit monde, c'est instructif.

Incrédule, Stéphane ne répondit rien à cette offre inattendue. Il en avait pris son parti, toutes les propositions de son oncle cachaient des pièges. Parfois vraiment dangereux.

— Tu m'écoutes ? s'enquit Barth sans quitter l'autoroute des yeux.

— Oui. Vos partenaires.

— Je devrais dire mes concurrents, seulement c'est démodé. De nos jours on n'avoue plus la guerre sans

129

merci, on prétend s'entraider ! Clémence viendra aussi, elle te servira de guide. Elle aime bien l'imprimerie…

Oui, et c'était là tout le drame, Clémence « aimait bien » l'entreprise, « ne refusait pas » d'y travailler un jour ! Comme s'il s'agissait d'une faveur faite au clan, d'une concession accordée à la sauvegarde de l'empire familial. Rien de moins ! Delphine l'avait rendue idiote à force de vouloir la préserver. Et ce minable de Laurent…

— Clémence est là ?

— Elle nous consacre ses vacances. C'est une bonne nouvelle pour toi, j'imagine, ça va te changer des vieux cons.

Il valait mieux ne rien répondre à cette affirmation mais Stéphane hocha la tête et Barth rit.

— Bon, écoute, faisons la paix. Au moins une trêve. Tu ne finis plus les fonds de bouteille, tu ne passes plus tes nuits à chercher du fric dans mes tiroirs, tu te laves le matin, et en contrepartie je te fous la paix, je te confie à George pour qu'il essaie de t'apprendre quelque chose.

— Marché conclu !

La repartie avait fusé si vite que Barth se demanda ce qu'il avait oublié d'exiger. Il jeta un coup d'œil à son neveu et lui trouva l'air normal. De toute façon, quoi qu'il mijote, la parade ne serait pas difficile à trouver.

— Au fait, ta mère t'embrasse…

— Eh bien, il y a au moins quelqu'un qui pense à moi !

— Non, répliqua Barth posément. Je crois qu'elle est très prise par son rôle, sa tournée… C'est moi qui l'ai appelée.

Le silence retomba entre eux sans que Barth cesse de sourire.

Presque toute la semaine fut consacrée aux visiteurs étrangers que recevait le groupe Beaulieu. Barth avait engagé une demi-douzaine d'interprètes et en profitait pour ne s'exprimer qu'en français – alors qu'il maniait parfaitement la langue anglaise – pour bien montrer qu'il était chez lui. Toujours très à son aise lorsqu'il fallait convaincre, il multiplia autant les réunions que les apartés pour satisfaire tout le monde.

Franklin, qui avait veillé au moindre détail, se trouva transformé en chef du protocole et fut constamment sollicité. Delphine servit d'hôtesse à travers les différentes unités du groupe, répétant obligeamment les mêmes explications. Fabienne, mise à contribution, fut chargée de piloter ses collègues patrons de presse. Clémence et Stéphane, spectateurs discrets, essayèrent en vain de se rendre utiles et en profitèrent pour sympathiser.

Les meilleurs hôtels et les meilleurs restaurants avaient été sélectionnés avec soin, hormis Le Bathyscaphe, bien entendu. Au Normandy, à Deauville, la soirée de clôture fut particulièrement réussie.

Durant ces trois jours, Barth se trouva tellement accaparé qu'il ne rentrait qu'au milieu de la nuit pour repartir à l'aube. Géraldine l'avait rejoint un soir, lors du premier dîner, et Irène était restée seule au Carrouges, horriblement vexée. Lorsqu'elle en fit la remarque, avec une certaine aigreur, Barth s'étonna. Sa mère ne s'intéressait ni aux imprimeries, ni au marché européen, ni aux investissements du groupe. D'où lui venait cette volonté soudaine de participer à leurs activités ? Irène eut beau se cabrer, rappeler qu'elle était actionnaire, il se contenta de rire comme si elle plaisantait. C'était une façon de lui rendre la monnaie de sa pièce et, puisqu'elle lui avait imposé un neveu indésirable, il la reléguait sans scrupule, la cantonnait à son rôle de grand-mère au foyer.

En riposte immédiate, Irène invita les parents de Géraldine à dîner la semaine suivante, sachant l'animosité qu'ils éprouvaient pour leur gendre. Autant ils avaient été flattés, à l'époque du mariage, rassurés sur l'avenir de leur fille et séduits par la fortune des Beaulieu, autant ils avaient déchanté ensuite. Barth avait expliqué à son beau-père comment et pourquoi ses affaires périclitaient, lui avait même indiqué la voie à suivre pour remonter la pente, et la leçon n'avait pas été appréciée ! Les malheureux avaient dû se rendre à l'évidence : leur gendre les écrasait de sa supériorité d'industriel prospère. Ce n'était pas lui qui était entré dans leur famille, c'est leur fille unique qui avait été engloutie par le clan Beaulieu. Avec une perfidie consommée, Irène avait continué de les recevoir au Carrouges, sous prétexte de maintenir de bonnes relations. En réalité, elle en profitait pour glisser quelques réflexions acides sur son fils aîné, un homme impossible à vivre et qui méprisait tout le monde. Géraldine, prudente, était toujours restée en dehors de ces discussions.

Dès que le travail reprit normalement, à Pont-Audemer comme à La Roque, George put s'occuper de Stéphane. Patient, plutôt gentil, il lui expliquait tout en détail et ne semblait lui demander qu'un simple effort de compréhension. L'étage de la direction était désormais accessible au jeune homme, qui n'était plus tenu de porter une blouse mais n'avait pas encore de place définie, sinon celle d'élève. Fidèle à lui-même, Barth l'ignorait quand par hasard il le croisait. Cette indifférence arrangeait Stéphane mais, en revanche, Clémence lui manquait. En trois jours, il s'était habitué à sa compagnie et rageait de ne la retrouver que le soir, d'abord à table dans la sinistre salle à manger du Carrouges, puis chez Simon où ils filaient ensemble après le dîner. Le gardien les accueillait avec plaisir, toujours prêt à parler d'armes ou de gibier, parfois de littérature, le plus souvent de la famille. Les deux jeunes gens ne se lassaient pas de l'entendre raconter l'enfance de Victor ou de Delphine, les innombrables bêtises que Barth avait commises avec Simon dans sa jeunesse, les colères d'Irène et les fantaisies d'Octave, ce grand-père qu'ils n'avaient pas connu. Clémence avait toujours une opinion sur tout. Elle définissait aisément les caractères, décryptait les sentiments et faisait sans cesse référence à la psychanalyse. C'était sa passion, sa marotte, elle avait même réussi à garder cette option dans ses études. Simon en riait mais Stéphane écoutait gravement. Il avait l'impression qu'elle ne tarderait pas à lire en lui, à y découvrir des faiblesses et des bassesses méprisables.

Depuis qu'il avait quitté la clinique il n'avait pas cherché à se procurer de la drogue, cependant il savait qu'il le ferait tôt ou tard. Barth ne surveillait plus ce qu'il buvait au cours des repas, mais de toute manière Barth ne le regardait pas ! Et l'alcool, dans des proportions aussi raisonnables, n'était qu'un piètre dérivatif aux vagues d'angoisse qui assaillaient Stéphane. Naturellement, Clémence avait remarqué sa nervosité et, sans même le questionner, avait su reconstituer les événements. Elle avait l'âge de Stéphane et elle connaissait assez bien son oncle pour comprendre le problème qui les opposait. Elle déposa sur la table de chevet de Stéphane, en son absence, un livre intitulé *Il n'y a pas de drogués heureux*, de Claude Olievenstein. Le soir où il le découvrit, il ne lui adressa pas la parole de la soirée et ne l'accompagna pas chez Simon pour leur habituelle veillée à trois. À minuit, elle entra sans frapper, s'assit au pied du lit et formula des excuses. Comme il était à moitié endormi, il n'eut pas le courage de protester et ils bavardèrent jusqu'à l'aube.

S'il fut surpris de la facilité avec laquelle il se livrait, elle sembla au contraire trouver naturelles ses confidences. Spontanément, elle affirma qu'il pouvait compter sur elle, au moins le temps de son séjour en France. Elle était d'autant plus décidée à l'aider qu'elle pourrait ainsi mettre en pratique ses théories psychanalytiques ! Ils en rirent comme des gamins, sans être dupes ni l'un ni l'autre. Puis il parla d'Agnès, que Clémence connaissait mal, de l'accident qui avait coûté la vie à son père et qui continuait de perturber ses rêves. En échange elle lui raconta ses fantasmes d'adolescente, et même l'attirance inavouable qu'elle avait éprouvée autrefois pour Barth.

— Toi ? s'étonna-t-il, navré. Une fille comme toi, louchant sur un rapace ?

— Oui. C'est son côté prédateur qui me subjuguait, reconnut-elle sans façon.

Ensuite elle énuméra ses mésaventures en Amérique, jusqu'à un récent amour déçu, avec un Texan dont elle ne se consolait pas. Et, comme preuve de confiance absolue, elle évoqua enfin la tendresse compatissante que ses parents lui inspiraient, l'humiliation qu'elle éprouvait parfois de les voir si dociles, sa décision secrète de ne jamais succéder à Barth à la tête du groupe.

— Les imprimeries reposent sur un homme, une personnalité. C'est la force et la carence de toute la chaîne. Barth s'est voulu irremplaçable et il l'est devenu. Il surveille tout, ne délègue rien, prend ses décisions seul. Il n'y a aucune place à prendre.

Elle le constatait sans amertume. Sa vie était ailleurs, très loin de la Normandie et de son asphyxiante famille. Elle revenait chez elle comme on va en vacances à l'étranger. Delphine avait gagné son pari.

Lorsqu'ils eurent la sensation qu'ils avaient fait le tour de leurs émotions respectives, ils se séparèrent en s'embrassant chastement sur la joue, comme des frères et sœurs. Entre eux une alliance tacite était née.

Barth avait l'oreille suffisamment exercée pour percevoir le silence des hangars depuis la cour. En descendant de voiture, il fut tout de suite alerté par le calme inhabituel et s'immobilisa, sourcils froncés. Presque au même instant, George émergea du bâtiment pour venir à sa rencontre.

— Cette fois-ci on n'y échappera plus, c'est la grève ! s'écria-t-il en se tordant les mains.

Le syndicat avait posé un préavis, que Barth avait négligé, comme toujours.

— Si les presses ne sont pas reparties dans une heure, je ferme la boutique ! lança Barth rageusement.

Il l'avait dit assez haut pour être entendu du petit groupe qui patientait sous le préau. En trois enjambées, il les rejoignit.

— Ce n'est pas une menace en l'air, je mets la clef sous la porte ! Vous croyez que vous travaillez pour le gouvernement, que vous êtes des fonctionnaires ?

— Monsieur le président, commença l'un des sept hommes, qui avaient reculé, la liste des revendications…

— Je veux que la Cameron redémarre ! Immédiatement ! On discutera après ! Tu m'entends, Claude ?

Le malheureux qu'il foudroyait du regard chercha du secours auprès de ses collègues.

— Mais qu'est-ce que vous espérez ? tempêta Barth. Une augmentation alors qu'on est en train de perdre des milliers de francs à la minute ? Et quand nous aurons perdu les clients eux-mêmes, vous irez pointer au chômage, moi je m'occuperai de mon jardin, tout le monde sera content !

Faisant volte-face, il apostropha George.

— On était censés imprimer quoi, ce matin ?

Il écouta l'énumération, les yeux au ciel, avant de se retourner vers ses employés.

— Bien. Pour arrêter ce massacre au plus vite, avec qui faut-il que je discute, que je tergiverse, que je négocie ?

Le représentant syndical avança d'un pas, l'air piteux.

— C'est toi l'élu de l'année ? Ah, mon pauvre Bertrand, tu vas voir comme c'est comique d'être pris entre le marteau et l'enclume… Parce que, je te préviens, je ne tolérerai pas que vous gardiez mes machines en otages ! Viens dans mon bureau. D'ailleurs, venez tous, puisque c'est une pause obligatoire, on va boire un café.

Sans attendre la réponse, il avait gagné la porte et s'engageait dans l'escalier. George poussa les autres à le suivre, fermant la marche. La grève durait depuis quarante minutes et serait sans doute terminée dans le quart d'heure suivant. Avec un peu de chance, ils rattraperaient leur planning.

— Qu'est-ce qui va se passer ? chuchota Stéphane qui se tenait juste à côté de lui.

Il avait assisté à l'altercation avec curiosité, presque avec amusement.

— Le patron va céder sur l'essentiel et ne voudra pas entendre parler du reste. Il sait toujours exactement ce qu'il peut lâcher et il attend la dernière minute pour le faire. Les autres sont obligés d'arrêter les presses s'ils veulent obtenir quelque chose, alors ils s'y résignent en dernier recours parce qu'ils savent que ça le rend fou…

George dépassa le petit groupe dans le couloir pour aller ouvrir les portes du grand bureau. Impressionnés, comme chaque fois, les hommes restèrent debout, indécis, tandis que Barth s'installait dans son fauteuil.

— Asseyez-vous donc au lieu de me regarder de haut, maugréa-t-il. Allez, Bertrand, déballe-moi tout qu'on en finisse. Mon neveu va s'occuper du café pendant ce temps-là.

C'était la première fois qu'il disait « mon neveu » et Stéphane devina qu'il utilisait l'expression sciemment. Une façon de se rapprocher des employés, de rappeler que l'imprimerie était une affaire de famille et que rien ne séparait fondamentalement la direction de la base. La méthode était vieille mais avait fait ses preuves, et Barth possédait le charisme voulu pour l'appliquer sans ostentation.

Le temps de revenir avec un plateau chargé de gobelets fumants, Stéphane comprit que la rébellion était maîtrisée. Avec un paternalisme déconcertant, Barth demandait à Bertrand des nouvelles de son petit-fils et semblait avoir oublié que ses presses

137

restaient paralysées, trois étages plus bas. Plus gênés que leur patron, les employés burent le café trop chaud et quittèrent le bureau en hâte, soudain pressés de rattraper le retard de la matinée. Après quelques instants de silence, Stéphane récupéra les gobelets abandonnés pour les déposer dans la corbeille tout en murmurant :

— Bravo ! Vous les avez mis dans votre poche avec tellement de…

— Dans ma poche ? Où te crois-tu ? Chez un négrier ?

La colère perçait dans la voix sourde de son oncle.

— Un peu plus et tu vas me dire que je les ai embobinés ? Tu imagines que c'est comme ça qu'on dirige une usine ? Et arrête tes rangements, tu n'es pas femme de ménage !

Machinalement, Stéphane avait nettoyé une trace de sucre en poudre, sur le coin de l'immense bureau d'acajou. Il laissa retomber sa main, ne sachant plus que faire. Barth s'était mis à le détailler des pieds à la tête avec une attention inhabituelle.

— Non, tu choisis, ou le jean ou la cravate, mais pas les deux ensemble… Tu n'as vraiment aucune idée de rien… Allons voir George, je veux entendre la Cameron repartir moi-même.

Son inépuisable énergie était un peu fatigante mais Stéphane le suivit, étonné de sa propre docilité, et surtout de l'excitation qu'il ressentait à l'idée de voir redémarrer la presse. Quelque chose dans son attitude dut le trahir car, sans se retourner, tandis qu'il dévalait l'escalier, Barth lui fit remarquer :

— Tu y prends goût, ma parole !

Ils pénétrèrent dans le hangar l'un derrière l'autre, au moment où le bruit de la chaîne commençait à enfler, à devenir strident.

— Ah, quand même, soupira Barth, ça roule…

D'un geste adroit, il prit l'un des livres qui passaient sur le tapis devant lui et le lança à Stéphane.

— Tu le donneras à Simon, il sera content !

Cette fois il avait dû crier pour se faire entendre. Il grimpa sur l'une des passerelles métalliques pour observer le cheminement impeccable des volumes. D'en bas, Stéphane eut l'impression absurde que son oncle était sur le pont d'un navire et qu'il ne lui manquait qu'une longue-vue. Réprimant un sourire, il rejoignit George.

Malgré sa contrariété, Fabienne n'avait pas modifié la une. L'éditorial de Gabriel était trop virulent à son goût, et pas forcément objectif, mais il était trop tard pour les corrections. Barth serait furieux de se trouver pris à partie dans le quotidien de sa propre sœur !

— Tu avais vraiment besoin de l'impliquer ? demanda-t-elle rageusement.

— C'est lui le premier patron de la région…

— Les imprimeries ne polluent pas.

— Tu plaisantes ? Ils emploient des résines dont ils ne connaissent même pas la composition et qu'ils achètent directement en Asie ! Les prélèvements effectués sur la rivière qui passe juste devant La Roque sont éloquents.

Il se réfugiait derrière les résultats de l'enquête qu'il avait menée pour le compte du journal et qui lui permettaient d'entamer la grande campagne écologique dont il rêvait depuis longtemps. Barth allait réagir violemment : tant mieux. Plus il se défendrait, plus il alimenterait la polémique.

— Essaie d'oublier que c'est ton frère et tu le verras avec les yeux de nos lecteurs.

— C'est-à-dire ?

— Comme un spéculateur. Pas forcément respectueux des lois, et qui sait très bien manier le chantage à l'embauche sous prétexte qu'il est pourvoyeur d'emplois.

— Laisse tomber ce jargon, c'est à moi que tu parles.

Quand elle était dans cet état d'esprit, il la trouvait détestable.

— Écoute, Fabienne, nous ne dirigeons pas une feuille de chou confidentielle, nous devons…

— *Je* dirige !

Exaspéré, il faillit sortir en claquant la porte, se ravisa.

— Tu es fatiguée, moi aussi. On mène une vie de fous…

Prenant sa pipe dans la poche de sa veste, il commença méthodiquement à la bourrer. Le regard clair de Fabienne glissa sur lui. Il avait exactement l'air de ce qu'il était : un rédacteur en chef. Elle pensa qu'il soignait trop son apparence d'intellectuel.

— Je t'invite à déjeuner, proposa-t-il.

— Non, c'est moi.

Il s'était récemment toqué d'un restaurant de cuisine biologique qu'elle trouvait sans intérêt.

— Allons au Bathyscaphe, décida-t-elle en se levant.

— À Deauville ? C'est loin !

— J'ai envie de me baigner.

— Il y aura trop de monde…

Résigné, il la vit s'emparer du téléphone, réserver une table, puis ramasser son sac.

— Tu viens ?

Cet autoritarisme devait être une tare familiale. Il manifesta son mécontentement en soupirant. Contrairement à ce qu'il avait espéré, Fabienne restait aussi indépendante et insaisissable qu'au début de leur liaison. Il ne parvenait presque jamais à prévoir ce qu'elle allait dire ou faire. Elle ne se livrait pas, même dans l'amour, et n'était pas facile à manipuler.

Lorsqu'ils poussèrent la porte du restaurant, la fraîcheur rendit un peu de sa bonne humeur à Gabriel. Le maître d'hôtel les installa dans un coin tranquille tandis que Fabienne essayait de repérer la silhouette de Nicky. Son frère avait mal supporté de déjeuner là, quelques semaines plus tôt, et elle éprouvait soudain une curiosité à l'égard de cette jeune femme capable de le tenir en échec. Quand Barth se détournait de quelqu'un, c'était définitif. Or il n'avait jamais cessé de souffrir de sa rupture depuis deux ans, malgré toute sa volonté.

À l'autre bout de la salle, Nicky avait aperçu le couple avec un grand soulagement. La réservation, au nom de Beaulieu, lui avait fait craindre une nouvelle visite de Barth. Elle vint prendre la commande, sourire aux lèvres, parfaitement à l'aise, et adressa même un signe de tête appuyé à Fabienne. Lorsqu'elle s'éloigna vers les cuisines, Gabriel la suivit des yeux avec intérêt.

— Ne te gêne pas pour moi, surtout, fit remarquer Fabienne d'une voix cinglante.

Penaud, il eut une mimique d'excuse. Il avait réagi comme la plupart des hommes lorsqu'ils découvraient Nicky. Il n'aurait pas su dire s'il la trouvait jolie mais elle avait retenu son attention malgré lui. Ce magnétisme tenait peut-être à sa silhouette, ou à sa façon de s'habiller, de se mouvoir, en tout cas à son sourire.

— Navré, dit Gabriel. Mais elle a quelque chose qui…, elle aurait dû faire du cinéma plutôt que de la restauration, non ?

— Ah, vous êtes vraiment tous pareils, c'est décourageant !

Cette réflexion le hérissa une nouvelle fois. Il se promit qu'il la lui ferait payer tôt ou tard, ne s'étonnant même pas d'éprouver une telle animosité à son égard. Pourquoi était-il devenu son amant, pourquoi avait-il sottement mélangé le travail et le plaisir ? En goûtant le vin, il repensait au début de leur histoire. Fabienne était séduisante et son allure libérée donnait envie de la conquérir. Il était tombé dans le piège et, autant l'admettre, il n'avait pas su résister à la promotion de rédacteur en chef. Il avait même caressé l'idée qu'un mariage pourrait le propulser à la tête du journal tandis qu'elle resterait à la maison… Comme il avait été naïf d'imaginer une chose pareille ! Aujourd'hui il était engagé dans une véritable partie de bras de fer avec elle.

Tandis qu'elle dégustait ses crustacés, un brusque découragement le saisit. S'il voulait avoir une chance de carrière politique, il avait besoin de l'appui de Fabienne, de la puissance médiatique de son quotidien. Mais comment continuer à lui jouer la comédie de l'amour alors qu'il n'avait plus que le désir de la dominer ? Comment la berner, intelligente comme elle l'était et protégée par son abominable frère ? Celui-là, Gabriel s'était promis de le mettre à genoux. Il se plaisait à répéter que personne n'était invulnérable, qu'il suffisait de trouver le point faible. Barthélemy Beaulieu en avait forcément un.

Lorsque Fabienne demanda l'addition au maître d'hôtel, Nicky revint à leur table pour s'assurer qu'ils avaient été satisfaits. Fabienne échangea quelques phrases polies avec elle avant de se lever et Gabriel la suivit, morose. Il allait devoir patienter sur la plage, pendant qu'elle irait se baigner, et ne pourrait regagner le journal qu'assez tard dans l'après-midi. Or il était très impatient de connaître les réactions que son éditorial avait dû susciter. Cette attaque ouverte des méfaits de l'industrie sur l'environnement était plutôt courageuse et inattendue. Les amis comme les ennemis se manifesteraient en nombre, il n'en doutait pas.

Dès qu'il émergea du restaurant, il comprit que les ennuis allaient commencer sur-le-champ. Négligemment appuyé contre la voiture de Fabienne, Barth attendait, un journal à la main. Gabriel hésita mais Fabienne avait déjà traversé.

— Qu'est-ce que c'est que ce ramassis d'insanités ? questionna Barth d'une voix froide, agitant le quotidien sous le nez de sa sœur.

— Attends...

— Tu ne relis même pas sa prose ?

Devinant qu'elle n'arriverait à rien, Fabienne s'écarta pour laisser les deux hommes face à face.

— Écoutez, Barth..., commença piteusement Gabriel.

— Nous n'avons pas gardé les cochons ensemble, appelez-moi monsieur !

Barth expédia le journal au milieu de la chaussée où les feuilles s'éparpillèrent.

— Non seulement vous écrivez mal mais en plus vous êtes mal renseigné ! Je viens d'accorder une interview à votre concurrent direct, pour mettre les choses au point ! Je ferai le nombre de démentis qu'il faudra pour vous ridiculiser car le groupe Beaulieu dépense beaucoup d'argent pour respecter l'environnement. Vous me prenez pour un enfant de chœur ?

— Je m'en suis tenu à la stricte vérité ! Il est temps de dénoncer…

— Fais-le taire ! intima Barth à sa sœur. Si ce n'était pas ton mec, je serais en train de lui taper la tête sur le capot ! Pourquoi gardes-tu ce nul dans ton canard ? Tu veux le couler ?

Très ennuyée, Fabienne comprit que son frère les poussait à l'esclandre. Il était trop coléreux pour s'arrêter maintenant.

— Tu es une Beaulieu ! Il s'agit aussi de *ton* imprimerie ! Et tu laisses ce pauvre con rédiger un éditorial comme ça ?

Il l'avait prise par le bras et la secouait. Gabriel se crut obligé d'intervenir.

— Maintenant, ça suffit !

À l'intérieur du Bathyscaphe, derrière la vitre fumée, Nicky et Louis échangèrent au même instant un coup d'œil intrigué.

— Ils ne pourraient pas se quereller ailleurs que devant chez nous ? Ils vont en venir aux mains ou quoi ? murmura Louis.

Il restait trois tables occupées et tous les convives, curieux, avaient tourné la tête vers la rue. Louis avait reconnu Barth immédiatement. Bien avant que Gabriel et Fabienne ne quittent le restaurant, il l'avait aperçu par une fenêtre et s'était étouffé de rage à l'idée qu'il puisse attendre Nicky. Comme elle n'avait pas reparu dans la cuisine, il n'avait pas pu lui en parler jusqu'au moment où elle était venue le chercher.

Louis sortit le premier, juste devant Nicky, alors que Fabienne tentait de s'interposer entre son frère et Gabriel. Le ton était encore monté entre les deux hommes qui s'injuriaient sans retenue. Si Barth se moquait éperdument d'un scandale, Gabriel pour sa part le redoutait. Son image d'intellectuel et d'écologiste pacifique ne pouvait qu'en souffrir. L'arrivée de Louis le soulagea tant qu'il n'hésita pas à passer derrière lui pour se mettre à l'abri.

— S'il vous plaît, dit le jeune chef d'une voix conciliante. Est-ce qu'il faut appeler les gendarmes ?

Son attitude calme était en contradiction flagrante avec le regard qu'il adressait à Barth. Il y avait trop longtemps qu'il avait envie de l'affronter pour laisser échapper l'occasion.

— Mêlez-vous de vos affaires, répliqua Barth en tournant la tête vers lui. Retournez donc à vos fourneaux !

Il venait de découvrir Nicky, sur le trottoir d'en face, qui observait la scène. Brutalement il eut l'impression que cette dispute, qu'il avait provoquée, ne le concernait plus. Ses avocats se chargeraient d'intenter une action en justice pour diffamation, ainsi qu'il le leur avait signifié dans la matinée. Mettre son poing dans la figure de ce minable de Gabriel ne présentait somme toute aucun intérêt. En revanche, le jeune homme d'une trentaine d'années qui se tenait très droit devant lui retint toute son attention. Il ne lui fallut qu'une fraction de seconde pour se demander s'il s'agissait de l'amant de Nicky, du père de son enfant, et donc de son ancien rival. D'emblée, il le détesta, trouva sa blouse blanche grotesque et en profita pour reporter sa colère sur lui.

— Écartez-vous de mon chemin, vous n'êtes pas censé faire régner l'ordre sur autre chose que sur vos casseroles ! Du vent, le marmiton !

L'arrogance de Barth fut insupportable à Louis. À la seconde où il allait réagir, il sentit la main de Nicky qui lui saisissait le poignet au vol.

— Très bien, dit-elle avec un petit sourire crispé, on va rentrer chacun chez soi, l'incident est clos, Louis…

Fabienne réagit la première et déverrouilla ses portières, faisant signe à Gabriel qui ne se fit pas prier pour monter aussitôt. La voiture démarra en douceur et s'éloigna. Nicky tenait toujours fermement Louis qu'elle entraîna après avoir murmuré :

— Monsieur Beaulieu…

Barth resta seul sur le trottoir. Le journal qu'il avait jeté en travers de la chaussée s'était envolé depuis longtemps. Il n'y pensait plus. Et pas davantage à cet abruti de Gabriel ou à ses propos fielleux, ni même à sa sœur. Il se répétait un prénom : Louis. Il revoyait les doigts de Nicky serrés sur le bras de ce Louis. Et les jambes de Nicky quand elle avait traversé pour regagner Le Bathyscaphe. Et la finesse de sa taille soulignée par une large ceinture. Il avait noté le moindre détail avec avidité. Brusquement il se sentit ridicule, planté ainsi en face du restaurant. Peut-être le voyait-elle, de l'autre côté de la vitre, peut-être en riait-elle avec son Louis ?

Incapable de se souvenir de l'endroit où il avait garé sa voiture, il se mit en marche vers la mer, longeant les courts de tennis. Des cris d'enfants et des rires formaient un brouhaha joyeux aux abords de la plage. Il s'arrêta de nouveau, mal à l'aise, indécis. Sa tenue jurait avec celle des passants autour de lui. Son costume impeccable, en alpaga gris ardoise, sa cravate de soie et sa chemise blanche le désignaient comme un homme d'affaires au contraire des vacanciers en shorts et en espadrilles qu'il croisait. Il repéra enfin son coupé à quelques mètres de là, une contravention bien en évidence sous l'essuie-glace. Avant de pouvoir chercher ses clefs, il dut s'appuyer à la carrosserie brûlante. Quelque chose le ravageait au fond de lui-même, l'empêchait d'agir avec cohérence.

— Est-ce que tu… Est-ce que vous allez bien ?

Ce fut l'instant le pire de la journée lorsqu'il comprit qu'elle l'avait suivi et rattrapé. Elle se tenait à un mètre à peine, l'air soucieux, le soleil jouant dans sa chevelure dorée.

— Évidemment !

Souffle coupé, il ne trouvait rien d'autre à dire pour la faire partir. Comment pouvait-il être aussi grotesque, au point de demeurer inerte ? Embarrassée pour lui, elle détourna son regard en se maudissant d'avoir cédé à une impulsion.

— Navrée. J'avais cru que…

Il restait sans réaction, toujours adossé au coupé, et il murmura le diminutif malgré lui.

— Nicky ? Merci.

Ce dernier mot lui avait échappé, il le regretta aussitôt. La remercier de quoi et jusqu'où allait-il se donner en spectacle ? Il la vit hésiter avant de hocher la tête, aussi malheureuse que lui, puis s'éloigner de sa démarche volontaire. Elle était plus désirable que dans n'importe lequel de ses souvenirs.

5

Il n'avait fallu que quelques jours à Stéphane pour tomber amoureux de Clémence. Comme c'était inévitable, il n'en fut pas surpris ni catastrophé. Même si elle n'était pas jolie, elle possédait le charisme de Barth ou de Fabienne et savait en faire usage, elle avait appris au contact des Américaines comment tirer parti de son corps fin et musclé, enfin elle était d'une authentique gentillesse à laquelle on pouvait difficilement rester insensible.

Elle soupirait toujours après son Texan – qui ne répondait pas à ses lettres – mais elle n'avait pas décidé pour autant de mener une vie monacale. Dès qu'elle devina l'attirance que Stéphane éprouvait à son égard, elle lui en parla avec un naturel désarmant. Ils pouvaient profiter de l'été pour passer d'agréables moments, pourquoi pas, mais à deux conditions. La première était de ne pas transformer en passion romantique ce qui ne serait sans doute qu'une aventure sans lendemain ; la seconde, qui s'imposait d'elle-même, était le renoncement à la drogue.

— Ne prends pas ça pour du chantage, avait-elle expliqué très sérieusement, mais l'idée de faire l'amour avec un camé me révulse.

149

Autant de naturel et de sincérité ne laissaient que peu de place aux sentiments. Lorsqu'il le lui fit remarquer, elle rappela qu'ils étaient cousins germains, ce qui excluait toute idée d'avenir entre eux, qu'en conséquence il leur faudrait s'en tenir au plaisir d'une idylle éphémère.

— Et, dans ce cas, je n'ai pas de raison de me dévouer pour toi, de vouloir te sauver à tout prix… Tu comprends ?

Ce qu'il comprenait, surtout, c'était qu'elle lui offrait simplement une récréation saine et sportive en guise de relation. Vu sous cet angle, l'amour s'aseptisait de façon lamentable. Il pensa que les Beaulieu étaient tous très atteints et que Clémence n'échappait pas à la règle familiale. Dont il s'excluait. Mais sa déconvenue ne l'empêchait pas de continuer à trouver la jeune fille à son goût. Avec ou sans lyrisme, il avait envie d'elle. Il pouvait lui dissimuler ses rêves mais probablement pas son état s'il continuait à fumer en cachette autre chose que du simple tabac blond. Et la perspective de la tenir dans ses bras était une motivation beaucoup plus puissante que les colères de Barth.

La chasse n'étant pas ouverte, ils s'abstenaient de prendre des fusils pour parcourir les bois. Simon les guidait à travers des taillis inextricables d'où ils observaient le gibier. Ils se retrouvaient tous les trois avant l'aube, chaque dimanche, et ne s'adressaient pratiquement pas la parole de la matinée, occupés à cheminer le plus silencieusement possible pour épier des chevreuils ou des portées de marcassins. L'endurance de Clémence et de Simon obligeait Stéphane à de gros efforts pour ne pas se laisser distancer et transformait pour lui ces expéditions en une sorte de thérapie expiatoire qui ne lui déplaisait pas. Un envol de perdrix ou une paire de levrauts s'ébattant dans les broussailles lui procuraient une sourde excitation qui le faisait trembler de bonheur. La promenade infligée par Barth deux mois plus tôt lui paraissait bien ridicule et il était certain, désormais, de mieux connaître la forêt que son oncle. Mais c'était un sujet qu'il ne pouvait pas aborder avec Simon. Pour celui-ci, Barth avait toujours raison quoi qu'il fasse, c'était son dieu.

Au lieu de regagner le Carrouges pour l'interminable petit déjeuner dominical, les deux jeunes gens restaient chez Simon et partageaient avec lui des tartines de pâté et une bouteille de sauvignon. Là ils parlaient à bâtons rompus, se coupant mutuellement la parole pour échanger leurs impressions. Et même quand le gardien finissait par se lever pour aller s'occuper de ses plantations, ils le suivaient en continuant leur bavardage.

Avec une certaine jubilation, Barth apercevait parfois leurs trois silhouettes penchées ensemble au-dessus d'un rosier malade. Ainsi les cousins, devenus inséparables, cherchaient la compagnie de Simon pour échapper à la famille. Il les comprenait très bien. Les bridges d'Irène, les parties de tennis de Géraldine et Franklin ou les niaiseries de Delphine et Laurent dans le verger n'avaient aucun intérêt. Pour sa part, il occupait le dimanche à relire des bilans, des comptes rendus, des plans prévisionnels. Tout ce qui le ramenait à l'imprimerie l'apaisait un peu, lui permettait d'échapper au souvenir cuisant de Nicky. Comme il refusait de se renseigner à son sujet, il en était réduit à imaginer le rôle de ce Louis. Mari, amant, père du petit, simple chef de cuisine ? Il avait beau rejeter ces questions inutiles, il y revenait toujours. Est-ce que cet homme, qui avait au moins vingt ans de moins que lui, était le responsable de ses insomnies depuis si longtemps ? Mais, si c'était le cas, pourquoi Nicky avait-elle tenté de faire endosser à Barth une paternité que l'autre aurait eu un plaisir évident à reconnaître ? Il y avait quelque chose d'incohérent dans toute cette situation. Pourquoi ces deux-là ne s'étaient-ils pas mariés ?

À l'époque où il s'était cru le seul homme dans la vie de Nicky, Barth ne s'était pas intéressé au cuisinier qu'elle employait. Mais c'était pourtant le même. Un peu protecteur avec elle, un peu désagréable avec lui. Il l'avait complètement ignoré, il avait eu tort. On ne pouvait évidemment pas vivre et travailler avec Nicky sans être sous le charme.

Penser à elle le mettait dans un état de rage impuissante qui le rendait malade. La compassion dont elle avait fait preuve étant le plus humiliant pour lui. Avait-il eu l'air si misérable, devant son restaurant ? Au pire, il aurait préféré qu'elle rie de lui plutôt que se lancer à sa poursuite. Avait-elle cru qu'il attendait un mot de consolation, qu'il mendiait quelque chose ? Mais aussi, pourquoi se comportait-il de la sorte ? Par quelle aberration perdait-il tout contrôle de lui-même dès qu'il approchait de chez elle ? Il aurait dû agir normalement, c'est-à-dire suivre son impulsion et pénétrer dans Le Bathyscaphe pour prendre Gabriel au collet et lui faire bouffer son éditorial ! Sans se soucier de la patronne !

Il en était là de ses réflexions amères lorsque Géraldine pénétra dans le bureau. Désignant les dossiers ouverts devant lui, elle soupira :

— Même le dimanche…

Le match contre Franklin avait dû être rude car son tee-shirt blanc était trempé de sueur. Sans plaisir, il la regarda avancer jusqu'à l'une des fenêtres, fermer les battants.

— Tu laisses entrer la chaleur, reprocha-t-elle. Simon te fait dire que le grand cèdre bleu est condamné. D'après lui, il faut l'abattre, mais ta mère ne veut pas en entendre parler !

Comme elle se trouvait juste derrière son fauteuil, elle osa poser une main légère sur son épaule.

— Tu travailles trop.

Étonnée de le sentir frissonner, elle retira sa main.

— Si tu as froid, c'est que tu couves quelque chose ! s'écria-t-elle.

Contournant le bureau, elle vint s'asseoir face à lui. Le short mettait en valeur ses jambes bronzées qu'elle croisa négligemment sur l'accoudoir.

— Je rêve d'une piscine, dit-elle en souriant.

— Eh bien, convoque des ouvriers, fais-la creuser !

La discussion n'était pas neuve. Irène refusait tout net les bulldozers sur sa pelouse.

— Si tu en as vraiment envie, ce n'est pas un problème, affirma-t-il distraitement. On la mettra à la place du cèdre.

— Pour cette année, c'est un peu tard, répondit-elle avec prudence.

Les affrontements de la mère et du fils l'effrayaient. La colère pouvait faire dire n'importe quoi à Irène, ce qui représentait une source permanente d'angoisse pour elle.

— Tu as très mauvaise mine, constata-t-elle. Veux-tu jouer avec moi ? Rien qu'un set ? Tu ne peux pas rester enfermé là toute la journée.

— Si, je peux ! J'ai un travail fou. Je verrai Simon ce soir. En attendant, je ne veux pas être dérangé.

Vexée, elle se leva aussitôt. Si elle avait eu plus de courage, elle aurait insisté. Il pouvait bien lui consacrer quelques minutes, au moins une fois par semaine ! Au lieu de quoi il la congédiait, déjà réfugié derrière ses dossiers, la renvoyant à la futilité de ses préoccupations.

Dès qu'elle eut fermé la porte, il releva la tête. Pauvre Géraldine... Il était sans doute un mari détestable, mais il ne pouvait rien faire d'autre. Il décida quand même qu'il prendrait l'avis de Simon pour cette histoire de piscine. Après tout, pourquoi pas ? Il ne faisait plus assez de sport, il négligeait tout ce qui n'était pas l'imprimerie. Il n'avait que cinquante ans, même s'il se sentait terriblement vieux par moments. La sonnerie du téléphone le fit sursauter, ce qui était mauvais signe, et il décrocha nerveusement.

— Barth ? C'est à toi que je voulais parler...

La voix de Fabienne était amicale, presque joyeuse.

— J'ai eu ton avocat hier mais je n'ai pas voulu t'appeler tout de suite, j'étais en boule... Vous me mettez dans une situation impossible, Gabriel et toi.

— J'espère que tu sais qui choisir ! répliqua-t-il. Et comme tu es actionnaire de l'imprimerie, tu ne peux pas être juge et partie. Mais tu es aussi la directrice du journal et tu as laissé écrire n'importe quoi dans tes colonnes.

— Attends un peu ! Laisse-moi parler d'abord, tu veux ? Il n'y a pas que des bêtises dans cet article, tu le sais très bien. Ou alors tu es de mauvaise foi et ça ne nous mènera nulle part. Les résidus des encres et des résines...

— Fabienne, bon sang ! Arrête de répéter comme un perroquet tout ce que dit ce ringard ! Qu'est-ce qui te prend ? Il te baise si bien que ça ?

Le silence, sur la ligne, ne laissa passer qu'un léger souffle durant quelques instants. Puis il y eut un déclic. Il raccrocha le combiné avec violence. Comment sa sœur pouvait-elle se laisser aveugler de la sorte ?

— Et comment peux-tu être aussi maladroit…, marmonna-t-il.

S'il avait voulu se fâcher avec elle, il ne s'y serait pas pris autrement. Or il l'aimait beaucoup. C'était stupide. Tirant à lui sa boîte de cigares, il en alluma un en se demandant s'il devait la rappeler. L'idée de tomber sur Gabriel l'en dissuada. Il ferait un saut jusqu'au Havre dans la semaine, dès qu'il aurait un moment. Au journal comme chez Fabienne, Gabriel le fuyait lorsqu'il l'apercevait.

Baissant les yeux sur le rapport qui était étalé devant lui, il lut quelques lignes sans parvenir à se concentrer. Des éclats de rire, au-dehors, lui rappelèrent la présence de Clémence et de Stéphane qui ne se quittaient plus. À priori, son neveu semblait s'accrocher à ses bonnes résolutions. George prétendait qu'il s'intéressait à tout, ce qui était sans doute très optimiste. Mais enfin il était tranquille pour le moment et peut-être serait-il possible de lui trouver un véritable emploi d'ici à quelques semaines. Richard demandait fréquemment de ses nouvelles depuis qu'il avait échappé à son contrôle, ce qui amusait beaucoup Barth. Tous ces jeunes qui prétendaient échafauder des stratégies étaient d'une navrante limpidité.

Jeunes… Le mot était devenu blessant ; Barth l'utilisait à tout propos pour l'exorciser. Il ne se résignait pas, sa mère l'avait compris, mais toute sa méchanceté ne pouvait pas lui faire deviner la vraie raison de cette peur de vieillir. Non seulement il n'avait pas eu d'enfant et il serait bientôt trop tard pour songer à en adopter, non seulement les imprimeries s'écrouleraient inexorablement après lui, mais surtout s'il avait perdu la partie face à Nicky, deux ans plus tôt, c'est bien parce qu'il avait l'âge d'être son père, l'âge d'être berné, l'âge d'être un vieux con pour une toute jeune femme.

Il regretta d'avoir chassé Géraldine hors de la pièce. Au moins elle le regardait avec les yeux de l'amour, même s'il n'en avait rien à faire.

Maxime et Hélène Bernay, les parents de Géraldine, arrivèrent ponctuellement à vingt heures, disparaissant derrière une immense gerbe de glaïeuls. Irène les accueillit en haut du perron et les laissa se récrier sur la beauté du parc.

— Chez nous, tout est fichu à cause de la sécheresse ! Comment faites-vous donc ?

Hélène embrassa sa fille, toujours surprise de la trouver si élégante à chaque visite. Ils traversèrent le hall et le grand salon pour gagner la terrasse où l'apéritif les attendait. Après avoir chassé d'une pichenette un insecte qui s'ébattait sur son coussin, Irène s'installa en faisant signe à ses hôtes de prendre place.

— Le dimanche, déclara-t-elle en souriant, nous avons une chance de passer à table avant minuit car Barth est dans nos murs !

Les sempiternels retards de son gendre avaient fini par froisser Maxime et il sourit.

— Ah, c'est que les affaires sont dures…, dit-il poliment.

— Mais non ! La période n'est pas si mauvaise. Avec un peu de discernement…, répliqua Barth d'un ton ironique.

Personne n'avait remarqué sa présence et il y eut un instant de gêne. Sans quitter la balustrade de pierre à laquelle il était appuyé, à l'autre bout de la terrasse, il adressa un simple signe de tête à ses beaux-parents.

— Tout le monde se plaint, c'est très exagéré, ajouta-t-il.

La réflexion visait directement Maxime dont la société périclitait. Hélène vola au secours de son mari.

— J'ai du mal à croire que vous ne connaissiez aucune difficulté ! Ne me dites pas que tous ces nouveaux moyens de communication ne condamnent pas l'imprimerie à court terme ! Avec l'engouement pour les ordinateurs et pour Internet, il n'y aura bientôt plus de place pour le papier !

Très fière de sa sortie, elle se permit un petit sourire narquois. Quittant sa balustrade, Barth fit quelques pas vers les fauteuils. Il prit le temps d'allumer un cigare avant de répondre.

— Chère madame, vous avez une vision très… limitée des problèmes du marché ! En ce qui concerne mon groupe, vous n'imaginez pas l'intérêt financier représenté par les millions de pochettes de disques compacts, par exemple ! J'imprime tellement de paroles de chansons que je finis par en aimer la musique ! Les CD-ROM de jeux nécessitent des livrets explicatifs, et il n'y a pas une seule machine informatique qui ne soit assortie de modes d'emploi épais comme des annuaires ! Toutes les nouveautés technologiques réclament leur lot de papier imprimé… une vraie source de profit !

Désemparée par cette tirade, Hélène se contenta de hocher la tête. La suffisance de Barth ayant également rendu Maxime muet, il y eut un petit silence. Toujours debout, son gendre la regardait et Hélène se sentit mal à l'aise. Elle se demanda fugitivement si son tailleur était bien choisi pour cette soirée. La manière dont Barth accordait ses chemises à ses cravates était irréprochable. Mais pour un dimanche à la campagne, sa tenue n'était pas assez décontractée.

— Ah, voilà mes petits-enfants ! claironna triomphalement Irène.

Clémence et Stéphane n'avaient quitté Simon qu'à regret mais ils avaient fait l'effort de se changer.

— Quel bonheur qu'un peu de jeunesse dans la maison, ajouta Irène en fixant Barth.

Il avait trop l'habitude de ce genre de réflexion pour s'y arrêter mais il lui rendit son regard et elle finit par se détourner. La haine qu'elle lisait dans les yeux sombres de son fils aîné avait de quoi la faire réfléchir. Elle constata que sa phrase avait également gêné ses invités et elle changea de sujet.

Barth avait cessé de s'intéresser à la conversation et il observait Stéphane, se revoyant au même âge sur cette terrasse, discutant de l'imprimerie avec son père. Irène le détestait déjà à cette époque-là, elle l'avait d'ailleurs toujours détesté. Il ne pouvait pas se rappeler un seul moment de tendresse avec elle. Si Octave ne l'avait pas entouré d'affection, si Simon n'avait pas été son grand copain, que serait-il devenu ? Adolescent, chaque fois qu'il voulait obtenir quelque chose, c'est à son père qu'il s'adressait et Irène ne pouvait rien faire. Elle se rattrapait lors des voyages d'Octave. Elle lui avait fait rater un tournoi de tennis, un nombre incalculable de sorties et même un départ aux sports d'hiver. S'il ramenait des amis au Carrouges, elle se montrait revêche et provoquait des incidents. Sa plainte favorite était : « Dieu que ces jeunes me fatiguent ! » Les temps avaient bien changé.

— Voulez-vous un whisky ? proposa Stéphane qui s'était approché de Barth.

Le verre était déjà prêt, avec la glace et l'eau gazeuse, et Barth le saisit machinalement.

— Est-ce que tu aimes bien ta grand-mère ? demanda-t-il d'un ton abrupt.

Les autres parlaient assez fort pour ne pas l'avoir entendu et Stéphane se mit à rire.

— Bien sûr que non ! Je suis désolé.

— Pas moi.

C'était la toute première fois que son oncle lui manifestait autre chose que de l'indifférence ou du mépris. Il y avait eu une sorte de complicité entre hommes dans ce bref échange.

— Madame est servie, annonça Renée qui venait d'ouvrir les portes-fenêtres de la salle à manger.

Maxime fut installé à la droite d'Irène, prenant ainsi la place habituelle de Stéphane qui se retrouva à l'autre bout de la table, entre Delphine et Géraldine. Barth fit remarquer à Renée qu'il avait besoin d'un cendrier. Hélène ravala de justesse la réflexion qu'elle s'apprêtait à faire sur les gens qui fument en mangeant. Son gendre était capable de quitter la pièce et le dîner serait gâché.

— Ainsi, dit-elle en désignant Stéphane, voilà votre successeur, si j'ai bien compris ?

Même Irène se mordit les lèvres devant cette maladresse.

— Je ne songe pas encore à ma succession, répondit doucement Barth, et mon neveu est là en… observateur. Quant à ma nièce, c'est carrément en touriste ! Cinq minutes à Noël, un quart d'heure l'été. Si j'avais l'intention de prendre ma retraite, j'aurais du souci à me faire ! Mais comme ce n'est pas le cas…

Épargnant Stéphane, il avait griffé Clémence au passage. Géraldine se sentait à la torture, certaine que l'orage allait finir par éclater. Effectivement, Barth ajouta :

— Voyez-vous c'est le problème, dans certaines familles personne n'est à la hauteur.

— Avez-vous réfléchi à la possibilité d'adopter un enfant ? Géraldine serait une mère épatante !

Cette fois c'était Maxime qui dérapait et Irène n'en crut pas ses oreilles.

— Je trouve ça très effrayant, très… aléatoire, dit Géraldine d'une voix faible.

Barth regarda d'abord sa femme, puis son beau-père. À l'instant où il allait répondre, Clémence prit la parole.

— Adopter qui ? Un petit Noir, un petit Jaune ? C'est vraiment très personnel.

— Et on n'est jamais sûr de rien ! ponctua Irène avec soulagement. D'ailleurs ça ne nous regarde pas, c'est une terrible responsabilité pour un couple. Pour ma part, je n'aurais jamais pu m'y résoudre ! Figurez-vous que je connais des gens…

Elle avait repris fermement en main la conversation. Les yeux rivés sur Barth, Géraldine en était malade. Elle aurait voulu le défendre alors qu'elle était entièrement responsable de tout ce qui venait de se produire. Sa culpabilité lui fut tellement intolérable durant quelques instants qu'elle sentit des larmes lui brûler les yeux. Elle avala quelques gorgées d'eau pour se donner une contenance. Elle s'était enfermée elle-même – avec l'aide d'Irène – dans un piège dont elle ne pouvait plus sortir. Mais que ce soit Barth qui en souffre à ce point lui devenait brusquement odieux. Du bout des doigts, elle effleura la main de son mari avant de lever les yeux sur lui. Elle vit son profil dur, ses traits marqués, son expression glacée, et elle se dit qu'elle l'aimait éperdument, qu'elle aurait donné n'importe quoi pour pouvoir appuyer sa tête sur son épaule.

Contrariée, Hélène avait surpris le geste furtif de sa fille et son air d'adoration. Comment pouvait-elle se comporter de la sorte ? Elle avait épousé un véritable tyran, un monstre d'arrogance qui n'avait même pas pu lui donner d'enfant, et elle le regardait comme un prince charmant ! À quarante ans, c'était une attitude ridicule. Il faudrait qu'elle se décide à lui parler un de ces jours. Qu'elle l'invite chez elle, ce qu'elle n'avait pas fait depuis trop longtemps.

Tout en allumant un second cigare, Barth prenait conscience qu'il ne pouvait pas s'échapper de ce mortel dîner, même par la pensée. Pour aller où ? Pour s'imaginer avec qui ? En détruisant ses illusions, deux ans plus tôt, Nicky l'avait privé de ses rêves. Ce constat était tellement amer qu'il fit un effort pour écouter la voix de Maxime. Celui-ci évoquait la possibilité de vendre son entreprise avant la fin de l'année.

— Si vraiment vous ne trouvez aucun repreneur, je vous la rachèterai, dit Barth. Ne serait-ce que pour le terrain. Je commence à manquer de place, vous savez ce que c'est.

Mais bien entendu son beau-père ne savait pas, n'ayant jamais connu une expansion suffisante.

— Il vous suffirait de raser les bâtiments, trop vétustes, pour implanter l'unité de cartographie ? suggéra Stéphane.

Un éclair amusé passa dans les yeux sombres de Barth. Le gamin avait-il compris les règles du jeu ? En tout cas il connaissait l'usine Bernay et sa réflexion était aussi pertinente qu'insolente.

— Pourquoi pas ? laissa tomber Barth en soufflant sa fumée en direction d'Hélène. Il faut bien s'entraider.

Franklin adressa un clin d'œil à Stéphane, comme s'il voulait le féliciter. Les Bernay l'assommaient et allaient mettre Barth de mauvaise humeur pour toute la semaine. Géraldine aurait dû les faire taire mais elle se comportait toujours comme une petite fille qu'elle n'était plus.

Sans attendre que Maxime ait fini son dessert, ni qu'Irène ait donné le signal, Barth se leva et proposa de passer au salon. Renée avait allumé les lampes en déposant le plateau du café. Barth alla ouvrir les fenêtres, un geste qu'il répétait cent fois dans l'année, quelle que soit la température, comme s'il étouffait au Carrouges.

— J'adore votre maison, dit Hélène en lui tendant une tasse.

Elle venait de se décider à faire le premier pas. À quoi bon se fâcher avec Barth ? Surtout si son offre de rachat était sérieuse !

— Oui, elle est vraiment d'un goût détestable. Vous avez remarqué ? Je pense que l'architecte était mégalomane.

Médusée, elle jeta un coup d'œil indécis aux boiseries sombres.

— Non, non, levez la tête, regardez les caissons ! Carrément ! Et quand je pense que nous n'avons pas de blason à y faire sculpter ! Pas d'armoiries, pas de particule, le grand regret de notre mère.

— Je t'en prie ! protesta Irène, furieuse.

Il passait les bornes et elle devait l'arrêter, reprendre le contrôle de la soirée. D'autant plus que, sans l'écouter, il s'était assis à côté d'Hélène et poursuivait ses explications.

— La bourgeoisie a fait bâtir beaucoup de manoirs et de châteaux, dès la fin du XVIe, pour fuir les villes, les épidémies, l'insécurité... Déjà ! Le Carrouges a malheureusement dû connaître beaucoup de remaniements car le goût de l'époque était plutôt dépouillé.

— D'où vient ce nom de Carrouges ? enchaîna aimablement Hélène.

— Une horrible histoire. Un massacre qui aurait laissé les carrelages rouges de sang. Je vous raconterai tout ça un soir de tempête, d'accord ?

Quand il le désirait, Barth pouvait déployer une indéniable séduction. Il esquissa un sourire désarmant et Hélène se sentit brusquement rougir. Elle venait d'éprouver un instant d'attirance envers son propre gendre, ce qui la bouleversa. Satisfait d'avoir déclenché la réaction incongrue qu'il cherchait à provoquer depuis cinq minutes, Barth se désintéressa d'elle. Géraldine les observait de loin, superbe dans sa robe de velours noir. Maxime discutait avec Franklin et Laurent de l'éditorial mettant en cause les imprimeries, et il ne se privait pas de jouer les étonnés. De pareils propos dans un quotidien appartenant, c'était notoire, à Fabienne Beaulieu ! Y avait-il une querelle familiale ?

— Pas à ma connaissance, intervint Barth en toisant son beau-père. Et quand bien même, comme vous le dites, ce serait strictement familial...

Malgré quelques frayeurs, Irène ne regrettait pas sa soirée. Maxime Bernay avait réussi à mettre Barth en colère à plusieurs reprises et, même s'il s'était fait moucher, il avait su planter quelques banderilles. La seule ombre au tableau était que ses petits-enfants aient pris le parti de leur oncle. Elle avait eu l'impression très nette qu'ils se rangeaient derrière lui. Ce qui était une erreur car Barth avait horreur qu'on vole à son secours. Elle se souvenait très bien que, lorsqu'il était enfant, il prenait stupidement son rôle d'aîné au sérieux, prétendant défendre ses frères et sœurs ! De quoi ? Dieu sait qu'elle n'était pas sur leurs dos, qu'elle essayait au contraire de les oublier !

— Il est très tard, déclara Hélène en se levant.

Elle était assez raisonnable pour mettre fin à leur visite avant qu'un véritable incident ne se produise.

— Ton mari est à cran et il a une mine épouvantable, glissa-t-elle à l'oreille de sa fille en l'embrassant. Viens me voir un de ces jours, tu seras mignonne…

Les adieux furent brefs et plutôt froids. Barth n'attendit même pas le départ de ses beaux-parents pour monter se coucher. Clémence, qui n'avait pas sommeil, proposa une partie de billard à Stéphane et à Franklin. Laurent décida de se joindre à eux pour le plaisir de veiller avec sa fille.

— Charmante soirée ! soupira-t-il en allumant la suspension au-dessus du tapis de feutre vert.

Attristée, Clémence constata une fois de plus qu'il ne prenait la parole que lorsque Barth n'était pas dans les parages.

— Les Bernay sont odieux, déclara Franklin. Pauvre Géraldine !

— Elle ne les voit presque jamais, on la comprend, approuva Laurent.

Stéphane les écoutait distraitement, songeant à sa tante Géraldine. En troquant la compagnie de ses parents contre celle d'Irène et du clan Beaulieu, elle n'avait certes pas gagné au change.

Il s'approcha de Clémence pour la regarder ajuster son coup. Penchée sur le billard, concentrée, elle jouait très sérieusement, comme tout ce qu'elle faisait, d'ailleurs. Sa jupe moulait ses hanches, se plaquait sur ses fesses, et il eut soudain très envie d'elle. Inquiet à l'idée que Laurent ou Franklin puisse le remarquer, il se détourna. Depuis combien de temps n'avait-il pas éprouvé un désir aussi simple, aussi agréable ?

Nicky éloigna un peu le lapin en peluche du visage de Guillaume. Il dormait sur le dos, la bouche entrouverte, avec une expression de profonde extase comme seuls les tout petits enfants peuvent en avoir.

Elle éteignit la lampe de chevet avant de sortir sur la pointe des pieds. Vivre au-dessus du restaurant lui procurait une sorte de sécurité. Non seulement elle ne perdait pas de temps en allées et venues mais elle pouvait surveiller son « navire » nuit et jour. Lorsqu'elle avait fait l'acquisition de cette ancienne villa, elle avait tout de suite compris ce qu'elle pourrait en tirer. Au début, elle avait campé au premier étage, ayant consacré la totalité de son emprunt aux travaux du restaurant. Ensuite elle s'était attaqué elle-même à la réfection de ce qui allait devenir son appartement. Quand Louis avait signé son contrat de trois ans, elle lui avait cédé une partie du deuxième étage, superbement mansardé. Voyant qu'il n'aurait jamais le temps de l'arranger, elle avait repris un crédit pour aménager les trois pièces qu'il occupait à présent et qui étaient desservies par un escalier indépendant. À la naissance de Guillaume, elle avait enfin achevé la décoration du premier.

Son affaire avait beau être florissante, elle restait vigilante sur ses comptes. Même si elle se trouvait aujourd'hui à la tête d'un capital considérable, elle payait toujours de lourdes mensualités à la banque. Mais le résultat valait l'investissement. L'interminable chantier avait été mené avec rigueur, seuls des matériaux de qualité avaient été utilisés et la villa était superbe, des caves à la toiture. Les salles du Bathyscaphe ressemblaient à de véritables écrins et les cuisines ultramodernes passaient avec succès tous les contrôles sanitaires.

Nicky se plaisait beaucoup dans son appartement, dont elle avait soigné les moindres détails. À l'époque de sa liaison avec Barth, seules sa chambre et sa salle de bains étaient terminées. Après leur rupture, elle les avait pourtant repeintes, comme si elle voulait effacer le moindre souvenir des moments partagés avec lui, et de toutes les larmes qu'elle avait versées ensuite. Les meubles aussi avaient été changés, ainsi que les rideaux.

Elle prit une douche, s'enveloppa dans un long peignoir-éponge et gagna sa chambre dont elle laissait toujours la porte ouverte, au cas où Guillaume se réveillerait et se mettrait à pleurer. Elle se posait d'innombrables questions sur la manière d'élever seule un petit garçon. Il fallait le rassurer sans le rendre peureux, l'entourer d'affection sans qu'il en soit trop dépendant, s'en occuper chaque instant sans en faire un enfant gâté. Fils unique d'une mère seule, comment leur relation se définirait-elle dans les années à venir ? Qu'allait-elle répondre aux interrogations qu'il commençait à esquisser en babillant ?

Au moment où elle allait se coucher, la voix de Louis, dans le couloir, la fit sursauter. Il ne venait pratiquement jamais au premier, c'était un accord tacite entre eux.

— Tu es visible ? Je peux entrer ?

Il se tenait sur le seuil, un peu embarrassé.

— Si je te dérange.

— Qu'est-ce qui se passe ? Tu as un problème ?

Aucun ! Juste une envie de te parler. Et on ne peut jamais, c'est toujours le coup de feu en ce moment…

L'été restait leur meilleure saison mais le restaurant ne désemplissait pratiquement plus de toute l'année.

— Viens, accepta-t-elle en lui désignant un siège.

Tandis qu'il s'asseyait dans le cabriolet de velours crème, elle s'installa en tailleur sur son lit.

— En ce qui concerne l'incident de l'autre jour… Est-ce que je peux savoir ce que ce type faisait devant chez nous ?

Sourcils froncés, elle attendait la suite sans le quitter des yeux mais il n'alla pas plus loin. Au bout de quelques secondes, elle répéta :

— Ce type ?

— Beaulieu !

— Je n'en sais rien. Une histoire entre eux, je suppose.

— Qu'ils viennent régler à notre porte, comme par hasard ? Écoute, Nick, j'espère qu'il ne cherche pas à t'approcher parce que je te jure que je vais le démolir !

167

Sa colère l'avait fait pâlir en parlant et il s'interrompit, conscient d'aller trop loin. Pour se donner une contenance, il chercha ses cigarettes dans la poche de sa chemise. Puis, la voyant tendre la main, il s'approcha pour lui en offrir une qu'il alluma lui-même avant de la lui donner.

— Ce type t'a fait un mal fou, ça suffit. Je ne comprends pas que tu lui adresses encore la parole.

— Je ne peux pas le rayer de nos clients, il est trop puissant pour…

— Mais tu n'étais pas obligée de lui courir après ! Qu'est-ce que tu voulais lui dire ?

Elle aurait pu ne pas répondre, ou au moins protester pour la forme, mais elle murmura :

— Il m'a fait de la peine.

— Vraiment ? Eh bien tu as la mémoire courte !

D'un mouvement spontané, il s'était assis sur la moquette, au pied du lit, et sa tête se trouvait tout près des genoux de Nicky. Elle recula pour attraper un cendrier, sur la table de nuit, qu'elle posa entre eux.

— Est-ce que tu l'aimes encore ? demanda-t-il d'une voix blanche.

La question resta entre eux sans qu'elle rompe le silence. Ce fut lui qui dut se résigner à parler de nouveau.

— Combien de temps te faudra-t-il avant de le voir tel qu'il est ? Il a vingt ans de plus que toi, Nick, il est usé, lamentable ! Et tu es bien placée pour savoir que ce n'est pas le courage qui l'étouffe. Il t'a laissé son gamin sur les bras, non ? Tu n'as rien à attendre d'un mec comme ça…

— Mais je n'attends rien !

— Si ! Tu t'empêches de vivre, tu te prives de…

— De quoi ? Parce que je te dis non à toi, je me *prive* ?

Cette fois il rougit, rage et humiliation mélangées. Mais il y avait si longtemps qu'il évitait le sujet qu'il laissa la digue se rompre.

— D'accord, ce n'est pas très modeste, mais je pense qu'il n'est pas désagréable d'être aimé et je t'aime ! Je ne suis pas président-directeur général mais j'ai ton âge, les mêmes ambitions que les tiennes, et si tu me donnais un enfant, je ne cracherais pas dessus !

— Il n'y a qu'un problème, Louis, c'est que je n'en ai pas envie !

Elle s'était redressée pour le regarder de haut et il se releva aussitôt.

— Ne complique pas tout, ajouta-t-elle plus doucement. On ne pourra pas se faire la gueule en travaillant.

— Tu me trouves si moche que ça ? Tu ne peux même pas envisager de…

— Je te trouve très beau, très séduisant. C'est vrai !

Sa sincérité le troubla un instant et elle en profita pour enchaîner :

— C'est agréable de te savoir dans la maison, de te sentir au-dessus de ma tête. J'admire ce que tu fais au Bathyscaphe, je ne serais pas où j'en suis sans toi. Il m'est déjà arrivé de te regarder en me demandant si… mais juste comme ça. Et, sans amour, c'est plutôt tristounet ! Non ?

— J'en mettrai pour deux, si ça peut t'arranger ! On est là comme des cons, à mener des vies de moines…

— Mais c'est ton choix ! Je ne t'ai jamais…

— Non, jamais !

Cédant à une impulsion qui risquait de tout lui faire perdre, il la saisit par la taille, la fit descendre du lit et la serra contre lui. Elle se laissa embrasser, sembla même y prendre un certain plaisir. Quand il s'arrêta, essoufflé, elle esquissa un sourire avant de se détacher de lui.

— Tu es un vrai gamin. Descendons boire quelque chose, tu veux ?

Elle devait le faire sortir de cette chambre avant qu'ils aillent trop loin. Une aventure avec lui leur rendrait la vie impossible à tous deux. Sans lui laisser le temps de protester, elle fila dans le couloir puis s'engagea dans l'escalier. Ils traversèrent l'un derrière l'autre les salles du restaurant jusqu'aux cuisines. Là elle alluma enfin les néons et se retourna pour le regarder.

— Très bien, dit-il d'une voix ironique. Je veux au moins un champagne millésimé !

— Seulement si tu me fais réchauffer des croquants au fromage.

Tandis qu'il se dirigeait vers les réfrigérateurs, elle l'observa avec indulgence. Il était large d'épaules, assez athlétique, et ses cheveux coupés court découvraient sa nuque bronzée. Elle se demanda si, en faisant un effort, elle ne pourrait pas se décider à l'aimer, ne serait-ce qu'un peu. Pourquoi pas, après tout ?

— Est-ce que Guillaume ne risque pas de se réveiller ? demanda-t-il par-dessus son épaule.

Cette phrase-là la toucha davantage qu'elle ne l'aurait cru.

Le traditionnel déjeuner du mardi, à l'imprimerie, traînait en longueur. George regardait discrètement sa montre, pressé de retourner à La Roque. Comme Stéphane n'était toujours pas convié à Pont-Audemer, il s'était proposé pour surveiller l'usine en l'absence de George qui n'était pas tranquille. En principe c'était Claude, le contremaître, qui s'occupait de tout, seulement il était en congé de maladie. Jusqu'à quel point pouvait-on faire confiance au garçon ? Ses rapports avec le patron semblaient moins tendus, mais il n'y connaissait pas grand-chose malgré sa récente bonne volonté. George lui avait fait promettre de téléphoner au moindre problème et il guettait anxieusement la sonnerie du poste mural sans parvenir à s'intéresser aux conversations.

À la table de Barth, il n'était question que de la campagne de presse orchestrée par Gabriel. Faisant valoir son droit de réponse, le groupe Beaulieu avait adressé au journal une lettre virulente que le rédacteur en chef avait été contraint de publier. En riposte, un second article, de fond cette fois, avait repris le thème des industriels pollueurs en incriminant un certain nombre d'entreprises. La bataille juridique était engagée et Barth n'avait pas cherché à joindre Fabienne, attendant qu'elle se manifeste.

— J'ai tout contrôlé, affirma Richard, que ce soit ici ou à La Roque, nous ne rejetons aucun déchet nocif. Le rapport est formel.

— J'en veux un autre, et moins partial si possible ! lui lança Barth. Vous avez demandé à *nos* ingénieurs. Quelle candeur ! Prenez donc deux spécialistes indépendants et envoyez les résultats à un laboratoire hors du département. Sinon nous ne sommes pas crédibles, vous comprenez ?

Richard s'empressa de hocher la tête, furieux de ne pas y avoir pensé tout seul. Barth se retourna et tapa sur l'épaule de Laurent qui était assis à la table de derrière.

— Gère-moi ça, tu veux ?

Même s'il n'était pas génial, Laurent était quand même son beau-frère. En principe, Richard était directeur du personnel et n'avait aucune raison de s'occuper de cette histoire de pollution, mais il s'était spontanément proposé, toujours heureux quand il pouvait faire du zèle.

— Comment ça se passe au routage ? demanda brusquement Barth à son voisin de gauche.

— Très bien…

La voix douce de Nicolas Pertuis, le principal responsable des expéditions, l'exaspéra.

— C'est formidable, vous êtes béni des dieux, vous n'avez jamais aucun souci !

Il rappelait ainsi que ces déjeuners avaient pour but de faire le point sur les problèmes rencontrés par chaque unité du groupe.

— Vous êtes tous bienheureux, en somme ?

Il l'avait dit assez fort pour prendre toute l'assistance à témoin. La plupart des convives cessèrent de manger pour tourner la tête vers lui. Lorsqu'il manifestait à ce point sa mauvaise humeur, le pire était à craindre.

— Mais c'est une entreprise modèle, ma parole !

Aucun visiteur étranger n'était présent, ce qui était exceptionnel, et Franklin salua mentalement la présence d'esprit de son frère qui saisissait l'occasion. Ses directeurs et ses cadres supérieurs étant réunis, il pouvait en profiter pour engueuler tout le monde à la fois.

— Si vous attendez que les catastrophes se produisent avant de m'en glisser un petit mot, c'est que vous n'avez rien compris au fonctionnement du groupe !

Mais je ne vais pas vous offrir un séminaire pour faire passer le message ! George ?

Ainsi interpellé, le malheureux fut obligé de trouver une réponse.

— Je n'ai rien de particulier à déplorer… Tout se passe normalement à La Roque…

— Encore heureux !

Barth éclata d'un petit rire froid qui ne présageait rien de bon.

— Eh bien, si vous êtes tous aussi satisfaits, pourquoi ne profitez-vous pas de cette conjoncture admirable pour me soumettre des idées ? Aucun d'entre vous ne peut vraiment rien améliorer nulle part ? Personne n'a un projet dans ses cartons ?

Il n'y avait même plus de bruits de couverts pour couper le silence.

— Parfait. Vous terminerez sans moi, je vais me creuser la tête tout seul, il y a urgence !

Ramassant la veste qu'il avait abandonnée sur le dossier de sa chaise, il se leva. Il prit son temps pour traverser la salle à manger et pour complimenter le traiteur qui s'était figé à l'entrée de la cuisine. Puis il s'engagea dans le couloir à grandes enjambées, très content de lui. Un petit rappel à l'ordre de temps à autre était indispensable. Dès qu'ils le jugeraient assez loin, ils allaient tous se mettre à parler ensemble comme des perruches, tomber d'accord en moins de deux sur le caractère odieux de leur patron, puis enfin se poser mutuellement quelques questions constructives. D'ici à la fin de la semaine, il était certain d'avoir plusieurs demandes de rendez-vous internes. Ce qui valait largement la peine de se priver de dessert ! D'autant plus qu'il détestait les sucreries.

— Barth ! cria Franklin derrière lui au moment où il ouvrait la porte de son bureau.

Ils entrèrent ensemble et Barth alla directement s'asseoir.

— Eh bien quoi ? Il vous est venu des idées, tu es le porte-parole ?

— Tu te comportes de façon détestable, lui dit doucement son frère.

— Mais non ! Je fais mon boulot de patron. Celui que personne ne veut faire. Quand on est salarié, c'est facile. Le groupe marche bien, ils n'ont pas de raison d'être inquiets, alors ils ronronnent ! Et toi aussi, tu sais…

Le regard de Barth pesa sur lui un instant avant de se détourner.

— Bon sang, Franklin, tu n'en fais pas beaucoup plus que Delphine ou Laurent ! Et pourtant vous devriez donner l'exemple. Lis ça !

Il fit glisser une circulaire en travers du bureau.

— Quelle démagogie, hein ? Quel manque d'imagination !

Franklin parcourait le texte annonçant la prochaine hausse de l'imposition sur les bénéfices des sociétés.

— On était déjà à près de 42 %, plus que les Américains, les Allemands, ou même les Japonais ! On va finir exsangues… Si tu les avais entendus, hier !

Il faisait allusion à la réunion des syndicats patronaux dont il était le président.

— Je suspends tout projet d'investissement pour le moment, conclut-il d'un ton sinistre.

Retarder l'acquisition de la quatrième Cameron devait lui être insupportable. La plus ancienne arrivait en bout de course et n'était plus compétitive.

— Tu comprends pourquoi je cherche toujours à diversifier, à agrandir ? Qu'on taxe les plus-values, d'accord, mais pas le chiffre, merde !

Cette colère-là n'était pas feinte, Franklin le savait. Il se demanda ce que le groupe Beaulieu deviendrait sans Barth. Mais c'était également lui qui l'avait fait grossir et enfler au point de le rendre vulnérable.

— Trouve-moi de nouvelles agences de communication, des entreprises, n'importe quoi : des clients ! Pont-Audemer peut tourner davantage, nous avons les équipements voulus.

La Roque, dépendante de la crise du livre, était son point faible en ce moment.

— Entendu, accepta Franklin qui trouvait plus sage de rester laconique.

L'éclat du déjeuner n'avait donc pas été fortuit. Barth était peut-être en difficulté mais il ne l'avouerait pas facilement.

— Une dernière chose ! lui lança son frère alors qu'il atteignait la porte. Dès que nous aurons une certitude, dans cette histoire de pollution, je veux que tu m'organises une conférence de presse. Vas-y franchement, convoque la télé, tout ! Nous avons parlé de Gabriel avec mes collègues du syndicat et l'avis est unanime : il faut calmer son lyrisme écologique ! Alors je vais m'en charger, ça m'amuse…

— Et Fabienne ?

— Elle va avoir une mauvaise surprise quand elle va s'apercevoir que son pisse-copie a des visées politiques et qu'il se sert d'elle. Il est très actif au sein de son parti et il a récemment laissé entendre que la députation le tenterait… Rien de moins ! Ce qui explique son besoin de cibles, son civisme pointilleux, sa soudaine passion de la chlorophylle !

L'expression de Barth était sans équivoque, il jubilait.

— Comment as-tu découvert tout ça ?

— Je me renseigne, figure-toi. Je m'informe. Fabienne est une Beaulieu, comme toi et moi. Et là elle s'égare, elle a besoin de l'aide de ses grands frères…

Son regard cynique démentait ses propos et Franklin se sentit très mal à l'aise.

De ses longs doigts osseux, chargés de bagues, Irène distribuait les cartes. La table de jeu avait été disposée par Renée dans un coin de la bibliothèque.

— Mon pauvre Daniel, je crois bien que je vais finir la troisième colonne ! s'écria-t-elle en découvrant sa donne.

Lorsque le Dr Martin lui faisait l'amitié de venir prendre le thé au Carrouges, il ne coupait pas à une partie de gin-rummy. En trois coups, comme prévu, elle abattit son jeu.

— Eh bien, ce n'est pas mon jour de chance, soupira-t-il.

Il la connaissait depuis assez longtemps pour savoir qu'il valait mieux la laisser gagner. Il se rattrapait au bridge, surtout lorsqu'il avait Géraldine pour partenaire.

— Tout votre petit monde va bien ? demanda-t-il distraitement.

Ayant pris sa retraite quatre ans plus tôt, il ne soignait aucun des membres de la famille hormis Irène qui s'accrochait à lui.

— Je trouve que Barth a une mine épouvantable ! Mais vous savez comment il est, il ne veut rien entendre.

— Les soucis, sans doute, répondit-il prudemment.

Parler de Barth lui était toujours pénible. Irène l'avait contraint, avec son incroyable entêtement, à faire des choses qu'il préférait oublier. Mais il était incapable de lui résister, elle l'avait toujours subjugué. La première fois qu'elle était entrée dans son cabinet, il avait été charmé par son port altier, sa classe de grande bourgeoise, son autorité naturelle. Peu à peu, elle s'était confiée, avait décrit le calvaire qu'Octave et les enfants lui faisaient vivre. Trop jeune, naïf, il avait compati. Par la suite, lorsqu'elle s'était retrouvée veuve, il lui avait fait une cour timide et sans espoir, mais elle ne lui avait jamais rien accordé en dehors d'une amitié exigeante et égoïste.

— Un peu plus de thé ?

— S'il vous plaît. Tiens, voilà notre Géraldine ! Vous êtes en pleine forme, on dirait…

Avec le mal qu'elle se donnait pour rester aussi belle à quarante ans, Géraldine pensa que le compliment était sincère. Hélas, Barth, lui, ne s'apercevait de rien.

— Clémence est devenue imbattable au tennis, dit-elle en souriant.

La présence de sa nièce la stimulait, lui procurait une impression d'évasion.

— Est-ce qu'elle va repartir en septembre ? s'enquit Daniel Martin.

— Bien entendu. Je crois même qu'elle finira par se fixer là-bas ! Elle s'est complètement américanisée, elle ne jure que par eux…

Cette idée aurait dû contrarier Irène qui, au contraire, souriait gaiement.

— On aura beau retourner le problème dans tous les sens, il ne reste que Stéphane…, dit-elle à mi-voix.

Le bâtard de Victor à la tête de l'imprimerie était sans aucun doute un sujet de cauchemar pour Barth. Elle avait joué un joli coup en le lui imposant. Cherchant une approbation auprès de Daniel, elle s'aperçut qu'il avait le regard fuyant.

— Que pensez-vous de mon petit-fils ? lui demanda-t-elle carrément.

— Je le connais mal. Je suppose qu'il a besoin de… temps.

— Pour quoi donc ?

— Pour s'acclimater. À votre famille, aux imprimeries…

« Et pour récupérer des pupilles normales, un comportement cohérent », songea-t-il en plongeant le nez dans sa tasse.

Le jeune homme lui semblait sans grand intérêt en dehors du fait qu'il exacerbait les tensions familiales. À l'enterrement de Victor, Irène avait exprimé son chagrin avec tant de pudeur que ses yeux étaient restés secs… Mais elle s'était mis en tête de veiller sur son petit-fils, ce qui était louable. Le portrait qu'elle avait brossé d'Agnès n'était pas très encourageant et justifiait sans doute la dérive de l'adolescent. Daniel aurait dû évoquer ce problème de drogue mais Irène n'y aurait rien compris. Il semblait d'ailleurs que Barth ait pris les choses en main, à sa manière.

Depuis longtemps le vieux médecin éprouvait une sourde antipathie pour Barth. Jamais Irène n'avait avoué explicitement ses sentiments à l'égard de son fils aîné, mais il était évident qu'elle le haïssait et elle devait avoir d'excellentes raisons pour ça. La façon dont il lui parlait, par exemple, le mépris qu'il affichait, toutes les petites vexations qu'elle racontait en soupirant. Alors c'était pour la préserver, pour la consoler, qu'il avait accepté de mentir à une certaine époque. Tout comme il avait eu envie d'aider Géraldine qu'il trouvait adorable et qui ne méritait vraiment pas ce qui lui serait arrivé s'il avait refusé de cautionner leur histoire. Néanmoins il avait peur, chaque fois qu'il y repensait. Ce complot de femmes était censé leur faire gagner du temps, rien de plus, seulement les années étaient passées, les unes après les autres, et rien ne s'était produit. À présent, il était sans doute trop tard pour tout le monde, il n'y avait plus aucun moyen de faire machine arrière. Irène avait su le convaincre, elle lui avait un peu forcé la main, mais elle ne l'avait pas obligé.

« Sans moi, elles n'auraient jamais pu le persuader... »

Nerveux, Daniel Martin abandonna la table de jeu pour faire quelques pas. Sous le prétexte d'une bonne action, il avait accompli une faute professionnelle épouvantable. Tellement grave qu'il l'avait occultée avec soin, refusant d'y penser.

— Mais qu'avez-vous donc à tourner comme ça ? s'écria Irène qui l'observait depuis quelques instants.

— Rien... La chaleur, peut-être. À mon âge...

— Vous êtes plus jeune que moi !

« Non, juste un peu moins vieux, et ce n'est pas une excuse », songea-t-il avec amertume.

Ce qu'il avait fait l'attachait à elle beaucoup plus sûrement que n'importe quel lien. Et aujourd'hui cette chaîne lui pesait. Si jamais Irène disparaissait la première, il resterait seul pour répondre de son acte. Si Géraldine laissait échapper son mari, si celui-ci prenait des maîtresses et se mettait à semer des bâtards partout, combien de temps lui faudrait-il pour comprendre ? Si...

— Daniel, dit doucement Irène, venez vous asseoir près de moi.

Elle lui faisait signe, depuis le canapé où elle s'était alanguie. Malgré les rhumatismes, ses mains restaient belles et, en dépit de ses rides profondes, son visage conservait une grande noblesse. Il aurait aimé finir sa vie auprès d'elle si elle le lui avait permis.

— Il faut que je rentre chez moi, annonça-t-il, toujours debout.

Chez lui, c'était une maison bourgeoise en brique, dans l'une des rues hautes de Trouville. Un intérieur de vieux garçon. Il n'aurait jamais aucune place au Carrouges. Sauf les nuits d'hiver où, suprême récompense, elle l'obligeait à dormir là pour éviter les pièges des routes verglacées. Et c'était toujours la même chambre qu'elle lui octroyait, la chambre aux oiseaux. Il s'y plaisait tant qu'il s'y endormait très tard, les yeux rivés sur le papier peint où s'égayaient des martins-pêcheurs aux couleurs éclatantes. S'il avait su s'y prendre, à une époque... Mais non, Irène était inaccessible et, même en échange des services rendus, elle n'aurait pas réduit la distance qu'elle avait mise entre eux.

Bredouillant une vague excuse, il prit congé d'elle et se hâta de quitter le grand salon sans qu'elle ait esquissé un geste pour le raccompagner. En vieil ami de la famille, il connaissait le chemin. Sur le perron, il faillit trébucher et se rattrapa à la rampe de pierre. Un coup d'œil à sa montre l'apaisa un peu. À cette heure-ci, il ne courait pas le risque de croiser Barth.

Stéphane émietta avec précaution les quelques grammes de cannabis au-dessus du tabac, puis il roula lentement la cigarette. Personne ne pourrait savoir qu'il avait tiré quelques bouffées, même pas Clémence. Pourtant il hésita un peu, jouant avec sa boîte d'allumettes. La tentation n'était pas si forte que ça et il pouvait différer le moment du plaisir.

Trouver un dealer avait été tout simple. Parmi les plus jeunes employés de La Roque, il l'avait repéré immédiatement et l'affaire s'était conclue en un clin d'œil.

Il se dirigea vers l'une des fenêtres qu'il ouvrit en grand. Le parc était silencieux, obscur, presque mystérieux. Aucune lumière ne brillait dans la lointaine maison de Simon. En se penchant le plus possible, il essaya d'apercevoir les autres fenêtres de la façade mais tout semblait éteint, même la tour où Barth veillait souvent très tard.

Depuis combien de temps n'avait-il pas fumé un peu de shit ? Il tenait toujours le cylindre au creux de sa main et, finalement, il alla le ranger dans la table de nuit. Barth ne fouillait plus ses affaires. Quant à Renée, si elle tombait là-dessus en faisant le ménage, elle ne saurait même pas ce que c'était. Attendre n'était pas renoncer.

Au fil des semaines, il s'était habitué à sa chambre. Clémence aimait bien l'y retrouver et prétendait envier cette situation indépendante, à l'extrémité de l'aile ouest. La petite salle de bains dans la tour la séduisait particulièrement. Il lui était même arrivé, certains étés, de venir se doucher là par plaisir.

— Si tu en as envie, ne te gêne surtout pas pour moi, avait-il proposé en riant.

Mais elle ne voulait pas le tenter pour le moment. C'est elle qui choisirait l'instant, elle l'en avait averti avec sa redoutable franchise.

— Tu es au stade de l'accoutumance, tu n'es pas encore pharmaco-dépendant, tu peux te libérer en peu de temps, prédisait-elle avec sérieux.

Ce jargon agaçait Stéphane qui, pourtant, ne protestait pas. Elle dressait de lui une image qu'il avait du mal à reconnaître. Elle décortiquait pour lui les raisons de sa toxicomanie, du décès de son père à son absence d'insertion professionnelle. Puis elle lui décrivait par le menu tous les déboires qui l'attendaient à brève échéance, y compris la perte d'activité sexuelle.

Il aurait voulu lui dire qu'elle se donnait du mal pour rien. Depuis son arrivée au Carrouges, il avait gagné beaucoup de terrain. Qu'il le doive à la dureté de Barth ou à la douceur de Clémence n'avait aucune importance. Peut-être n'était-il redevable qu'à Simon, son meilleur allié.

Allongé sur son lit, il croisa les mains sous sa nuque. Il voulait réfléchir avant de s'endormir mais il n'en eut pas le loisir car la porte venait de s'ouvrir, très lentement.

— Je te réveille ? chuchota Clémence en se glissant dans la pièce.

Elle referma avec soin et constata qu'il n'y avait ni clef ni verrou. Sa main retomba puis elle se tourna vers Stéphane, un peu indécise.

— Pour une fois, j'aurais aimé qu'on s'enferme…

Prenant une profonde inspiration, elle huma l'atmosphère de la chambre.

— Tu tiens tes promesses, on dirait ?

Son sourire était assez provocant pour qu'il comprenne ; il se redressa d'un bond. Il n'était pas prêt et il se sentit gagné par la panique.

— J'ai envie de faire l'amour, annonça-t-elle. Et toi ?

Comment pouvait-il répondre à une question aussi directe ? Qu'est-ce qui avait bien pu la décider ? Il aurait donné n'importe quoi pour un verre de whisky mais, soudain intimidé, il n'osait pas le lui dire. Elle ne portait qu'un léger kimono de soie dont elle défit la ceinture avant de s'asseoir au bord du lit.

— Attends, parvint-il à murmurer.

Il n'avait jamais envisagé les choses de cette manière. Elle avait dit qu'elle voulait faire l'amour, très bien, mais elle n'avait pas ajouté « avec toi ». Est-ce qu'il s'agissait d'un besoin, d'un sport, d'une performance, d'une récréation ? Réfugié contre son oreiller, il devait avoir l'air idiot. D'autant plus qu'il voyait sa peau bronzée et qu'il désirait désespérément la toucher.

— Détends-toi, mon vieux, nous ne sommes pas dans le tombeau des Capulets ! Et je ne suis pas Juliette, et tu ne m'aimes pas d'une mortelle passion…

Ses yeux riaient et ses mains s'étaient posées sur Stéphane avec une douceur inattendue. Il n'avait que des souvenirs imprécis de la dernière fille avec qui il avait partagé une étreinte, lors d'une soirée démente. Clémence venait de faire glisser le kimono d'un mouvement d'épaules. Sans cesser de le regarder, elle se pencha vers lui jusqu'à ce que leurs corps se rejoignent. Elle sentait le savon et il pensa que c'était une odeur fabuleuse. Au bout d'une ou deux minutes, il s'aperçut qu'il n'avait plus d'appréhension, qu'il pouvait lui rendre sa tendresse sans avoir peur d'être jugé.

6

— Jamais ! Je ne céderai pas ! Je ne suis pas toujours d'accord avec Gabriel, mais c'est mon rédacteur en chef !

— C'est surtout ton mec ! riposta Barth d'une voix dure. Et ça te brouille les idées.

— Tu ne t'en es pas pris qu'à lui, tu as traîné MON journal dans la boue !

D'un geste rageur, Fabienne ramassa un magazine étalé devant elle.

— *« La liberté de la presse n'autorise pas à imprimer n'importe quoi. Il y a des journalistes qui font bien leur métier et d'autres pas. Quand on veut faire ses choux gras d'une information, il faut d'abord la vérifier. Un quotidien de Seine-Maritime, heureusement sans grande portée, mais que je préfère ne pas nommer, a récemment tenté d'incriminer mon groupe en livrant à ses lecteurs un fatras d'accusations sans fondement... »*

Elle releva la tête et rencontra le regard ironique de son frère. Il avait choisi plusieurs grands magazines pour exprimer sa colère. Dans chaque interview, il avait plaidé la cause des industriels, cibles de choix – mais souvent à tort – du parti écologiste. Avec une habileté consommée, il avait cité en exemple La Roque, une imprimerie modèle nichée en pleine nature, dont la façade préservée dissimulait une technologie de pointe sans aucune nuisance. En tant que président des syndicats patronaux de sa région, il savait de quoi il parlait, *lui*. Quant aux virulentes critiques dont il était l'objet, il s'agissait surtout de manœuvres pré-électorales, une pratique hélas répandue dans tout le pays.

— Et si un journaliste t'avait demandé par quelle coïncidence ce quotidien « sans grande portée » appartenait à une Beaulieu ? lui lança-t-elle d'un air de défi.

— J'aurais répondu qu'on est toujours trahi par les siens et qu'ainsi tout s'explique…

Ils étaient assis de part et d'autre du bureau de Fabienne et il se pencha brusquement vers elle, bousculant ses papiers.

— Fous-le dehors ! Il se sert de toi, pauvre idiote, aujourd'hui comme marchepied, demain comme paillasson !

— Je fais ce que je veux, Barth, je croyais que tu le savais.

Elle tenait à lui rappeler qu'elle n'était pas comme Delphine ou Franklin, qu'elle rejetait son autorité, que personne n'avait d'ordre à lui donner aujourd'hui.

— Ce journal, je l'ai fait toute seule…

— Tu vas le couler toute seule aussi ! Comme une grande ! Si tu lui donnes une couleur politique, tu fais un mauvais choix et ce n'est même pas le tien ! En servant la soupe à ce minable, est-ce que tu y trouves ton compte ?

— Tu méprises tout le monde, ricana-t-elle, c'est d'un chiant !

— Mais enfin, ouvre les yeux ! D'où sort-il, Gabriel ? Avant de te rencontrer, il dirigeait une feuille d'annonces gratuites ! Il a publié un livre à compte d'auteur ! Quel beau palmarès ! Il n'a pas de personnalité, pas de plume, il n'a que des ambitions. En plus, il est moche comme un pou…

Le rire de Barth acheva d'exaspérer Fabienne qui se leva.

— Va-t'en. Sors de mon bureau.

À regret, il abandonna son fauteuil. Sa sœur était coléreuse et rancunière, exactement comme lui. Il n'avait pas été très habile en l'obligeant à défendre l'homme qui partageait sa vie. Et qu'elle avait peut-être dans la peau, après tout.

— Fabienne, dit-il doucement.

— Dehors ! Je suis chez moi ! J'ai bâti ça toute seule, je n'ai pas emprunté un sou à la famille, je ne vous dois rien. Et je mène ma barque comme je veux !

La porte claqua derrière lui lorsqu'il se retrouva dans la grande salle de la rédaction. Aucun des journalistes ne leva la tête tandis qu'il cherchait Gabriel du regard. Une brusque envie de se battre physiquement le tenaillait. Gabriel faisait un bouc émissaire de choix, il pouvait payer pour tout le monde. Pour les méchancetés d'Irène et pour ce jeune cuisinier prétentieux qui partageait la vie de Nicky, pour l'impossibilité d'investir dans cette presse Cameron dont il avait un besoin crucial, et surtout pour cette brouille avec sa sœur qui lui pesait déjà.

Gabriel restant invisible, il finit par s'en aller. Fabienne avait dit : « Je ne *vous* dois rien ». À Barth, à sa mère, à tous les autres Beaulieu dont elle se dissociait volontiers. Mais qu'est-ce qui rendait le clan si détestable, Irène ou Barth lui-même ?

En sortant, il observa un instant la façade du journal. Fabienne avait ses limites, comme tout le monde. Un jour ou l'autre elle se libérerait de cet abruti, mais probablement trop tard. Depuis qu'il vivait avec elle, Gabriel ne mettait que rarement les pieds dans son petit appartement de Pont-Audemer. Un affreux deux pièces qu'il avait acheté, à crédit, lorsqu'il travaillait à la fois à Caen et à Rouen pour d'innommables feuilles de chou. C'était toujours son adresse officielle et ce serait donc sur cette circonscription qu'il se présenterait s'il visait vraiment un poste de député.

« Et là tu vas me trouver sur ta route, pauvre con... »

Après tout, pourquoi pas ? En tant que chef d'entreprise, Barth était assez populaire. S'il se présentait contre Gabriel, il l'écraserait sans mal. Mais au nom de quel parti ? Et par quel miracle aurait-il le temps de s'occuper d'autre chose que de ses imprimeries ? D'autant que la politique ne l'avait jamais tenté.

Il s'installa au volant du coupé avec un sentiment de lassitude. Il y avait plus de vingt ans qu'il se battait, seul, à la tête du groupe. Affreusement seul. Avec un soupir, il mit le contact. La pendule du tableau de bord indiquait midi et demi et on était mardi. À Pont-Audemer, les invités du déjeuner hebdomadaire n'allaient plus tarder.

Franklin arpentait le bureau de son frère à grands pas. Il avait chargé Jacqueline d'accueillir les convives et d'offrir l'apéritif, ainsi qu'elle en avait l'habitude avec un patron systématiquement en retard. Mais quelle que soit l'heure à laquelle Barth arriverait, il fallait que Franklin le voie d'abord.

Le silence s'était fait petit à petit dans le couloir de la direction et il ouvrit la porte. Seules les rotatives ronronnaient, très loin dans les profondeurs de l'imprimerie. Il avança jusqu'au hall d'entrée, fit un petit signe à la standardiste et, après une dernière hésitation, choisit de sortir. À l'extérieur, il alluma une cigarette avant de lever la tête vers les drapeaux qui battaient doucement leurs mâts.

« Il va me tuer... Mais autant le lui apprendre tout de suite, loin des oreilles indiscrètes... »

En plissant les yeux, il distingua la calandre du coupé qui remontait l'avenue à toute vitesse. Il tira une longue bouffée pour se donner une contenance, et attendit que Barth se gare sur sa place de parking.

— Toi, dit son frère en claquant la portière, tu vas m'annoncer une catastrophe.

Sa remarque augmenta d'un cran l'angoisse de Franklin qui dut prendre une grande inspiration avant de débiter, d'une traite :

Mon vieux, j'ai un sacré problème et je suis bien obligé de t'en parler. Un copain a dormi chez moi à Deauville, cette nuit, et ce matin quand je me suis réveillé il était parti, et je crois qu'il m'a piqué deux ou trois trucs, je m'en fous d'ailleurs parce que je n'ai rien de valeur là-bas, seulement il y avait un chéquier de la société.

Le regard sombre de Barth restait posé sur lui, attentif, avec cette expression indéchiffrable que Franklin détestait.

— Un chéquier de la société... Ton chéquier professionnel, c'est ça ?

En tant que responsable de la communication et des relations publiques du groupe, Franklin réglait directement certaines dépenses.

— Tu es allé à la gendarmerie pour la déclaration de vol ? s'enquit Barth.

— Non.

— Pourquoi ?

— Parce que Marc n'a pas dix-huit ans.

— Je vois. Allons dans ton bureau.

Tendant la main, Barth saisit Franklin par le coude. Ils pénétrèrent côte à côte dans le grand hall où la standardiste les interpella, l'air soulagé :

— Monsieur le président, Jacqueline vous fait dire que…

— Prévenez-la que nous arrivons dans cinq minutes, lança Barth d'un ton sec.

Dès qu'ils furent chez Franklin, ils s'enfermèrent.

— Est-ce que tu connais le numéro du dernier chèque que tu as émis ?

— Non. Pas le numéro mais c'était une facture de fleuriste.

Barth ne le regardait plus et s'était emparé du téléphone.

— S'il te plaît, murmura Franklin.

Mais son frère n'appelait pas la gendarmerie, il s'en aperçut au bout de quelques phrases.

— Non, pas une opposition systématique, je veux seulement être contacté à chaque paiement. Vous demanderez mon frère Franklin, c'est lui qui s'occupe de cette affaire et personne d'autre. En cas de doute, vous différez. Et vous n'effectuez aucun règlement sans son accord sur le compte 67. C'est un petit problème interne et je veux une totale discrétion… Nous sommes bien d'accord ? Merci. Transmettez mes hommages à votre épouse.

Il raccrocha, poussa un bref soupir et reporta son attention sur Franklin.

— Nous sommes très en retard pour le déjeuner. Tu aurais pu penser à appeler la banque tout seul. Ton petit minet a eu toute la matinée pour faire des chèques. Il sait imiter ta signature ?

Incapable de répondre, Franklin avait laissé tomber sa tête dans ses mains.

— Un peu de tenue, merde ! hurla Barth en tapant sur le bureau. Il y a des clients qui nous attendent, reprends-toi. La terre ne va pas s'arrêter de tourner parce que tu t'es fait avoir comme une vieille tante !

D'un bond, Franklin fut debout, très pâle, mais Barth l'empêcha de répondre.

— Eh bien quoi ? C'est le mot qui te gêne ? Je peux en trouver d'autres ! Mais qu'est-ce que j'ai fait au bon Dieu ? Vous vous êtes vus, tous ? Fabienne avec son maquereau, toi avec ton giton, Delphine avec l'employé-maison, et jusqu'à Victor qui avait sa comédienne ringarde pour lui pondre un camé ! Ah, elle est reluisante, la famille !

— Arrête… Arrête, Barth…

Quelque chose de réellement désespéré dans la voix de Franklin permit à Barth de retrouver son sang-froid. Il parvint à retenir les phrases qu'il s'apprêtait à lancer. En deux enjambées, il fut à la porte qu'il ouvrit à la volée.

— Allez, dépêchons-nous. À table, dit-il d'une voix neutre.

— Ici, déclara George avec fierté, nous restons au cœur de la tradition.

Clémence adressa un clin d'œil à Stéphane, dans le dos du directeur de La Roque. Elle connaissait ses explications et aurait préféré qu'il se taise, mais Stéphane écoutait avec un réel intérêt.

— Dans ce registre, poursuivit-il en prenant un gros classeur noir sur une étagère, où sont consignés les noms de tous les auteurs imprimés à La Roque depuis 1728… Certains étaient soumis à la censure, comme Voltaire, mais les imprimeurs n'en tenaient pas toujours compte.

Exactement comme Barth – qui était son modèle –, George pouvait devenir lyrique pour parler des lettres de noblesse de La Roque.

— À l'origine, cette maison avait acquis le titre d'« Imprimeur du Roy ». Nous avons des archives considérables.

— J'aimerais bien les consulter un jour, dit Stéphane avec enthousiasme.

— Si le patron est d'accord, vous pourrez y passer le temps que vous voudrez !

Ils se tenaient dans la longue salle où étaient conservés tous les documents relatifs à l'imprimerie de La Roque depuis sa fondation.

— Tu en fais un peu trop, non ? chuchota Clémence.

Stéphane parut surpris par sa réflexion mais il ne répondit rien.

— À Pont-Audemer, poursuivait George, ils sont dans le monde d'aujourd'hui et de demain, avec les documents publicitaires, la presse, la vente par correspondance, la cartographie… Tandis que nous, ici, c'est uniquement la littérature. Et le livre, quand même, c'est autre chose. C'est intemporel, il y en aura toujours.

— C'est du papier aussi, coupa Clémence qui commençait à s'ennuyer.

S'il avait eu plus de courage, Stéphane lui aurait bien demandé de se taire. Mais il ne voulait la vexer à aucun prix. Tout comme il s'interdisait le moindre geste familier à son égard, ainsi qu'elle le lui avait demandé. Depuis la nuit où elle était venue le retrouver dans sa chambre, il ne savait plus quelle attitude adopter. Il lui aurait volontiers cueilli des fleurs ou adressé des déclarations enflammées, après tout c'était de leur âge, mais elle avait rétabli les barrières aussitôt après l'amour. Elle l'avait *remercié*, comme s'il venait de lui rendre service, l'avait trouvé *assez doué*. Puis elle l'avait complimenté pour sa détermination face à la drogue, avant de partir en agitant la main comme sur un quai de gare. Dès le lendemain matin, il avait voulu reprendre le contrôle de la situation et était allé frapper chez elle pour lui parler. Mais il l'avait trouvée en train d'écrire une énième lettre à son Texan, qui s'appelait Mike, des larmes plein les joues.

— Bien sûr, il y a la technologie, mais il y a aussi l'histoire. Un groupe comme le nôtre possède une légitimité à laquelle nos clients sont sensibles. Depuis vingt-cinq ans, il y a eu des bouleversements considérables. Votre grand-père avait commencé à prendre des mesures pour ne pas se faire distancer, mais c'était déjà votre oncle qui l'y poussait.

— Vous avez connu Octave ?

— Très bien ! Il avait une belle moustache blanche et il adorait les livres. L'objet, je veux dire… Barth a eu du mal à lui faire accepter certains changements.

Octave était davantage un intellectuel qu'un homme d'affaires. Et il était très humain, il avait peur que ses employés se retrouvent sans travail. Il était l'héritier d'une longue tradition, vous savez, et dans ce cas c'est toujours difficile d'évoluer. Il faisait son métier d'imprimeur très consciencieusement, comme son père l'avait fait avant lui, et toutes les générations successives des Beaulieu. Barth avait beau lui expliquer qu'il fallait tout changer, il avait un peu de mal à accepter.

— Vous étiez déjà à La Roque ?

— Oui. J'y suis entré tout jeune.

Sa fierté était assez émouvante et Stéphane lui sourit. George s'adressa à lui directement, oubliant la jeune fille.

— Quand votre oncle s'est retrouvé président, il n'avait pas trente ans. Beaucoup de gens ont frémi devant certaines de ses décisions mais moi j'ai toujours eu confiance. Il avait l'imprimerie dans le sang, il l'a prouvé.

— Il a pris des risques insensés, rappela Clémence.

Ses parents lui avaient souvent raconté les angoisses de la famille devant les initiatives de Barth.

— Des risques, oui, mais calculés, concéda George.

— Calculés avec beaucoup de zéros ! Il aurait pu couler la boîte, il a eu de la chance.

— De l'instinct. On ne peut pas se fier uniquement à sa bonne étoile pour des investissements de cet ordre.

Elle secoua la tête, agacée par l'aveuglement de George qui insistait :

— Vous savez, le sens des affaires, ça existe !

Personne d'autre que Barth n'aurait pu amener le groupe Beaulieu à son niveau actuel, elle le savait pertinemment, mais l'air naïf de Stéphane la mettait hors d'elle. Comme tout le monde, il était subjugué, ainsi qu'elle l'avait été elle-même quelques années plus tôt.

— Voulez-vous visiter autre chose ? leur demanda George.

— Non, non, je vais me sauver, vous laisser travailler, répondit-elle trop vite.

Elle aurait apprécié que Stéphane soit en vacances, lui aussi, et passe ses journées avec elle au Carrouges où elle s'ennuyait un peu. La compagnie d'Irène et de Géraldine la faisait fuir.

— Au revoir, George, continuez d'être le gardien du temple !

Son rire résonna un moment dans l'escalier tandis que George fermait la salle des archives. Stéphane le suivit jusqu'à son bureau pour prendre connaissance du planning des jours suivants. Il s'intéressait de plus en plus à la marche de l'imprimerie et suivait George pas à pas. Celui-ci s'était habitué à la présence du jeune homme à ses côtés. De temps à autre, Barth l'interrogeait sur l'état d'esprit de son neveu, d'un ton indifférent mais avec un regard scrutateur.

Est ce que je peux faire le calage du prochain avec vous ? On devrait changer d'ici un quart d'heure...

Réprimant un sourire, George hocha la tête. Le garçon commençait à savoir compter car, en effet, le tirage des onze mille volumes en cours, sur la presse du second hangar, devait être sur la fin.

— Cet éditeur-là utilise un très beau papier, dit Stéphane en pointant son doigt sur la liste.

Cette fois George le dévisagea, interloqué.

— Je descends voir le bobinier, je veux regarder charger les rouleaux ! s'exclama le jeune homme en quittant le bureau.

195

Géraldine s'était tellement habituée à vivre au Carrouges que la maison de ses parents, qu'elle avait trouvée grande autrefois, lui semblait maintenant bien étriquée. Elle reposa sa tasse de thé que sa mère remplit aussitôt.

— C'est si gentil d'être venue ! répéta Hélène pour la troisième fois. Ton père est soucieux et il rentre de plus en plus tard ces jours-ci.

— A-t-il enfin déniché un acquéreur ?

— Non… En tout cas pas au prix qu'il souhaite. Mais je peux te garantir qu'il ne vendra pas à ton mari ! Il l'a trouvé très… désagréable, l'autre soir.

— Pas plus que d'habitude, soupira Géraldine.

Bien sûr, son père avait dû être choqué par la désinvolture de Barth. Tout comme son éclatante réussite l'exaspérait, c'était visible, alors qu'il aurait pu s'en réjouir, au moins pour sa fille.

— J'espère qu'il est gentil avec toi ?

Pour éviter de répondre, Géraldine demanda le sucrier.

— On a toujours l'impression qu'il tient les gens pour quantité négligeable…, remarqua Hélène d'une voix songeuse. Ou alors qu'il va dire une vacherie !

Sa curiosité était si évidente que Géraldine regretta d'être là. Sa mère lui était devenue étrangère et, de toute façon, elle ne pouvait se confier à elle.

— Dès qu'on aborde le sujet des enfants, il devient odieux. Tu as remarqué ?

— C'est normal, maman…

— Mais non ! Personne ne lui reproche rien, que je sache. C'est la vie, c'est tout, on ne lui en tient pas rigueur. Ah, si c'était toi la responsable, si tu avais eu le malheur d'être stérile, il ne t'aurait probablement pas épargnée ! Tu en aurais entendu parler, crois-moi. Une allusion par-ci, un soupir par-là…

Contrariée, Géraldine baissa les yeux. Hélène eut la sensation très nette d'avoir été maladroite. Elle changea de place et vint s'asseoir près de sa fille qu'elle prit tendrement par les épaules.

— Excuse-moi, ma chérie. Je sais que tu as dû souffrir de tout ça. Je suis désolée…

Souffrir ? Géraldine était à la torture, pour des raisons que sa mère ne pouvait deviner.

— Tu es encore jeune, ma petite fille. Pourquoi n'adoptez-vous pas un enfant ? Un bébé ? Ton mari se verrait très bien en patriarche, j'en suis sûre ! Peut-être n'ose-t-il pas te le proposer ? Peut-être qu'il se sent coupable, malgré toute sa morgue…

— Maman ! protesta violemment Géraldine.

— J'ai plus d'expérience que toi, tu devrais m'écouter.

Irène lui avait dit exactement la même chose, à plusieurs reprises, et, parce qu'elle avait suivi ses conseils, elle vivait depuis des années dans la peur et la culpabilité.

— Je n'ai aucune envie de… C'est trop tard, tu sais.

Beaucoup trop tard pour changer quoi que ce soit à ce qu'elle avait fait. Hélène la regardait avec une expression apitoyée qui ne fit qu'augmenter son malaise. Ses propres parents, s'ils connaissaient la vérité un jour, seraient capables de la désavouer. C'était à cause de cette hypothèse qu'elle s'était éloignée d'eux délibérément. Une façon absurde de rompre les ponts derrière elle.

— Il faut que je parte…

— Tu reviendras bientôt ?

Géraldine se pencha vers sa mère pour l'embrasser. Elle ne reconnut pas son parfum, trop habituée à celui d'Irène désormais.

À partir de dix-huit heures, l'imprimerie de Pont-Audemer s'était vidée de ses employés. Il ne restait que la première équipe de nuit, près des rotatives, mais les étages de bureaux étaient déserts. Franklin avait attendu longtemps avant de rejoindre Barth. Il savait que son frère était encore là parce que le coupé occupait toujours sa place sur le parking.

Durant toute la fin de l'après-midi, c'est à Marc qu'il avait pensé. À son corps d'adolescent, à ses sourires trop rares. Il l'avait rencontré dans une discothèque, l'année précédente, mais il ne savait pas grand-chose de lui. Leur relation avait été plutôt chaotique. Quelques soirées, une nuit partagée de temps à autre, beaucoup de musique et de danse sous les lumières des stroboscopes, des mots crus pour l'amour. Sans illusion, il avait pris ces moments pour ce qu'ils étaient, des parenthèses, des cadeaux.

Lorsque Franklin se décida à remonter le couloir de la direction, il vit que son frère avait laissé sa porte grande ouverte. Les pieds croisés sur son bureau, il fumait un petit cigare tout en feuilletant la pile des différents livres imprimés la veille à La Roque et dont Jacqueline lui présentait toujours un exemplaire.

— Longue journée, dit-il à Franklin en se levant et en s'étirant. Je viens d'appeler la maison pour prévenir qu'on ne dîne pas là.

— Ah bon ?

— Tu m'invites au restaurant. Il faut quand même qu'on parle, non ?

Il effleura l'agenda ouvert devant lui, mémorisant sa journée du lendemain, puis il écrasa son cigare dans un cendrier déjà plein.

— Où allons-nous ? lui demanda Franklin.

— Aucune importance. Au Bathyscaphe si c'est ouvert.

Interloqué, son frère l'observa un instant. En principe, cet établissement était prohibé depuis un moment, rayé des listes par décision du président.

Ils mirent peu de temps pour atteindre Deauville, l'un suivant l'autre. Le maître d'hôtel du Bathyscaphe, malgré l'absence de réservation et le nombre de clients, leur trouva une table agréablement placée. Barth commanda aussitôt deux whiskies avec du Perrier, sans même consulter son frère, puis attaqua, dès qu'ils furent seuls :

— Qu'est-ce qu'il t'a pris d'autre, ce garçon ? Marc, c'est ça ? Marc comment ?

— Rien d'important. Un peu d'argent en espèces et ma montre.

— Je t'ai demandé son nom.

— Pourquoi ? Laisse-le tranquille.

Barth allait répliquer quand Nicky apparut dans son champ de vision. Il lutta pour ne pas se montrer aussi stupide que d'habitude, souffle coupé et cherchant ses mots. Il s'était préparé à cette rencontre puisqu'il l'avait décidée, il fallait donc qu'il assume son choix.

— Bonsoir, messieurs, dit-elle d'un ton neutre.

Ses yeux rencontrèrent ceux de Barth, juste une seconde, avant qu'elle ne se tourne vers Franklin. Elle portait une robe fluide, gris argent, élégamment drapée sur une épaule. C'est l'autre que Barth se mit à regarder malgré lui. La peau était bronzée, satinée, la clavicule à peine saillante, et juste au-dessus il y avait ce creux où il avait tant aimé poser ses lèvres.

— Des huîtres farcies aux asperges, très bien, et un blanc de turbot grillé…

Barth essaya de lire le menu, devant lui. S'il prenait la même chose que Franklin, il aurait l'air parfaitement idiot. Le voyant hésiter, elle lui proposa une poêlée de langoustines qu'il accepta avec soulagement.

— Et ensuite ?

Comme il ne répondait pas, elle eut un petit rire, très gai.

— Je ferai pour le mieux, décida-t-elle en lui reprenant délicatement la carte des mains. Souhaitez-vous un meursault ou un pouilly ?

Elle se souvenait de ses goûts avec précision, mais sans doute en allait-il de même pour tous ses clients. Dès qu'elle se fut éloignée, Barth prit conscience de l'intérêt de Franklin.

— Oui, dit-il en devançant l'interrogation, c'est pour ça que nous sommes là. Devant cette femme je me crétinise, j'ai cinq ans et je me souviens à peine de mon prénom.

Stupéfait, Franklin haussa les sourcils mais ne prononça pas un mot.

— Avant de te parler de tes faiblesses, je voulais quand même te montrer la mienne.

Nerveusement, il chercha sa boîte de petits cigares. Son frère continuait de l'observer en silence, notant les joues creuses et les cernes de Barth.

— Elle m'a rendu fou, je voulais tout plaquer pour me tirer avec elle. Et puis elle m'a menti, roulé dans la farine, alors je l'ai quittée. J'ai cru que j'allais en crever mais c'est *moi* qui l'ai quittée. Il y a très exactement vingt-cinq mois et neuf jours.

Le silence retomba entre eux jusqu'à ce que le sommelier vienne leur faire goûter le vin. Autour d'eux, les gens bavardaient à mi-voix, parfois un éclat de rire fusait dans l'atmosphère feutrée de la salle.

— Ce n'est pas seulement sur ton minet que tu vas faire une croix, avertit Barth, mais sur tous les minets, en général et en particulier. Les mineurs, c'est terminé, les petites gouapes, c'est fini pour toi. Parce que si tu n'y mets pas le holà, tu vas te retrouver dans une sale histoire un de ces quatre. Je n'ai pas d'idées préconçues sur les homosexuels et tu fais ce que tu veux, mais pas ça.

Qu'il puisse garder un tel calme en parlant avait de quoi surprendre Franklin. Ils n'avaient jamais abordé ce sujet ensemble.

— Ce n'est pas ce que tu crois, murmura-t-il enfin. Ce n'est pas parce qu'il a dix-sept ans qu'il m'a plu. Il m'aurait plu tout autant à trente. Je n'ai pas de fascination particulière pour les éphèbes.

— Vraiment ?

— Eh bien…

— Tu as quarante-cinq ans, ce n'est pas si simple. Et ça ne va pas s'arranger, crois-moi. Personne ne sera innocent avec toi, Franklin, tu as trop de fric.

— Du fric ?

— Tu t'appelles Beaulieu. Le pigeon idéal. Garçon ou fille, c'est pareil. Je sais de quoi il est question, je viens de te raconter que je m'étais fait avoir…

— Par cette femme ? Alors pourquoi reviens-tu ici ?

— Ce soir, c'est pour toi. En général, j'évite ! Et comme tu as pu le constater, je ne suis pas guéri. Mais, même malade, je peux résister.

— Tu me donnes une leçon de volonté ?

— Non. Bien sûr que non. Je voulais juste te prouver qu'on peut très bien vivre avec ses faiblesses. Après tout, tu es mon petit frère.

À l'autre bout de la salle, Nicky s'engagea discrètement dans l'escalier privé qui conduisait à son appartement. Elle profitait toujours d'une pause dans le service pour aller embrasser Guillaume. Elle aperçut Bernadette qui regardait la télévision dans le salon, le son en sourdine, et elle lui adressa un petit signe sans s'arrêter. Devant la chambre de son fils, elle écouta une seconde puis poussa doucement la porte. Il dormait, paisible, son drap rejeté au pied du lit. Elle écarta une mèche de cheveux, lui caressa la joue, le recouvrit.

— Fais de beaux rêves, mon amour, chuchota-t-elle.

Le père de cet enfant était en train de dîner tranquillement, juste en dessous, et cette situation lui parut odieuse. Toute son ancienne colère ne demandait qu'à resurgir, aussi elle s'obligea à ne plus y penser. Il fallait qu'elle redescende pour s'occuper de ses clients, pour veiller à tout comme chaque soir. Elle fit quand même un détour par la salle de bains et recoiffa ses boucles, retoucha le maquillage de ses cils.

« Mais tu es bête à manger de la paille, ma pauvre ! Qui veux-tu séduire, ce soir ? Tiens, je te le donne en mille ! Pas l'immonde salaud de la table 9, dis ? »

Néanmoins la présence de Barth la troublait, l'empêchait d'agir avec son aisance habituelle. Elle reprit l'escalier en hâte, rassurée par le brouhaha qui montait de la salle. Elle avait toute confiance en son maître d'hôtel et dans ses serveurs mais elle gardait un œil vigilant sur les moindres détails. C'était grâce à cette rigueur de chaque instant que Le Bathyscaphe connaissait un tel succès, elle le savait. La succulente cuisine de Louis ne suffisait pas, au point de renommée où ils étaient parvenus, les clients exigeant aussi un accueil, un cadre, un service et des attentions proches de la perfection.

Elle glissa un regard vers la table de Barth et se sentit soulagée d'y voir le cendrier impeccable. Pour éviter de tourner en un ballet incessant autour des fumeurs invétérés, il fallait une certaine habitude. Elle gagna la cuisine où le travail commençait à se ralentir. L'horloge murale indiquait onze heures et la plupart des dîneurs avaient déjà demandé leur addition.

— Il n'y a plus rien en attente, lui confirma Louis avec un grand sourire.

— Va te coucher, alors.

Ses traits étaient tirés, comme toujours après le coup de feu, mais il secoua la tête.

— Non, je vais plutôt aller faire un tour sur la plage. Est-ce qu'un bain de minuit te tenterait ?

Cette idée la fit sourire, pourtant elle refusa. Elle s'occupait personnellement de la fermeture et certains convives pouvaient s'attarder longtemps après le café.

— Je garde Philippe en cuisine, au cas où il y aurait une commande de dernière minute. Pour les autres, bonsoir et à demain.

Elle essayait toujours d'alterner, parmi son personnel, pour ne pas faire veiller les mêmes. Le maître d'hôtel et le serveur qui était chef de rang resteraient avec elle dans la salle. Avant que Louis ne l'interroge sur la soirée ou sur les clients, elle repoussa la porte battante et sortit. S'il apprenait que Barth Beaulieu dînait là, il était capable de venir le saluer, par provocation. Elle espéra qu'il effectuerait une grande promenade le long de la mer, comme il aimait le faire durant les nuits d'été, pour oublier la chaleur des fourneaux.

Accoudée au bar d'acajou, elle bavarda quelques minutes avec un couple qui partait et qui tenait à la féliciter. D'autres convives prirent congé mais Barth restait toujours assis, discutant avec son interlocuteur. Elle envoya le maître d'hôtel leur proposer un digestif.

— Pas pour le moment, répondit Barth avec un petit geste agacé.

Depuis deux heures qu'il parlait à Franklin, il avait beaucoup progressé. Son frère s'était un peu confié, à bout de résistance, et avait raconté de quelle façon il vivait lorsqu'il disparaissait du Carrouges. Il prenait beaucoup de précautions, allait dans des endroits où personne ne le connaissait, se préservait scrupuleusement des risques de sida, se serait damné pour un partenaire unique, une véritable histoire d'amour. Il avait même avoué à Barth qu'il l'enviait. Connaître la passion, ne serait-ce qu'un moment, lui semblait un bonheur inaccessible.

— Le jour où tu trouveras un mec bien, fais-moi plaisir et viens le présenter à la maison ! avait raillé Barth sans méchanceté. Rien que pour voir la tête de notre chère mère…

— À propos de la maison, je vais rentrer, je suis crevé.

Il en avait l'air et son frère haussa les épaules avec indifférence.

— Vas-y, mais n'oublie pas de payer en partant, c'est toi qui m'invites.

— Tu restes ?

— Un peu.

L'idée venait de lui traverser l'esprit et il y avait cédé aussitôt. Après le départ de Franklin, il serait seul dans la salle désertée et il était curieux de voir la réaction de Nicky face à cette situation.

— Merci quand même, dit doucement Franklin. Merci pour tout, vieux.

Barth l'observa quand il s'arrêta au bar pour sortir son propre chéquier, ce qui lui parut cocasse. À cause de sa bêtise, il ne pouvait pas régler cette addition sur le compte de la société, c'était justice.

« Quant à ce petit con de Marc Louvois, on va voir ce qu'on peut faire... »

Il avait fini par obtenir le nom, bien entendu. Et il n'était pas question que son vol reste impuni. Ou alors son frère deviendrait la cible idéale de mignons sans scrupules. Et, à travers lui, le nom de Beaulieu.

Le maître d'hôtel se tenait à distance respectable, attentif mais pas importun. Finalement ce fut Nicky qui avança vers lui de son pas décidé.

— Puis-je vous proposer quelque chose ? s'enquit-elle d'une voix qui ne tremblait pas.

— Cinq minutes de conversation, si c'est possible. Que prenez-vous ?

Après une hésitation à peine perceptible, elle tourna la tête vers son serveur et lui demanda deux calvados.

— Je ne peux pas rester assis si vous êtes debout, fit-il remarquer.

Sans manifester de contrariété, elle s'installa sur la chaise de velours qu'avait occupée Franklin. Deux verres larges et bas furent déposés devant eux puis le maître d'hôtel y versa avec soin un liquide ambré.

— Cent ans d'âge, observa Barth en lisant l'étiquette.

— Vous pouvez partir, je n'ai plus besoin de personne, murmura Nicky au serveur qui venait d'apporter des mignardises sur une assiette d'argent.

Le dernier bruit fut celui de la porte battante, à l'autre bout de la salle, puis ils furent seuls.

— C'est ennuyeux que je vienne ici ?

Elle ne répondit pas à la question, penchée au-dessus de son verre pour humer l'alcool.

— Est-ce que ça contrarie le petit monsieur qui fait cuire les poissons ?

Cette fois elle leva les yeux, croisa le regard bleu sombre qu'il posait sur elle avec une accablante tristesse.

— C'est drôle de se dire vous, murmura-t-il.

— Je crois surtout que nous n'avons plus rien à nous dire. Vous pouvez dîner ici tant que la cuisine vous convient. Vous n'êtes pas quelqu'un qu'on peut mettre dehors. Je suis une commerçante, vous vous en souvenez ?

— Et une très belle femme. Épanouie, jeune, rayonnante ! C'est votre enfant ?

— Notre enfant.

Ébahi par cette riposte, il dut chercher ses mots.

— Cette version-là n'est plus vraiment d'actualité, souffla-t-il enfin.

— C'est la vérité, je n'y peux rien. Mais c'est vrai que, maintenant, c'est du passé.

Il tendit son verre pour qu'elle trinque et elle s'aperçut qu'il tremblait. Un instant, il déroba son regard avant d'avouer, à mi-voix :

— Je t'aime toujours, c'est abominable.

Un nouveau silence s'installa aussitôt. Elle attendait, ne sachant absolument pas quoi dire. Leur histoire ne pouvait se renouer d'aucune façon, et c'était bien le pire. Désormais, Guillaume était entre eux – même si elle se sentait bouleversée au point d'avoir les yeux brûlants –, Guillaume qui les liait et les séparait définitivement.

Il reposa son verre vide et en caressa le rebord du bout des doigts.

— Il est tard, dit-il sans bouger.

En quittant la salle, le maître d'hôtel avait laissé toutes les lumières allumées mais l'atmosphère restait intime, chaleureuse. Nicky entendait le sang battre à ses oreilles et elle remua un peu sur sa chaise. Il releva tout de suite la tête avec une expression douloureuse, comme s'il voulait l'empêcher de partir.

— J'ai voulu m'expliquer, rappela-t-elle brusquement.

À deux reprises, il l'avait fait taire, lui opposant un dédain glacé malgré sa souffrance. Il ne lui avait pas laissé la moindre chance et elle l'avait haï. Aujourd'hui encore il était persuadé qu'elle avait menti, il était toujours réfugié derrière ce mur d'incompréhension qu'il avait élevé lui-même en une seconde. Sûr d'être la victime, pas le bourreau. Et il était en train de retourner son mépris contre lui-même pour la faiblesse qui le clouait à cette table.

Elle s'obligea à le dévisager longuement. Il avait vieilli mais il était d'autant plus émouvant pour elle. D'urgence, elle devait rétablir une distance entre eux.

— Aimer ceux qui vous trahissent suppose une certaine perversion, dit-elle en se levant.

Le visage de Barth se creusa davantage, une seconde. Elle attendait qu'il réagisse, debout à côté de la table, petite femme fragile et pourtant dure comme du granit. Il quitta sa chaise, gardant les mâchoires serrées sur une violente colère qu'il ne savait plus contre qui diriger. Un malaise familier était en train de le submerger. Il avait très chaud, soudain, et il eut peur. En passant devant elle, il la frôla involontairement, mais il parvint à gagner la porte en gardant la tête haute.

« Mon Dieu qu'il est beau… Pourvu que Guillaume lui ressemble… », songea-t-elle, toujours immobile.

Puis elle aperçut la silhouette de Louis, qui se détachait du mur auquel il était appuyé, près de la porte battante des cuisines.

— Tu ne t'en es pas trop mal tirée, mais tu aurais dû lui renverser la table sur les genoux ! lança-t-il d'une voix forte.

Simon mit un peu de graisse sur la petite brosse métallique et l'introduisit dans le canon du fusil. Il entretenait ses armes avec un soin presque maniaque. Stéphane lui tendit un chiffon au bon moment.

— Le 20 est un calibre de fin tireur. Les chasseurs médiocres disent que c'est pour les femmes, parce que c'est plus léger, mais c'est faux. Les plombs restent groupés alors on ne blesse pas, seulement, bien sûr, il faut savoir viser !

La passion de Simon pour le gibier, après autant d'années de traque, restait intacte. Il tuait peu, jamais de femelles ou de jeunes, et mangeait toujours ce qu'il rapportait dans sa gibecière.

— Ton père adorait mon civet, dit-il en remontant le Hammerless.

— Il faisait comme moi ? Il venait ici ?

— Vous l'avez presque tous fait ! répondit Simon en riant.

— Barth aussi ?

— Surtout Barth… Nous n'avons que six ans d'écart et il en avait parfois marre d'être le grand frère de tout le monde. Madame Irène ne voyait pas toujours ça d'un très bon œil. Mais enfin, tu le connais à présent, pour le faire changer d'idée… Je n'ai jamais pu l'intéresser aux plantations du parc. La forêt, oui, un peu. Ce n'est pas un chasseur exceptionnel. Il n'avait jamais le temps et ça n'a pas changé !

La crosse calée contre son épaule, Stéphane soupesait l'arme. Le gardien empoigna le double canon et le dirigea fermement vers le sol.

— Nous savons tous les deux qu'il n'est pas chargé, mais ne fais jamais ça.

Avec un sourire d'excuse, le jeune homme lui rendit le fusil après l'avoir ouvert.

— Alors, tu t'y habitues un peu, à ta famille ? lui demanda Simon en le regardant bien en face.

— Il ne s'agit pas vraiment d'une brochette de rigolos… C'est avec ma grand-mère que j'ai le plus de mal. Je n'arrive pas à savoir ce qu'elle pense, ni pourquoi elle voulait se servir de moi.

Hochant la tête, une lueur malicieuse au fond des yeux, le gardien approuva :

— Tu as remarqué, c'est bien.

— Évidemment, ma préférée c'est Clémence, mais ça tu t'en doutais déjà !

Un vague grognement exprima toute la perplexité de l'autre.

— Clémence…, répéta-t-il. J'aime beaucoup la petite Clémence. Mais ne te monte pas la tête, elle n'est pas pour toi.

— Parce que nous sommes cousins ?

— Pas seulement. C'est plutôt qu'elle cherche à s'éloigner, alors que toi tu essaies de faire ton trou.

— Moi ?

Sincèrement ébahi, Stéphane eut envie de rire.

— Si je pouvais me tirer en Amérique, comme elle, je n'hésiterais pas !

— Mais rien ne s'y oppose, fit remarquer Simon. Ils seraient tous d'accord pour te payer le voyage et les études. Non, c'est bien toi, c'est dans ta tête. Tu y as pris goût. Aux imprimeries, au Carrouges aussi.

Est-ce que c'était vrai ? Était-il possible qu'il y ait quelque chose d'exact dans ce verdict ? Stéphane y réfléchit quelques instants puis releva la tête vers Simon.

— Après tout…

— Voyons, ne sois pas bête, ça saute aux yeux. Ton père est mort, c'est dur à ton âge, mais maintenant tu as Barth. Même si tu le détestes, tu l'as.

C'était Simon qui lui assénait cette évidence, Simon qui n'avait pas eu de père et dont la mère, humble réfugiée Juive polonaise, n'avait dû son salut qu'à la générosité d'Octave Beaulieu.

— Je t'aime beaucoup, Simon, dit le jeune homme.

— C'est gentil, ça.

— Alors tu vas me répondre franchement. Faut-il se méfier d'Irène ?

— Oui.

— Elle t'a fait quelque chose ?

— Non, jamais. Pas à moi.

— À qui ?

— Sûrement à tout le monde. Mais je n'en sais rien et je ne devrais pas parler comme ça. Sauf qu'une fois…

D'un mouvement brusque, il se leva et alla ranger le fusil au râtelier. Quand il se retourna, son front était barré de deux rides profondes. Il n'avait aucune raison de se confier au gamin. C'était quelque chose qu'il avait sur le cœur depuis longtemps et, même à Clémence, il n'en avait soufflé mot. Mais ce jeune-là, c'était différent. Si personne ne lui faisait jamais confiance, il ne s'en sortirait pas. Or il allait à pas de géant, depuis quelques semaines, c'était visible. Il avait changé, exactement comme Barth l'avait prédit. Il était en train de devenir un Beaulieu. Et, dans ce clan, à qui pouvait-on se fier pour garder un secret ? Stéphane n'en serait pas le plus mauvais dépositaire, au contraire.

— C'était il y a cinq ou six ans. Je travaillais sur la rocaille à mettre des campanules et des œillets des Alpes…

Un peu dérouté par ce début, Stéphane alluma une cigarette. Simon huma, reconnut l'odeur d'un tabac blond anodin qui le rassura, et il poursuivit :

— Tu vois comment ça se présente là-bas ? Il y a l'escalier en demi-lune, puis les pierres qui affleurent dans la pente, c'est d'ailleurs assez réussi, bref quand on est à genoux en bas, on n'est pas visible de l'allée du haut. Et moi, les mains dans la terre, je ne faisais pas de bruit. Madame Irène se promenait avec Géraldine, lancée dans un de ses discours péremptoires.

Il saisit la bouteille de sauvignon, comme s'il voulait se donner du courage pour continuer. Il remplit leurs verres à moitié mais Stéphane n'éprouva pas le besoin de se jeter sur le sien.

— Géraldine disait qu'elle n'aurait jamais dû accepter, que c'était ignoble, qu'elle avait bousillé l'existence de son mari, qu'elle s'en voudrait toute sa vie. Madame Irène était… en colère. Oui, elle avait sa voix mordante des mauvais jours. Pour elle, il n'était pas question de regarder en arrière. Et, si sa belle-fille n'en dormait plus, elle n'avait qu'à prendre des somnifères pour oublier ! À ce stade-là, ce n'était plus le moment de signaler ma présence, hein ? J'aurais préféré qu'elles aillent s'engueuler plus loin, mais non, elles s'étaient arrêtées juste au-dessus.

— Bousillé l'existence de son mari ? De Barth ? Comment ?

— Attends. Je n'interprète rien, je répète, c'est tout. Madame Irène lui a demandé si elle aurait préféré être rejetée comme une « vieille chaussette ». Elle a dit qu'elle connaissait son fils aîné mieux que personne, que c'était un monstre, qu'il était capable de tout et surtout du pire. Géraldine pleurait, hystérique, je ne comprenais pas tout, mais à un moment elle a crié qu'elle l'aimait et il y a eu un bruit de claque. Puisqu'elle était assez *bête* pour l'aimer, qu'elle soit donc assez courageuse pour le garder. Parce que, si jamais il apprenait la vérité, il partirait à la seconde. Et en plus il s'en prendrait au *pauvre* docteur qu'elles avaient embarqué avec elles. Alors sa bru n'avait qu'à *la fermer*. Géraldine a protesté encore une fois pour dire qu'elle n'avait pas le droit de priver un homme de ses enfants, surtout Barth qui en rêvait tellement, mais madame Irène a eu un méchant rire parce que, pour elle, les enfants de Barth auraient été des petits malheureux.

Non, d'après elle, c'était mieux comme ça, c'était presque un *pieux* mensonge. Quand elles se sont décidées à partir, j'ai bien cru que je ne pourrais jamais me relever de là. J'étais complètement... dégoûté. C'est le genre de choses qui te tombent dessus d'un coup, alors que tu n'as rien demandé, et après tu ne sais pas quoi faire. Tu m'imagines en train d'allumer la mèche du bâton de dynamite ? Ta famille, enfin ton grand-père Octave, m'a tout donné. Tout ! Sans lui, ma mère aurait été déportée, elle serait morte, et moi dans son ventre. C'est ce qui s'appelle être coincé entre le marteau et l'enclume.

Muet de surprise, réalisant mal ce que cette confidence soudaine impliquait désormais, Stéphane attendait la suite mais Simon n'avait plus rien à ajouter.

— Et tu ne lui as jamais rien dit ? Jamais ?

— À personne, non.

— Pourquoi moi, alors ?

— Parce que c'est ta famille. Et qu'il faut bien que quelqu'un sache !

— Mais Barth ?

— Ah non ! Lui, je ne peux pas.

C'était effectivement au-dessus de ses forces. Parce que ça revenait à le détruire.

— J'ai bien compris ce que tu m'as raconté, Simon ? Elles ont fait croire à Barth qu'il ne pouvait pas avoir d'enfant alors que ce n'est pas lui, c'est Géraldine ? Un tel mensonge, par la volonté d'Irène et avec la complicité d'un médecin ? Mais est-ce que tu te rends compte ? Comment veux-tu que je garde ça pour moi ?

Stéphane s'était levé et marchait de long en large. Irène était une mère dénaturée, une vipère, mais c'était sa grand-mère. La mère de son père. À Victor, pour ce

213

qu'il en savait, elle n'avait fait aucun mal car sa haine visait exclusivement Barth. Et celui-ci ignorait encore à quel point elle avait atteint sa cible.

— Tu vas le lui dire, petit ?

Dire quoi et de quelle façon ? Stéphane prit son verre et le vida cette fois. Mais trois gorgées de vin blanc ne changeaient rien au récit de Simon. Détestait-il Barth au point de l'exécuter ? Pouvait-il lui révéler cette abjecte vérité ? S'il le faisait, le Carrouges allait se transformer en champ de bataille.

— Eh bien, tu vois, conclut Simon qui l'observait.

— Pourquoi m'as-tu chargé de ça ? lui demanda Stéphane.

— Parce que tu as besoin de lest. Et moi, de respirer un peu.

Stéphane ne leur devait rien. Ni à Irène ni à Géraldine. En revanche son oncle lui avait apporté de l'aide. Une forme de secours très personnelle, mais qui s'était avérée efficace, finalement. Il ne lui gardait même pas rancune de cette hospitalisation forcée. En tout cas pas assez pour lui annoncer une horreur pareille.

— Comme héritiers, dit encore Simon, la famille n'a que vous deux, Clémence et toi. Pour le moment.

Le piège était pire que prévu. Plus subtil et plus effrayant. Se taire revenait en quelque sorte à se préserver d'éventuels rivaux. Parler ferait exploser le clan. Pourquoi pas ? Mais Barth lui-même partirait en morceaux dans cette histoire.

— Mon Dieu, murmura Stéphane en se rasseyant, qu'est-ce que je vais bien pouvoir faire ?

Un long soupir de Simon fut la seule réponse qu'il obtint.

La tête baissée, George acceptait toute la responsabilité de la faute. L'éditeur, furieux, venait de leur signaler l'omission, à la sixième page, de la mention obligatoire. Et il y avait plusieurs milliers de volumes en circulation.

— La page du copyright ! Rien que ça ! hurla Barth. Non seulement il faut récupérer tous les exemplaires, réimprimer et redistribuer à nos frais, mais s'ils ont le moindre problème de reproduction avec leur saloperie de roman entre-temps, nous serons directement responsables !

George le savait pertinemment.

— Combien ça va coûter, à ton avis ? Est-ce que quelqu'un a une idée de ce que ça va coûter ! Rien qu'en vérifiant l'encrage, n'importe qui aurait pu regarder ! Mais non, vous dormez en travaillant, vous ronronnez, et moi je casque !

Tandis qu'il reprenait sa respiration, George glissa :

— C'est entièrement ma faute, c'était à moi de…

— Rien à foutre de tes excuses, rien !

Barth passa devant lui, à grandes enjambées, et il le suivit machinalement, sachant que ce n'était pas terminé. Ils descendirent jusqu'au rez-de-chaussée, traversèrent un bâtiment et s'arrêtèrent devant les immenses tables où étaient assemblés les plaques de résine selon un ordre précis. Barth ne s'adressa à personne en particulier quand il apostropha les employés.

— Mes compliments pour votre conscience professionnelle, bravo à tous !

Il arracha des mains de George l'exemplaire qu'il serrait contre lui depuis un bon moment, et l'ouvrit rageusement

— Qu'est-ce que c'est que ça, dites-moi ?

Il désignait une page blanche mais n'obtint aucune réponse.

— Après vérification du film, c'est l'emplacement de la page 6 ! Or, elle n'existe pas. Elle a disparu, la page 6 ! Et les mentions obligatoires avec !

L'un des ouvriers voulut parler mais Barth l'en empêcha.

— Je ne cherche pas le coupable, ça pourrait être n'importe qui, on n'est pas à la maternelle ! Je dis que c'est une catastrophe, une ca-tas-trophe ! Parce que vous n'avez pas loupé votre coup, c'est tombé sur un bon client, un gros client ! Qui va pouvoir clamer partout, dorénavant, que nous travaillons comme des cochons ! Vous déroulez le tapis rouge pour la concurrence ou quoi ? Vous voulez couler la baraque ? Alors continuez comme ça !

— Monsieur le président…, commença très cérémonieusement George.

— Ta gueule, répondit Barth d'un ton sobre.

Il retraversa le bâtiment et disparut derrière l'épais rideau de plastique. Tous les étages allaient en prendre pour leur grade. C'était le genre de faute professionnelle que Barth ne pouvait pas laisser passer. Et, caractériel comme il l'était…

— Allez, au boulot, et soyez attentifs, murmura-t-il en s'éloignant à son tour.

Sans hésiter, il gagna le hangar de la dernière Cameron, celle qui avait imprimé le livre défectueux. Malgré le bruit strident de la presse, il entendit la voix rageuse du patron. Quatre employés, le contremaître et Stéphane se tenaient, l'air piteux, devant Barth qui leur agitait son exemplaire sous le nez. Au moment où il s'approchait du petit groupe, George enregistra un mouvement anormal, sur sa gauche, et il s'immobilisa, horrifié. Le rouleau de papier, sans doute un peu trop tendu, venait de se déchirer. L'incident était relativement banal mais tombait très mal. En quelques secondes, emportée par la vitesse de la chaîne, la large feuille avait touché le sol où elle s'enroulait, formant des vagues blanches. George se rua sur le tableau de commande pour débrayer et stopper la presse, tout en sachant que, durant le temps nécessaire au freinage, se dévideraient encore des mètres et des mètres de papier.

— Ah, c'est complet ! tonna Barth. Je vais fermer cette usine, bande d'incapables, voilà ce que je vais faire ! La clef sous la porte !

Livide, Stéphane adressa un regard éperdu à George. C'était lui qui avait procédé aux réglages, une heure plus tôt.

— Prends ta retraite, crois-moi, prends-la tout de suite ! lança Barth au malheureux George.

Stéphane murmura quelque chose mais il y avait trop de bruit autour de lui pour qu'on l'entende car tout le monde s'était précipité vers les vagues de papier gâché, entassées au sol et sur une partie des machines. Barth s'éloignait déjà, comme si toute cette pagaille ne le concernait plus. En passant près du container des exemplaires mis au rebut, il y jeta son livre.

— C'est ça que nous faisons le mieux à La Roque, les petits gars ! Des déchets !

Dès qu'il disparut, au bout du hangar, la tension se relâcha parmi les employés. Même George se sentit soulagé.

— Dépêchons-nous de recharger, déclara-t-il sans regarder personne. Stéphane ? Viens par ici, on va régler la tension ensemble…

Il attendit que le jeune homme soit près de lui pour sourire.

— Tu sais, les colères du patron sont légendaires. Tu en verras d'autres.

— Je suis désolé, c'est moi qui…

— Tu n'es pas le premier à qui ça arrive.

George était rassurant, presque paternel, et il le poussa vers le tableau. Mentalement, Stéphane récapitula les paramètres puis il tendit la main sans aucune crainte, certain qu'il finirait par apprivoiser la Cameron.

7

L'été passa et s'acheva dans le même climat de chaleur et de sécheresse qui désespérait Simon. Celui-ci avait décidé d'attendre l'automne pour effectuer de nouveaux semis car la pelouse ronde du parc était complètement brûlée. Malgré l'opposition d'Irène, le grand cèdre bleu avait été abattu. Pour le remplacer, Barth avait fait venir à grands frais, sur un convoi exceptionnel, un séquoia géant. Simon était parvenu à le convaincre, après une longue discussion, de l'intérêt de cet arbre aux branches retombantes et au port majestueux. En réalité, Barth aimait trop peu le Carrouges pour avoir envie d'en entretenir le décor, mais il avait cédé à la passion de Simon et il avait repoussé la question d'une éventuelle piscine jusqu'au printemps suivant.

Au contraire de son oncle, Stéphane commençait à éprouver une sorte d'attachement pour la propriété. Non seulement pour les bois qui allaient bientôt livrer leur gibier, mais pour le manoir lui-même. N'ayant connu que des appartements parisiens, le jeune homme était sensible au charme de la vieille demeure, à son architecture lourde, à tous ses recoins. La chambre rouge était devenue son territoire. Il avait changé la place des meubles, peinant pour pousser la haute armoire normande à l'autre bout de la pièce. Clémence l'avait aidé à choisir, parmi les merveilles du grenier, quelques objets insolites qu'ils avaient nettoyés et descendus chez lui, dont une horloge à taille étranglée qui les avait séduits tous deux.

Leur amitié amoureuse n'avait pas évolué, Clémence restant sur ses positions. Elle pensait toujours à Mike, qui avait quand même téléphoné une fois, en pleine nuit. Sur cette liaison elle était discrète, mais, à l'évidence, son cœur était là-bas, dans cette Amérique qu'elle piaffait de retrouver. Stéphane s'était incliné, déçu et frustré, gardant pour lui ses sentiments superflus. Il conservait un souvenir brûlant des moments d'abandon qu'elle avait partagés avec lui. Elle était venue le rejoindre plusieurs fois, toujours par surprise comme si elle voulait vérifier qu'il avait bien renoncé à ses démons. Pour preuve de confiance, il lui avait montré les joints intacts, dans la table de nuit, et elle avait insisté pour qu'il aille les jeter lui-même dans la cuvette des toilettes. Il avait dû tirer la chasse d'eau à trois reprises pour faire tout disparaître tandis qu'elle attendait, soulignant sa victoire d'un sourire attendri. Et il ne lui avait jamais dit que le fatras psychologique dont elle l'assommait n'était pour rien dans son abstinence. Si Clémence avait triomphé – momentanément – de la drogue, c'était davantage grâce à la douceur de sa peau et à son parfum. Quand il s'agissait de lui faire l'amour, il se méfiait des effets du cannabis.

Personne, au Carrouges, n'avait remarqué leur inti-mité. Ils avaient le même âge, il était normal qu'on les voie toujours ensemble. Et leur assiduité chez Simon n'avait rien d'extraordinaire non plus.

Depuis les bureaux de l'imprimerie, à Pont-Audemer, Clémence avait faxé la confirmation de ses inscriptions universitaires. Ses parents étaient ravis de la voir prolonger ses études au-delà de son premier diplôme, et Barth s'était abstenu de tout commentaire là-dessus. Il y avait longtemps qu'il ne comptait plus sur Clémence pour lui succéder. Deux fois, durant l'été, elle avait sacrifié à la tradition des déjeuners du mardi. Richard et Nicolas s'étaient disputé l'honneur d'être ses voisins de table, mais c'était Nicolas qu'elle avait remarqué. Elle avait parlé de lui à Stéphane qui s'était contenté de hausser les épaules. Ne faisant pas partie de la direction, il n'avait jamais été convié aux déjeuners traditionnels des cadres supérieurs ou des bons clients du groupe. Il ne bougeait pas de La Roque où il apprenait vite et bien. Mais il finit par bouder, chaque fois que Clémence prononçait le prénom de Nicolas.

Barth n'avait pas pris de vacances, bien entendu, et n'en avait évidemment pas proposé à son neveu. Géraldine rêvait d'une croisière à l'automne mais n'avait aucune chance de convaincre son mari de l'accompagner. Irène refusait de partir, de peur de perdre les quelques prérogatives qu'elle avait réussi à conserver. Toutes ses tentatives de rapprochement avec son petit-fils avaient échoué. Stéphane était distant, il la fuyait. Depuis que Simon l'avait chargé de son secret, il voyait sa grand-mère comme un monstre. Il s'était posé cent fois la même question lancinante : fallait-il parler à Barth ? En tout cas, il s'était abstenu de toute confidence à Clémence. Elle était trop impulsive, entière, naturelle, et elle aurait été droit chez son oncle. Ce n'était pas forcément la bonne solution. Simon, qui idolâtrait Barth, ne s'y était jamais résolu.

Les rapports de Stéphane avec Barth demeuraient complexes. De temps à autre, il y avait comme un éclair de complicité entre eux, mais la plupart du temps ils s'ignoraient. Au Carrouges comme aux imprimeries, Stéphane avait la sensation d'être observé par son oncle mais il ne surprenait jamais son regard. L'autorité glaciale de Barth constituait une barrière infranchissable.

Cinq cartes postales d'Agnès, qui racontaient toutes la même chose, furent le seul courrier que Stéphane reçut durant l'été.

Franklin essaya de se redresser un peu, mais la forme du canapé obligeait à s'avachir.

— Tu es sûre de ce que tu fais ? demanda-t-il d'une voix contrariée.

— Naturellement. Les chiffres parlent d'eux-mêmes, non ?

Une seconde fois, il parcourut le devis que Fabienne lui avait confié.

— Vous êtes trop chers, c'est évident ! déclara-t-elle.

— Non. C'est ce type-là qui travaille à prix coûtant. Peut-être à perte.

— Pas du tout. Il vient de s'installer, c'est un petit, il n'a pas les mêmes frais que vous et il pratique des tarifs d'appel, c'est tout ! Je n'ai aucune raison d'engraisser le groupe Beaulieu si je trouve mieux ailleurs. C'est l'intérêt de mon journal. Et, pour vous, c'est une goutte d'eau dans la mer !

Perplexe, Franklin regarda sa sœur. C'était sans doute Gabriel qui avait déniché cet imprimeur.

— Est-ce qu'il t'offre les mêmes garanties que nous ? Tu dis qu'il démarre… Il y a souvent des ratés au début !

D'un geste insouciant, Fabienne balaya l'argument. Son frère avait enfin réussi à s'extirper du canapé et il s'installa sur l'accoudoir.

— C'est une question de principe, plaida-t-il. Barth va en faire une maladie.

— Barth est odieux avec tout le monde, une leçon, même modeste, sera bienvenue.

— J'en suis moins persuadé que toi. Sur le plan financier, il s'en fout, mais tu es sa petite sœur, sa préférée…

— Vraiment ? Alors pourquoi s'en prend-il à Gabriel ?

— Tu es sûre que ce n'est pas le contraire ? Que ce n'est pas ton mec qui lui a déclaré la guerre ? Il y a bien des entreprises qu'il pouvait mettre en cause, avec raison d'ailleurs, et c'est aux imprimeries Beaulieu qu'il s'en est pris. Pourquoi ?

— C'est son dossier, c'est lui le rédacteur en chef, rappela Fabienne d'un ton sans réplique.

Depuis qu'il avait dîné avec Barth au Bathyscaphe, Franklin ne voyait plus tout à fait leur frère aîné du même œil. Jusque-là il avait cru bien le connaître mais il s'était trompé. Il s'était laissé influencer par les discours d'Irène et avait toujours tenu pour acquis l'égoïsme de Barth, son intransigeance, son goût du pouvoir, son mépris des autres. Et finalement toute cette théorie s'avérait fausse. Barth avait ses failles, il pouvait se passionner pour autre chose que le papier, et il savait même se montrer indulgent.

— Gabriel a des ambitions politiques, j'imagine ?

— Il ne s'en cache pas ! Si tu ne t'impliques pas directement, si tu ne milites pas, tu ne peux pas défendre tes idées. C'est trop facile de se moquer des écologistes. Il y a beaucoup de scandales à dénoncer et je soutiens entièrement Gabriel dans cette voie.

— Et tes lecteurs ?

— Mais tu parles comme ton président-directeur général, mon pauvre vieux ! Je dirige un quotidien d'informations, tu t'en souviens, quand même ? Alors j'informe, et tant pis si ça ne fait pas plaisir à tout le monde !

— Fabienne, tu vas avoir une mauvaise surprise…, murmura Franklin. Je ne devrais sans doute pas te le dire maintenant, mais nous sommes en mesure de prouver que les attaques de ton journal sont sans fondement. Barth a fait ce qu'il fallait, tu t'en doutes, non seulement pour ne pas polluer, mais surtout pour le démontrer. Il est en train d'étayer le dossier et nos avocats ne seront pas tendres… Il m'a affirmé qu'il t'avait prévenue. C'est vrai ?

Un peu inquiète, elle essaya de feindre l'indifférence.

— Prévenue ? Il est toujours plus ou moins menaçant, alors je n'y fais plus attention !

Mais, jusqu'ici, Barth ne s'était jamais dressé contre elle, et soudain elle ne fut plus certaine de vouloir la guerre. Ce doute la mit en colère parce que c'était son enfance qui resurgissait avec toutes les querelles d'Irène et de Barth, la vague crainte qu'il lui inspirait alors et qu'elle était parvenue à surmonter pour s'affranchir.

— Il peut bien tyranniser toute la famille, mais pas moi ! Je ne me laisserai pas faire.

Combien de fois Franklin avait-il entendu Delphine ou Victor s'exprimer de la sorte ? En pure perte, puisqu'ils finissaient toujours par s'incliner. Seule Fabienne avait obtenu l'indépendance, mais à quel prix ? Et si c'était pour se retrouver sous la coupe d'un Gabriel !

— Est-ce que tu l'aimes ? demanda-t-il à mi-voix.

Elle savait bien qu'il ne parlait pas de leur frère et elle prit le temps de réfléchir honnêtement à la question.

— Eh bien, disons qu'il me plaît. Il a plein d'idées, beaucoup de détermination.

— Tu ne réponds pas, fit-il remarquer.

— Ce n'est pas la passion, tu t'en doutes. Mais c'est mieux qu'être seule.

Son aveu était tout simple, dénué d'artifice. À trente-sept ans, elle devait commencer à connaître l'angoisse.

— Tu aurais dû te marier.

— Avec qui ? Tous les hommes que j'ai aimés étaient mes employés. Crois-moi, ça fausse un peu les rapports. Je ne fais pas une fixation sur les journalistes, mais on rencontre bien peu de gens en dehors de son métier. Tu n'as pas remarqué ?

Le problème de Franklin était très différent. Il trouvait souvent ses partenaires éphémères dans des discothèques ou des bars gays et il n'imaginait pas sa sœur allant draguer en boîte pour tromper sa solitude. Il n'avait pas découvert le grand amour, Fabienne non plus, et Delphine avait effectivement jeté son dévolu sur un employé de l'imprimerie. Preuve qu'on ne s'évade pas de son milieu. Victor lui-même, en choisissant le monde du cinéma, avait naturellement déniché une comédienne.

— J'ai toujours cru que tu étais heureuse de vivre comme ça, dit-il. Au bout du compte, c'est faux ?

Agacée par le tour que prenait la conversation, elle se leva pour aller chercher deux bières. Elle en donna une à son frère, ouvrit la sienne et but à même la boîte.

— Les Beaulieu ne rayonnent pas de bonheur, hein ? ironisa-t-elle. Ça doit venir de maman…

Le constat n'était même plus amer, il y avait long-temps qu'elle en avait pris son parti. Elle récupéra le devis, le plia soigneusement.

— À partir de lundi prochain, je ne ferai plus partie de vos clients. La lettre recommandée est partie ce matin, déclara-t-elle avec calme.

Ravie d'avoir un rôle à jouer, Irène s'était mise en frais pour accueillir Agnès. Elle l'avait installée dans le grand salon, avait fait servir le thé par Renée, puis s'était lancée dans une série de questions dont elle n'avait évidemment pas écouté les réponses, pressée d'en arriver à Stéphane et à tout ce qu'elle avait fait pour lui. Dès qu'elle put monopoliser la conversation, elle se mit à abuser de l'expression « mon petit-fils », au lieu de dire « ton fils », comme si elle s'était définitive-ment approprié le jeune homme.

— Il m'a fallu lutter pied à pied avec Barth, tu t'en doutes, mais pour finir il a cédé et il a intégré mon petit-fils dans nos affaires. C'était la moindre des choses.

Elle en rajoutait, prenant le sourire d'Agnès pour de la reconnaissance.

— Je crois qu'il a trouvé sa place ici et c'est un peu grâce à moi… Bien entendu, tu restes quelque temps ? Ils reviennent toujours assez tard mais nous allons leur faire une bonne surprise !

— Je serai obligée de partir demain, j'ai trois jours de tournage à Grenoble.

— Mais c'est la gloire, on dirait ! s'exclama Irène.

Avec un pincement au cœur, Agnès se souvint aussitôt de ce que Victor racontait à propos de sa mère. Incapable de s'intéresser aux autres, superficielle, parfois méchante, toujours menteuse. Victor était sans illusion mais sans rancune, et c'était bon de rire avec lui. Il lui manquait énormément. Pour éviter de s'attendrir, elle regarda autour d'elle en essayant de deviner comment Stéphane supportait son existence dans ce cadre compassé. Barth s'était expliqué, au téléphone, avec des mots assez durs. Néanmoins il l'avait convaincue de rester éloignée, de s'en remettre à lui, et elle avait accepté. Ainsi elle avait pu achever sa tournée sans incident et sans trop d'angoisse. Revenue à Paris la veille, elle avait apprécié de retrouver son appartement intact. C'était aussi la première fois, depuis bien des mois, que son compte en banque n'accusait pas un découvert. Quand son agent lui avait appris qu'elle avait deux contrats qui l'attendaient, elle avait signé sans états d'âme.

— Je vais t'installer dans la chambre aux oiseaux, elle est délicieuse, et tu seras juste à côté de Stéphane. C'est la chambre favorite de mon ami le Dr Martin. Ce papier peint est une trouvaille…

Durant les rares séjours qu'elle avait effectués au Carrouges en compagnie de Victor, ils avaient toujours été logés dans l'autre galerie du premier étage, près de la petite bibliothèque. Elle se demanda si c'était une preuve de délicatesse de la part d'Irène ou un simple hasard. Mais à présent elle était considérée comme célibataire, femme seule, invitée dans la famille Beaulieu. À coup sûr, elle finirait par regretter un jour de ne pas avoir épousé Victor.

Elle récupéra son sac de voyage et suivit Irène. Une fois seule, elle attendit cinq minutes puis fila jusqu'à la chambre rouge. L'ordre qui y régnait lui parut surprenant. Par curiosité, elle jeta un coup d'œil dans la grande armoire et resta médusée devant un blazer qu'elle ne connaissait pas, des mocassins noirs très sobres et une demi-douzaine de cravates. Jusque-là, les vêtements de Stéphane avaient plutôt ressemblé à des haillons. S'était-il réellement adapté au mode de vie du clan ?

Amusée, elle regagna sa propre chambre dont elle ouvrit les fenêtres. Les jours raccourcissaient et une certaine fraîcheur était tombée sur le parc. Elle observa longuement les grands arbres, les massifs, les bordures impeccables. Seule la pelouse avait souffert de la sécheresse. Son fils avait dû contempler ce paysage durant des heures, lui aussi, et peut-être y trouver une sorte de sérénité. Il était resté au Carrouges, contrairement à ce qu'elle avait imaginé, et il ne s'était produit aucun drame.

D'où elle était, elle ne voyait pas la grille ni l'allée principale, mais elle entendit un bruit de moteur puis des portières claquer. Ignorant les horaires de Stéphane, elle se demanda si elle devait descendre mais elle resta accoudée à la rambarde. Elle se méfiait des propos excessifs d'Irène et redoutait une déception.

— Maman !

L'exclamation était si joyeuse qu'elle en fut bouleversée. Le temps de faire volte-face, son fils l'avait soulevée de terre et plaquée contre lui. Il sentait l'after-shave et le tabac blond, ce fut la première perception, déroutante, qu'elle eut de lui. Elle attendit qu'il la lâche pour pouvoir se reculer et le détailler.

— Tu as l'air en pleine forme, balbutia-t-elle.

Que pouvait-elle dire sans le choquer ? Elle retrouvait enfin le jeune homme qu'il avait été, trois ou quatre ans plus tôt, et qu'elle avait cru perdu pour toujours.

Toi aussi ! Mais tu aurais pu m'écrire plus longuement ! Ou me téléphoner, ça m'aurait fait plaisir.

Elle jugea ce reproche merveilleux mais s'abstint de le lui dire. Il n'y avait pas si longtemps, il refusait qu'elle s'occupe de lui.

— Tu restes un peu, dis ?

— Jusqu'à demain seulement. J'ai du travail.

— Tant pis pour moi ! Mais je suis content pour toi.

Il ne jouait pas la comédie, il avait vraiment l'air bien, et elle eut une brusque envie de pleurer qu'elle réfréna à grand-peine. Ne sachant par où commencer pour ne pas l'effaroucher, elle demanda :

— Et toi, le boulot, l'imprimerie, comment ça se passe ?

— C'est très dur !

Cette réponse, lancée en riant, acheva de la désorienter.

— Viens, je veux que tu fasses la connaissance de Simon. Ah, et puis tu verras Clémence au dîner. Tu te souviens d'elle ? C'est une fille fabuleuse.

Il l'avait prise par la main pour l'entraîner vers le couloir. Il n'avait pas prononcé le nom de Barth et elle espéra qu'il n'était pas en guerre avec son oncle. Il dégringola l'escalier sans la lâcher, l'obligeant à sauter les marches deux par deux, heureux comme un gosse.

Jacqueline rassembla le courrier que Barth venait de signer. Elle le connaissait depuis si longtemps qu'il ne pouvait pas lui dissimuler grand-chose.

— Vous êtes fatigué, dit-elle tranquillement, vous devriez prendre quelques jours de vacances.

— Ben voyons !

— Tout le monde prend des vacances, souligna-t-elle sans s'émouvoir. Moi, par exemple. Je vous rappelle que je ne serai pas là la semaine prochaine.

Dans le regard que Barth posa sur elle, il y avait presque de la détresse.

— Rien que huit jours, ajouta-t-elle en hâte. J'ai un mari, vous savez. Et il a eu la patience d'attendre le mois de septembre.

Avec un petit sourire, il fit signe qu'il comprenait. Néanmoins, il se sentirait seul durant son absence tant il était habitué à travailler avec elle.

— Ma remplaçante s'appelle Alice. Vous l'avez déjà eue comme intérimaire l'année dernière.

— Alice ? Aucun souvenir.

— Elle n'a rien de remarquable et vous l'avez donc oubliée, mais elle est très compétente.

— J'aime bien ce prénom, dit-il d'un ton rêveur.

Trente ans plus tôt, alors qu'il était étudiant, il avait aimé une Alice. Bien entendu, celle-ci n'avait pas trouvé grâce aux yeux d'Irène qui, chaque fois que son fils aîné s'attachait à une jeune fille, s'acharnait à démontrer qu'il s'agissait d'une intrigante. Comme si Barth ne pouvait être aimé pour lui-même, mais uniquement pour le nom et la fortune qu'il représentait. Octave essayait bien de tempérer ses jugements abrupts mais elle s'obstinait. Elle avait systématiquement mal accueilli les amis que Barth invitait au Carrouges – et davantage les filles que les garçons –, aussi avait-il vite compris qu'il devrait laisser sa mère en dehors de sa vie pour avoir la paix. Sans parvenir néanmoins à ignorer tout à fait ses sous-entendus acides. À cette époque, il n'avait pas encore conscience de son pouvoir de séduction ; elle avait même réussi à le complexer sur la couleur de ses yeux, prétendant qu'il avait un regard inquiétant auquel on ne pouvait pas se fier. Devant tant d'injustice, Octave avait fini par se fâcher mais elle avait juré ses grands dieux qu'elle ne songeait qu'à préserver leur fils aîné et il avait fait semblant d'y croire.

— Vous n'avez plus besoin de moi ? répéta Jacqueline un peu plus fort.

Tiré de sa rêverie, Barth secoua la tête.

— Non, partez vite. Je crois que nous sommes les derniers.

— Comme tous les soirs ! confirma-t-elle en riant.

Elle avait beaucoup d'affection et d'estime pour lui, sans aucune ambiguïté. Elle le respectait pour ce qu'il était, défauts compris. Pressée de partir, elle hésita pourtant, son dossier sous le bras.

— Franklin n'est plus dans son bureau ? demanda-t-il.

— Non, il devait passer à La Roque pour récupérer votre neveu.

La question de Barth trahissait son besoin de compagnie. De toute façon, il était mal dans sa peau ces temps-ci.

— Voulez-vous que… Si nous prenions un verre ?

D'autorité, elle alla chercher du whisky et du Perrier. Il la regardait faire, amusé par tant de sollicitude. Hormis sa mère, les femmes avaient toujours été très gentilles avec lui.

— La dépression, ça existe, et vous y allez tout droit ! affirma-t-elle en trinquant.

— C'est hors de question, je ne peux pas m'offrir ça en ce moment. Ce ne serait pas très chic vis-à-vis de nos collaborateurs, n'est-ce pas ?

Son ironie mordante ne visait personne en particulier mais rappelait son problème majeur : le poids de responsabilités qu'il assumait seul.

— Ne vous croyez pas obligée de rester.

— Je vous facturerai l'heure supplémentaire ! répliqua-t-elle en riant.

Elle se demanda ce qui arriverait si Barth tombait réellement malade. L'idée d'un intérim assuré par Delphine et Franklin était inenvisageable. Voire comique. Tout le monde prétendait que, à force de ne rien déléguer, il avait fragilisé sa propre entreprise. Mais Jacqueline savait qu'il n'avait aucune alternative.

— Ça vous ennuie tellement de rentrer chez vous ?

La formulation était directe mais elle pouvait se la permettre puisqu'ils étaient seuls.

— Disons que ce n'est pas exaltant.

Un voyant lumineux se mit à clignoter sur le téléphone dont Barth avait coupé la sonnerie. Il ne tendit même pas la main vers l'appareil.

— Vous avez maigri ces derniers temps.

— Oui, soupira-t-il, et j'ai vieilli, aussi. Peut-être que… Eh bien, si j'étais raisonnable, il faudrait que je songe à vendre le groupe.

— Pourquoi donc ? s'écria-t-elle, stupéfaite.

— Pour assurer l'avenir des gens qui travaillent ici. S'il m'arrivait quoi que ce soit, tout irait à vau-l'eau et en deux ans maximum les employés se retrouveraient sur le carreau.

— Mais enfin c'est une affaire de famille ! Que diraient…

— Rien. En voyant le montant du chèque, croyez-moi, ils ne diraient rien !

— Je ne parlais pas de ça. Mais votre père, et votre grand-père et tous les… enfin c'est impossible que vous pensiez des choses pareilles ! Barth… Qu'est-ce qui vous arrive ?

— Je suis seulement fatigué, dit-il d'une voix tendue. Très fatigué.

Il ne voulait pas s'apitoyer sur lui-même. Son inquiétude concernant les gens qu'il faisait travailler était sincère. Il était le patron le plus social et le moins injuste qui soit.

— Vous avez cinquante ans, vous pourriez remonter une affaire n'importe où, surtout à l'étranger, j'en suis persuadée ! Mais ce ne serait pas l'imprimerie Beaulieu. Quand vous évoquez la possibilité de vendre le groupe, je ne vous imagine pas mettant les clefs de La Roque dans la main d'un acheteur, non ?

D'un mouvement brusque, il releva la tête et l'enveloppa d'un regard aigu. Elle ne baissa pas les yeux jusqu'à ce que ce soit lui qui se lasse.

— Jeu, set et match, murmura-t-il enfin avec un sourire. Vous, au moins, je sais pourquoi je vous paie.

Pour la libérer plus vite, il termina son verre en deux gorgées et referma son agenda. Dans les couloirs déserts, ils ne croisèrent que deux femmes du service d'entretien.

Pont-Audemer fermait la nuit, contrairement à La Roque, et il ne restait que leurs voitures sur le parking. Barth souhaita une bonne soirée à Jacqueline avant de se glisser au volant de son coupé. Il conduisit lentement jusqu'au Carrouges, décidément peu pressé de retrouver sa famille.

En passant la grille, il fut arrêté par Simon qui bavardait avec Stéphane et Agnès au beau milieu de l'allée. Tandis qu'il descendait de voiture pour saluer sa presque belle-sœur, il eut l'impression qu'elle l'observait avec curiosité.

— C'est gentil d'être venue jusqu'ici, dit-il en la serrant contre lui un instant.

En temps normal, il n'aurait accordé aucune attention à Stéphane, pourtant il se tourna vers lui et découvrit sans surprise son expression joyeuse.

— Content de retrouver maman, on dirait…

— À vous entendre, elle m'avait oublié ! riposta le jeune homme.

Agnès suivait leur échange en fronçant les sourcils, incapable d'y comprendre quelque chose. Barth lui ouvrit la portière, côté passager.

— Tu viens ?

C'était plus un ordre qu'une offre mais elle monta aussitôt. Il démarra en faisant voler les graviers.

— Comment trouves-tu ton fils ?

— Transformé. Je ne sais pas comment te remercier.

— Moi ? Pourquoi ?

— Parce qu'il me l'a dit.

Freinant devant le perron, il lui jeta un rapide regard.

— Vraiment ? Il ne manque pas d'air ! Je n'y suis pas pour grand-chose.

— C'est faux, dit-elle tranquillement.

— Écoute, Agnès… Il ne faut pas crier victoire trop vite. Il a un peu lâché la came ces temps-ci, il se douche tous les matins et il a appris à appuyer sur trois boutons à l'imprimerie. Pas de quoi pavoiser…

— Il n'a plus le regard fixe, il sourit, et il parle même d'avenir, répliqua-t-elle.

— Je ne sais pas encore s'il en a un dans le groupe. Je ne peux te garantir qu'une chose, il me fait un peu moins chier que ce que je craignais. Mais, de toi à moi, il n'a pas été le centre de mes préoccupations et il m'est même arrivé de le… rudoyer. Il te l'a raconté ?

— Non.

— Tant mieux.

Dans son rétroviseur, il voyait la silhouette de Stéphane approcher.

— Je m'habitue à lui, finalement, dit-il d'un ton moqueur.

Agnès détailla le profil dur de Barth, son nœud de cravate impeccable, puis ses mains qui étaient restées sur le volant.

— Je repars demain, annonça-t-elle. Je peux te le laisser ?

— Ce serait dommage qu'il s'en aille maintenant. Mais ce n'est pas un ballot de linge sale, c'est à lui de décider, pas à nous.

Il ouvrit sa portière et sortit au moment où Stéphane arrivait à la voiture.

— Il paraît que tu t'incrustes ? lui lança Barth d'un ton neutre.

— Si ça vous ennuie trop, je peux vous payer une pension !

Le soir était tombé et ils se distinguaient à peine, mais Stéphane entendit le rire de son oncle.

— Qu'il est con ! Allez, tu peux rester si tu me jures d'appeler ta grand-mère « mémé » !

Ce fut le moment que choisit Irène pour apparaître en haut des marches. Elle alluma les lanternes du porche puis s'écria, désignant le coupé de Barth :

— Ah, je vois qu'il n'a pas résisté, il t'a fait essayer son jouet, ma pauvre Agnès ! Un de ces jours, il faudra un tire-bouchon pour l'en sortir. Ces petites choses italiennes sont faites pour les jeunes gens et, à partir d'un certain âge, ça fait un peu… vieux beau, non ?

Barth passa devant elle sans la saluer, tout en marmonnant :

— J'ai encore quelques dossiers urgents à voir avant le dîner. Vous patienterez en prenant l'apéritif ? Je n'en ai que pour une heure ou deux…

La réponse d'Irène fut couverte par le bruit de la lourde porte d'entrée qu'il venait de claquer violemment. Une bouffée de colère la submergea. Il savait rendre coup pour coup et il connaissait toutes les manières de la contrarier. L'un des carreaux s'était fendu, elle le remarqua tout de suite.

— Eh bien, mes chéris, nous allons boire un peu de champagne pour nous consoler, dit-elle en souriant bravement.

En fait, il leur fallut trois bouteilles pour tromper l'attente qui se prolongea jusqu'à dix heures. Quand Barth fit savoir qu'il était prêt à passer à table, Renée somnolait, la tête dans ses bras croisés sur la table de la cuisine. Géraldine et Delphine décidèrent de la libérer et de se charger seules du service. Les délicats soufflés aux champignons, spécialité d'Irène, ne ressemblaient plus qu'à des galettes à force d'être réchauffés.

— Tout simplement exquis, déclara Barth en repoussant son assiette après la première bouchée.

Exaspérée, sa mère répliqua :

236

— Nous aurions dû manger sans toi !

— Charmant ! Est-ce que j'aurais eu droit à un sand-wich et une bière, debout dans la cuisine ?

Il la narguait, prêt à lui faire remarquer qu'il était chez lui puisqu'il entretenait entièrement le Carrouges. Elle ne s'aventura pas sur ce terrain, se bornant à prendre Agnès à témoin.

— Les hommes sont d'une susceptibilité…

Stéphane adressa un sourire entendu à sa mère, de l'autre côté de la table. Elle pensa qu'il s'était étonnamment bien intégré dans cette atmosphère. Les passes d'armes d'Irène et de Barth ne l'impressionnaient pas et il semblait avoir trouvé sa place dans le clan, même s'il était encore marginal. Durant les semaines de sa tournée en province, elle s'était pourtant torturée de questions. Croyant avoir agi en égoïste, elle s'était reproché d'avoir abandonné son fils aux mains des Beaulieu. L'appel de Barth l'avait angoissée, néanmoins elle avait accepté ses conditions, dévorée de culpabilité et se trai-tant de lâche. À présent le résultat était sous ses yeux, difficile à croire. Stéphane se plaisait là. Peut-être même s'y *amusait il*… Dans ce manoir prétentieux où l'argent s'affichait trop, parmi ces bourgeois affairistes et sans cœur dont Victor s'était tellement moqué, leur fils était comme un poisson dans l'eau !

Son regard glissa sur Franklin, puis sur Delphine et Laurent, s'arrêta sur Géraldine. Non, ce n'était pas eux. Ni Irène. Barth était le seul responsable et, si stupéfiant que ce soit, elle avait eu raison de lui faire confiance.

— Bonsoir tout le monde ! lança Clémence en péné-trant dans la salle à manger.

Il était presque minuit et la jeune fille se sentit obligée de justifier son absence.

237

— J'avais un dîner à Honfleur…

Passant derrière Stéphane, elle cueillit quelques grains de raisin dans son assiette, puis elle s'approcha d'Agnès.

— Si j'avais su que tu étais là, je l'aurais annulé, affirma-t-elle en l'embrassant.

Lorsqu'elle était enfant, sa tante la faisait rêver avec son métier d'actrice. Elle la bombarda aussitôt de questions sur sa tournée d'été et sur ses projets. Quelques minutes plus tard, Irène décida qu'il était temps pour elle d'aller se coucher. Delphine se mit à débarrasser, empilant la vaisselle sur la table roulante, et Laurent se leva pour l'aider.

Avec un soupir d'exaspération ostensible, Barth quitta son siège et fila vers la cuisine.

— Tu cherches quelque chose, mon chéri ? lui demanda Géraldine qui l'avait suivi.

— Oui, du café !

Contrariée, elle lui enleva la bouilloire des mains.

— Je m'en occupe… Je t'en porterai dans ton bureau. Ou dans ta chambre, si tu préfères ?

— Non, je reste là, j'attends.

Sa fatigue était visible, il avait les traits ravagés sous la lumière crue. Elle se sentit culpabilisée par ce dîner un peu bâclé et, bien au-delà, par la futilité de ses journées. Après avoir disposé une tasse et du sucre devant lui, elle lui effleura la nuque du bout des doigts mais il se recula. Vexée, elle retourna verser l'eau frémissante dans le filtre. Une odeur agréable se répandit instantanément.

— Tu devrais voir un médecin, Barth…, dit-elle sans le regarder.

Au moins elle l'aurait suggéré, même s'il n'en tenait aucun compte. Elle ne pouvait rien pour lui et cette impuissance était presque douloureuse.

— Oh, que ça sent bon ! claironna Clémence en entrant. Je peux en avoir aussi ?

Elle poussait la desserte qui heurta la barre de seuil dans un bruit de verres malmenés. D'autorité, elle vint s'asseoir près de son oncle sur le banc.

— J'ai laissé Steph avec sa mère, ils ont bien mérité un petit tête-à-tête ! Savez-vous qui m'avait invitée à dîner ce soir ?

Barth lui jeta un bref regard indifférent tout en demandant :

— Pourquoi tiens-tu à nous le dire ?

Elle éclata de rire et le prit par le cou pour lui déposer un baiser sur la joue.

— J'adore ta façon de riposter ! Tu comprends tout au quart de tour.

Géraldine les observait, appuyée à l'évier, enviant la simplicité de leur nièce. Son naturel désarmant parvenait à amadouer Barth.

— Nicolas Pertuis. Ton directeur du routage.

Cette fois il se tourna vers elle, esquissa un sourire qui n'avait rien de bienveillant.

— Vraiment ? Mais dis-moi, ma chérie, pourquoi crois-tu donc que ta mère aime tant te savoir de l'autre côté de l'Atlantique ?

Clémence voyait très bien où il voulait en venir mais elle n'eut pas le temps de trouver la parade et il conclut, narquois :

— Pour t'éviter de faire les mêmes conneries qu'elle !

— Je n'ai pas dit que j'allais l'épouser ! répliqua-t-elle d'une voix sifflante.

— C'est exactement ce que Delphine prétendait quand elle a commencé à sortir avec Laurent.

Il n'avait pas le droit de parler de ses parents avec autant de mépris et elle se révolta aussitôt.

— Arrête de juger les gens, de rabaisser tout le monde ! Pour qui te prends-tu ? Pourquoi es-tu tellement aigri ? Parce que papa et maman s'aiment encore ?

C'était trop tard pour regretter mais elle fut navrée à cause de Géraldine. Sa colère tomba aussi vite qu'elle était venue.

— Désolée, murmura-t-elle en se levant.

Même si le dîner avec Nicolas avait été agréable, il ne valait pas une querelle familiale supplémentaire. Tandis qu'elle hésitait, mal à l'aise, Barth laissa tomber, d'un ton morne :

— Quand tu te contentais de te taper ton cousin en douce, tu étais moins irascible…

Saisie, elle connut un instant de panique. Le fait qu'il sache exactement ce qui se passait derrière les portes fermées du Carrouges n'avait rien d'étonnant en soi ; il était un excellent observateur, elle l'avait mille fois constaté. Mais qu'il le dise, qu'il s'en serve comme moyen de pression ou de chantage était beaucoup plus inquiétant. Jusque-là, il l'avait toujours épargnée. Elle était sa nièce, la seule à mettre un peu de jeunesse dans la famille, et il s'était toujours montré bienveillant avec elle, affectueux ou drôle. Désormais il la traiterait en adulte, elle venait de le comprendre, et il n'hésiterait pas à utiliser contre elle les armes de son choix. À ce jeu-là, elle ne serait pas de taille.

— Barth, murmura Géraldine, s'il te plaît…

Courageuse, elle tentait de s'interposer ; Clémence pensa crûment que sa tante n'avait pas grand-chose à perdre en prenant sa défense. Son mari l'ignorait, elle n'avait même pas capté son attention et il remuait tranquillement son café en faisant tinter sa cuillère contre la porcelaine.

— Tu es odieux, je te déteste, souffla Clémence avec la sensation d'être ridicule.

— Tu imagines bien que je n'en suis pas à ça près, ma petite !

Indiscutablement, il souriait. Aucune haine ne pouvait plus l'atteindre, Irène l'avait vacciné. Après avoir reposé sa tasse, il leva les yeux vers Clémence qui n'arrivait pas à bouger et il l'enveloppa de son étrange regard. Malgré toute sa volonté tendue, elle se sentit blessée car il était en train de la rejeter, comme les autres, la noyant dans le reste d'une famille qu'il dédaignait depuis longtemps.

— Il n'y a pas de fatalité, ma pauvre ! Tu n'es pas obligée de répéter le schéma, comme la dernière des idiotes. Ça n'absout personne, j'aurais cru que tu le savais. Trouve-toi donc un Yankee et tire-toi d'ici pour de bon.

C'était peut-être le meilleur conseil qu'il puisse lui donner, malgré tout. Elle fit volte-face et quitta la cuisine en courant, exaspérée de ne pouvoir retenir les larmes de rage qui coulaient sur ses joues.

La visite inattendue de sa mère avait profondément ému Stéphane. C'était la première fois qu'il la voyait comme une femme seule, fragile, vulnérable. Un jour peut-être, il serait en mesure de l'aider, à condition qu'il poursuive ce qu'il avait commencé, c'est-à-dire un profond travail sur lui-même dont il tirait à présent une réelle fierté.

Les mille et une petites victoires qu'il avait accumulées durant tout l'été l'avaient transformé. L'amitié de Simon et la sensualité de Clémence, les bois du Carrouges et même l'odeur de l'encre à La Roque lui avaient procuré le courage nécessaire pour se libérer de ses démons. La dureté de Barth, dont il avait espéré au début qu'elle serait pour lui une planche de salut, lui était apparue comme intolérable lorsqu'il s'était retrouvé interné. Il avait haï son oncle, l'avait maudit, et pourtant il était resté, ne parvenant pas tout à fait à le considérer comme son bourreau. Aujourd'hui, après l'incroyable confidence de Simon, il comprenait pourquoi. Barth était victime de sa famille depuis longtemps et sa propre femme, censée l'aimer à la folie, l'avait trahi sans scrupule.

Stéphane éprouvait un violent dégoût pour sa grand-mère. Agnès ne l'avait pas préparé à l'idée qu'une femme puisse détester son enfant. Comment Irène parvenait-elle à s'endormir le soir ou à se regarder dans une glace ? En privant délibérément son fils aîné de descendance, elle l'avait condamné au malheur de façon irréparable, sans en éprouver aucun remords. Après Barth, les imprimeries Beaulieu allaient tomber en d'autres mains, elle s'en moquait. La dynastie pouvait bien s'arrêter là, c'était le cadet de ses soucis. En prenant Stéphane au Carrouges elle n'avait pas fait un geste pour son petit-fils mais seulement un geste contre son fils. C'était révoltant.

Heureusement, à La Roque, les grands hangars étaient devenus le territoire de Stéphane. Les presses le fascinaient de plus en plus, particulièrement la plus récente des trois Cameron. Par son gigantisme, cette machine le captivait et il tournait autour à longueur de journée pour la comprendre. À partir de l'énorme bobine de papier, il refaisait cent fois le parcours, passant sous les cylindres et grimpant sur les passe-relles, forçant ses yeux à suivre l'infernale cadence, respirant avec délices une atmosphère à mi-chemin entre une scierie et le fond d'un encrier d'écolier.

Cameron. Le nom seul le charmait et il le répétait entre ses lèvres. Le bruit strident ne le gênait pas et la plupart du temps il n'utilisait aucune protection pour ses oreilles. Sans le savoir, il reproduisait les attitudes de son oncle mais, dès qu'il le voyait arriver dans un hangar, il cédait sa place d'instinct et disparaissait. La vieille Cameron l'attendrissait parce qu'elle avait été révolutionnaire en son temps. Barth l'avait imposée au groupe bien des années plus tôt, avec autant d'appré-hension que de fierté, accomplissant le premier pas d'une véritable révolution industrielle. Aujourd'hui elle était presque archaïque au vu des prouesses de ses grandes sœurs, mais elle continuait vaillamment de cracher ses milliers de livres chaque heure.

Stéphane observait inlassablement l'implacable routine des différentes opérations mécaniques. Il pouvait rester des heures posté devant les pinces qui saisissaient brusquement les couvertures des livres pour les replier autour des cahiers, ou penché au-dessus des massicots qui rognaient sans risque d'erreur, ou encore au bout du tapis roulant, là où les volumes s'empilaient invariable-ment par dix comme des soldats bien disciplinés.

Quand il était fatigué de regarder et de compter, il finissait toujours par pêcher un roman, dans le bac à rebuts, et lisait quelques phrases au hasard, se demandant avec angoisse combien il faudrait d'écrivains et d'histoires pour continuer d'alimenter l'ogre Cameron dans l'avenir.

Bienveillant, George ne le surveillait que de loin et ne lui imposait rien de particulier. Barth n'avait pas donné d'ordres précis concernant le jeune homme, ce qui signifiait qu'il le laissait libre de se passionner pour l'imprimerie ou, à l'inverse, de s'en désintéresser. Mais, contrairement à ce que Stéphane pouvait supposer, chaque fois que Barth apparaissait dans un hangar de La Roque, il savait exactement où se trouvait son neveu. Et il était très conscient de sa transformation, sans pour autant s'en réjouir encore. Qu'allait-il faire d'un garçon qui ne portait pas le nom de Beaulieu ? Comment pouvait-il s'en servir et qu'avait-il à lui offrir en contrepartie ? Est-ce qu'à travers le fils de Victor une continuité était envisageable ? Souhaitable ?

Plutôt que répondre à ces questions, Barth les reléguait. Il avait d'autres urgences, il était écrasé de travail et de soucis, mais surtout il luttait pour ne pas penser, jour et nuit, à certaine jeune femme qu'il avait eu le tort de revoir.

Agenouillée sur le tapis de bain, Nicky séchait vigoureusement le petit corps dodu de Guillaume.

— Te voilà tout propre, mon joli prince…

Il se mit à rire, cachant son visage dans la serviette-éponge, tandis qu'elle lui enfilait un pyjama.

— Bernadette va te faire dîner, viens !

Son fils la remplissait de joie et d'orgueil. Elle s'émerveillait chaque jour d'avoir eu le courage de le garder. Même au plus fort de son désespoir, même lorsqu'il n'était encore qu'une ombre de vie en elle, jamais elle n'avait envisagé de le sacrifier. Renié par son père avant sa naissance, il avait encore plus qu'un autre le droit au bonheur.

De mois en mois, la couleur de ses yeux n'avait pas varié. Sombres, presque noirs, à peine pailletés, ils étaient comme un ciel étoilé. Exactement le regard de Barth. Une particularité si rare qu'elle constituait une véritable preuve. Mais Nicky avait abandonné ses rêves de vengeance ; elle ne voulait pas faire de son fils l'instrument d'un quelconque châtiment. Parce qu'il était à elle, rien qu'à elle.

Elle l'embrassa sur chaque joue, l'installa sur sa chaise haute et le confia à Bernadette avant de descendre. Le cahier de réservations était plein et la soirée s'annonçait rude. Louis était en cuisine depuis deux heures déjà.

Une main sur la rampe, elle s'arrêta au milieu de l'escalier. Louis... Il l'inquiétait. Depuis la visite de Barth, il était devenu plus ombrageux, comme s'il avait épuisé ses réserves de patience. Qu'elle ait pu trinquer avec cet homme l'avait scandalisé. Il ne comprenait même pas qu'elle l'ait laissé franchir le seuil du Bathyscaphe.

Comme il avait su respecter son chagrin, à une époque, comme il l'avait soutenue pendant qu'elle attendait Guillaume et même après sa naissance, elle avait cru à un renoncement de sa part, et aussi à une réelle amitié. C'était stupide, bien entendu, et il avait fini par avouer de façon piteuse qu'il était amoureux d'elle. Ce qui allait beaucoup compliquer leurs rapports désormais. Car si elle souhaitait de toutes ses forces oublier Barth, elle ne parvenait pas pour autant à imaginer que Louis puisse jamais le remplacer.

Aux questions qu'il lui posait quotidiennement, elle n'avait pas grand-chose à répondre. Non, elle ne comptait pas rester seule toute sa vie. Oui, Guillaume allait avoir besoin d'un père. Et elle n'assimilait pas tous les hommes à Barthélemy Beaulieu.

Traversant la grande salle d'un pas alerte, elle vérifia machinalement que tout était en ordre sur les tables, puis elle poussa la porte battante et fut accueillie par un coup de sifflet admiratif.

— Très, très beau tailleur ! vociféra Louis au-dessus du bruit qui régnait toujours dans la cuisine.

Infailliblement, il remarquait les vêtements neufs, les changements de coiffure ou les essais de parfum.

— Viens goûter ça…

Il inaugurait une nouvelle recette mise au point la semaine précédente et surveillait sa casserole de sauce avec une attention aiguë.

— Un rien de paprika, peut-être…

Il fit tomber quelques gouttes de son mélange sur un toast coupé en triangle.

— Allez, dis-moi vite…

Sourcils froncés, il attendait son verdict avec impatience, comme un gamin, et elle envia son enthousiasme intact.

— C'est divin, apprécia-t-elle sincèrement. Une vraie merveille.

D'un geste spontané, imprévisible, il la prit par la taille et la serra contre lui. Elle eut beau tourner la tête aussitôt, il parvint à déposer un baiser léger au coin de ses lèvres avant de la lâcher. Leur mouvement avait été si rapide que le personnel n'avait sans doute rien remarqué, pourtant elle manifesta sa mauvaise humeur par un haussement d'épaules. Vexé, il interpella un apprenti qui massacrait des champignons en les brossant trop vigoureusement. Elle en profita pour quitter la cuisine et elle retrouva avec plaisir l'atmosphère silencieuse de la salle. D'ici peu, sa relation avec Louis allait devenir problématique, elle le savait. Et peut-être choisirait-il de partir, au bout du compte. S'il s'en allait, que deviendrait Le Bathyscaphe ?

« Et toi, qu'est-ce que tu feras, pauvre gourde ? Tu crois qu'on en rencontre beaucoup, des types comme lui ? Allez, ma vieille, il est temps de te décider… »

Mais elle n'en était pas vraiment convaincue. Elle avait trente ans et tout restait à construire. Autour d'elle, le décor luxueux du restaurant lui rappelait sa réussite professionnelle.

« Mais ce n'est pas tout à fait suffisant… »

Non. Inutile de se mentir, il lui manquait quelque chose. Ou plutôt quelqu'un. Et celui-là ne pouvait pas être Barth, il faudrait bien qu'elle se fasse une raison.

En entendant la porte s'ouvrir sur le premier couple de clients, elle se mit à sourire. Après tout, il suffisait qu'elle prenne une décision. Ensuite, elle s'y tiendrait, quoi qu'il arrive. Ce n'était pas plus compliqué que ça.

8

Pour parer à toute éventualité désagréable, Barth avait déposé une plainte contre X, sans en parler à Franklin, après avoir déclaré qu'on lui avait volé l'un des chéquiers de la société dans sa propre voiture. Et pour faire bonne mesure, il était allé jusqu'à forcer la serrure de sa portière lui-même, sur le conseil du commissaire de Pont-Audemer, un ami de longue date. Celui-ci s'était obligeamment renseigné sur Marc Louvois, jeune homme sans casier judiciaire, non scolarisé, et dont l'identité avait été contrôlée plusieurs fois dans des boîtes un peu louches. Il était domicilié chez son père, un brave artisan de Pont-L'Évêque.

Barth garda ces informations pour lui et, en accord avec le commissaire, décida de ne rien tenter. La banque avait refusé deux chèques modiques émis à Caen et provenant, l'un d'un magasin de musique, l'autre d'une boutique de mode. Tant pis pour les commerçants qui auraient dû exiger une pièce d'identité. De toute façon, jusqu'à une certaine somme, les assurances couvraient les frais.

Bien sûr, il était possible de donner une leçon à ce mineur trop déluré. Barth avait envisagé de réquisitionner Simon et Stéphane en vue d'une petite explication dans un coin sombre. L'idée l'avait amusé mais il avait fini par l'abandonner car cette vendetta risquait de se retourner un jour contre Franklin.

Bizarrement, depuis que son frère s'était confié à lui, Barth éprouvait une sorte de compassion et parvenait à s'apitoyer sur un sort dont il rendait Irène responsable. Pour résister à une mère comme elle, il fallait un caractère en acier trempé. Victor n'avait dû son salut qu'à la fuite mais Franklin végétait dans une existence contradictoire et sans joie. Jamais Barth ne s'était vraiment interrogé à son sujet. Comme il était assez libéral pour ne pas juger, les mœurs homosexuelles ne l'intéressaient pas, ne le dérangeaient pas. En revanche, qu'un petit gigolo glauque puisse s'amuser de Franklin le mettait très mal à l'aise. Se faire détrousser et tourner en ridicule, mériter cette appellation de « vieille tante » dont Barth l'avait taxé étourdiment, quelle pauvre vie ! Et tout ça sans amour, pour son plus grand malheur, comme il l'avouait lui-même.

N'ayant plus Fabienne pour confidente, puisqu'elle boudait ostensiblement, Barth ne pouvait parler de son frère à personne. Deux ou trois fois, il avait surpris le regard attristé de Delphine qui s'attardait sur Franklin mais il refusait l'idée même d'une conversation sérieuse avec elle. Delphine ne vivait que pour son mari et sa fille, c'était évident. Comme tout le monde au Carrouges, elle restait sur la défensive, occupée à se préserver elle-même – et Barth ne pouvait pas lui donner tort sur ce point précis –, ce qui la rendait inaccessible aux problèmes des autres.

Il s'étonnait lui-même d'accorder tant d'importance à sa famille alors que son travail ne lui laissait pas le moindre répit. Une conjoncture économique périlleuse l'obligeait à se mobiliser au sein du patronat tandis que La Roque continuait de lui fournir des motifs d'inquiétude. La suspension momentanée des investissements, qu'il avait décidée durant l'été, bouleversait tout son programme d'expansion.

L'automne arrivant, Simon lui avait proposé un dimanche une partie de chasse avec Stéphane et Clémence. Barth avait pris un grand plaisir à cette marche forcée au petit jour, dans des taillis parfois inextricables qui regorgeaient de gibier. Aucun malaise n'avait gâché sa matinée et il s'était senti très à l'aise, suivant sans peine la cadence des jeunes gens. Il en avait souri après coup, découvrant que, tant qu'il ne pensait pas à Nicky, il était en pleine forme. Pourtant c'est avec elle qu'il aurait voulu s'enfoncer dans la brume, c'est à elle qu'il aurait aimé montrer les bois du Carrouges. Au contraire de Simon, il n'était pas un solitaire dans l'âme et son isolement lui pesait de plus en plus. Le rôle de chef de famille, tel qu'il le vivait à la tête du clan Beaulieu, ne lui inspirait que du dégoût. Et, avec Nicky, il était passé trop près du bonheur pour jamais pouvoir s'en consoler.

Durant ces quelques heures de traque, Clémence s'était arrangée pour rester loin devant les trois hommes. Silencieuse, avisée, elle connaissait bien les lois de la chasse et savait rabattre le gibier puis s'écarter de la ligne de tir. Elle avait ainsi servi royalement un lièvre à son oncle qui l'avait laissé filer, le trouvant « trop jeune ». En fait, il ne voulait pas tirer. Autant il appréciait la promenade, autant il répugnait à tuer, et Simon avait ri à gorge déployée de la piètre excuse. Lorsqu'ils étaient rentrés, à l'heure du déjeuner, ils avaient pique-niqué tous les quatre dans la maison du gardien, heureux comme des gamins. Clémence semblait oublier qu'elle en voulait à Barth, et celui-ci n'avait pas songé une seule seconde à ses imprimeries. Stéphane s'était mis à raconter des histoires drôles sur son ancien lycée parisien pendant que Simon sortait de ses réserves une saucisse sèche dure comme un caillou.

Ce fut pour eux une journée mémorable, et chacun des participants n'allait pas tarder à s'en souvenir avec infiniment de nostalgie.

Autour de l'immense table de réunion, les membres du conseil d'administration se sentaient crispés. Barth était d'une humeur massacrante. D'abord parce que Fabienne ne lui avait pas dit bonjour en arrivant et conservait depuis un air buté, ensuite parce que Irène, au lieu d'envoyer un pouvoir, comme à l'accoutumée, avait soudain fait irruption à Pont-Audemer.

Pianotant rageusement sur sa boîte de petits cigares, Barth avait écouté l'ordre du jour et le compte rendu d'activité tout en regardant par la fenêtre. Lorsqu'il s'intéressa enfin à sa mère, il constata avec plaisir qu'elle s'ennuyait ferme. Sa sœur, au contraire, gardait une attention soutenue. Quand il prit la parole, il s'exprima dans les termes les plus obscurs possibles, usant d'un jargon d'économiste qu'en principe il laissait à d'autres. L'une de ses grandes forces, en tant que président-directeur général, était de naviguer comme un poisson dans l'eau dès qu'il était question de droit, de gestion ou de finance. Il ne se laissait jamais distancer par ses avocats ou ses conseillers, exigeant des explications claires et détaillées pour pouvoir trouver la faille dans laquelle il se glissait aussitôt avec délices. La complexité de la législation sur les sociétés lui semblait aussi ludique qu'une partie d'échecs et il avait délibérément embrouillé ses affaires pour mieux en garder le contrôle.

— ... ce qui nous conduit aujourd'hui à un attentisme pénalisant, conclut-il avec un petit sourire résigné.

La pensée de son père l'effleura, une seconde, et il se demanda si Octave l'approuvait, de l'au-delà. C'est ensemble qu'ils avaient œuvré pour les imprimeries Beaulieu, avec une rare efficacité. D'abord surpris par les initiatives de son fils aîné, Octave avait fini par lui faire entièrement confiance. À tel point qu'il l'avait mis à l'abri du reste de la famille en lui offrant, dans le plus grand secret, tout un paquet d'actions au porteur. Durant ses derniers instants, alors que le cancer l'avait déjà ravagé, il était allé jusqu'à conseiller à Barth de se méfier de sa mère. Une recommandation très superflue.

« Bonne pondeuse mais vipère », avait-il précisé avec ce langage cru que lui donnaient soudain la souffrance et la maladie.

— Monsieur le président, nous procédons au vote ?

C'était une simple formalité mais Fabienne leva la main et déclara qu'elle n'avait pas *tout* compris. Déconcerté, Barth la regarda en se demandant la raison de cette intervention incongrue.

— Reprenez pour madame, en simplifiant au maximum, dit-il au secrétaire délégué.

Il n'avait pas pu s'en empêcher. Si elle voulait la guerre, elle allait l'avoir. Autour de la table, l'atmosphère s'était sensiblement tendue. Irène arborait un petit air ironique et Delphine gardait les yeux baissés.

Était-il possible que ce soient elles deux qui aient chargé Fabienne de se dresser contre lui ? C'était une petite révolution de palais bien inutile et il s'offrit un large sourire en s'appuyant au dossier de son fauteuil. Le conseil d'administration pouvait durer jusqu'à la nuit, il s'en moquait, il n'avait jamais faim.

La matinée avait été exécrable pour Gabriel. D'abord les chiffres de vente de la semaine précédente accusaient une baisse très désagréable, or c'était la première fois en deux ans que le quotidien était boudé par ses lecteurs. Même en rendant responsable une conjoncture économique difficile, le nombre d'invendus restait inexplicable. Fabienne n'allait pas se priver de commentaires acides. Elle l'avait souvent mis en garde contre ses prises de position trop radicales. La politique n'était pas la vocation de son journal qui, tout au contraire, devait fédérer ses abonnés autour d'une région et non d'un quelconque parti.

Puis l'imprimeur aux tarifs si alléchants, que Gabriel avait triomphalement imposé, venait de connaître un problème de rotative et n'avait pas été en mesure de fournir la première édition du matin. Une vraie catastrophe. Et comme si cela ne suffisait pas, la contre-expertise des eaux de la rivière longeant l'usine de La Roque s'avérait négative, détruisant la brillante argumentation de Gabriel. En conséquence, les avocats du groupe Beaulieu n'allaient pas manquer d'exiger la publication d'un démenti.

Lorsqu'il regagna l'appartement de Fabienne, en fin d'après-midi, il était fatigué, démoralisé, et il s'écroula devant la télévision. Durant plus d'une heure il passa d'une chaîne à l'autre pour écouter les informations tout en prenant des notes, jusqu'à ce que la porte d'entrée, violemment claquée, le fasse sursauter. Au seul martèlement de ses talons sur le parquet, il sut que Fabienne était de très mauvaise humeur.

— Tu aurais pu préparer le dîner ! lança-t-elle en guise de bonjour.

Elle jeta son sac sur le canapé et resta plantée devant l'écran jusqu'à ce qu'il éteigne.

— J'ai passé toute la journée à Pont-Audemer, c'était très instructif ! La manière dont Barth manipule le conseil d'administration est assez édifiante.

Il constata que, pour une fois, elle n'était pas en extase devant son grand frère.

— C'est un requin, tu le sais bien… Mais, généralement, tu lui trouves des excuses…

Toujours debout, elle le considérait d'un drôle d'air et il se sentit mal à l'aise.

— Tu nous fais chauffer quelque chose ? demanda-t-elle d'un ton neutre.

Sans doute valait-il mieux ne pas la contrarier ce soir, même s'il avait horreur de son autoritarisme. Au moins autant que de toutes les tâches domestiques auxquelles il essayait toujours d'échapper.

— Je suis crevé, plaida-t-il.

— De quoi ?

— On a eu des tas d'ennuis au journal…

— Je suis au courant, j'en viens.

Cherchant en hâte une parade, il tendit les bras vers elle.

— Et si tu t'asseyais une seconde près de moi ?

Elle hésita un peu puis finit par le rejoindre et il l'attira contre lui, l'embrassa, glissa ses mains sous son chemisier.

— Détends-toi, laisse-toi aller, mon amour… On parlera affaires plus tard…

Pour le moment il n'avait pas vraiment envie d'elle mais il s'appliquait à la caresser avec douceur pour qu'elle se taise. Il n'avait jamais éprouvé que des sentiments assez tièdes à son égard, cependant il avait bien tenu son rôle jusque-là. Leur liaison lui apportait tant d'avantages qu'il évitait de se poser des questions sur l'avenir. Et, prudemment, il s'était abstenu de la tromper, restant indifférent aux petites secrétaires du journal lorsqu'elles lui faisaient du charme. Fabienne était encore très séduisante et il ressentait un certain orgueil à être son amant.

— Ne bouge pas, chuchota-t-il.

Allongée sur le canapé, la tête sur les genoux de Gabriel, elle avait l'air de s'abandonner et il décida d'en profiter. Peut-être finirait-il par trouver ses faiblesses. Il suffisait qu'il soit attentif au lieu de ne penser qu'à son propre plaisir. S'il parvenait à la rendre dépendante de lui, folle amoureuse, leur relation pourrait évoluer de manière très satisfaisante.

— J'ai vraiment faim, dit-elle en se redressant brusquement. Je vais me préparer un sandwich.

Incrédule, il la regarda s'éloigner vers la porte. Non seulement elle le repoussait mais elle ne s'occuperait décidément pas du repas ! Et il avait horreur de manger froid. Quelle mouche la piquait ?

Elle cria quelque chose, depuis la cuisine, qu'il ne comprit pas.

Barth ne dormait pas mais il se refusait à prendre un somnifère. Pour en avoir trop subi, les insomnies le terrorisaient. Une douzaine de petits cigares, deux ou trois verres de whisky, des kilomètres parcourus entre le lit et les fenêtres, et enfin une heure d'un sommeil lourd avant l'aube, voilà ce qui l'attendait si jamais il allumait.

Il s'obligea à respirer régulièrement, les yeux fermés, s'efforçant de détendre les muscles de sa nuque et de ses épaules. Géraldine avait raison, il menait une vie absurde de sédentaire et il allait le payer tôt ou tard. Cinquante ans, le mauvais âge, toute la famille le lui avait répété à plaisir.

La famille ! Ce boulet dont il n'avait pas su se défaire à temps, cette entité dévorante qu'il n'avait pas vaincue.

« Qu'est-ce que tu fous là, mon pauvre vieux ? C'est normal d'être insomniaque… »

Résigné, il tendit la main et alluma la petite lampe bouillotte de la table de chevet. S'obstiner à rester dans le noir ne l'aiderait plus. Il enfila sa robe de chambre et fut un peu rasséréné par le contact de la soie sur sa peau. Au moins une chose agréable.

« Des vêtements et des voitures de sport ! C'est avec ça que tu te fais plaisir… »

Mais si seul ou découragé qu'il soit, il n'irait pas frapper chez Géraldine !

« Elle serait pourtant contente que tu la réveilles… »

Non, tout de même, il la respectait assez pour ne pas la traiter à ce point en objet. Après tout, il ne lui avait offert qu'une existence vaine, creuse, qu'elle supportait sans se plaindre. Et elle trouvait le moyen de l'aimer encore, il le savait.

Par habitude, il alla ouvrir l'une des fenêtres et fut surpris par la fraîcheur de la nuit. Il n'y avait rien à voir dans le parc obscur, ni à écouter, mais il tenta de percevoir l'odeur d'herbe coupée car Simon avait tondu la pelouse en fin d'après-midi. Il manœuvrait le tracteur avec une habileté consommée, venant au ras des plates-bandes sans jamais y laisser une trace de pneu.

« Brave Simon… Emmène-moi encore à la chasse, au moins je suis tranquille dans les bois… »

Fuir les affaires, les soucis, sa mère, il le pouvait toujours. Mais pas cette immense frustration, ce vide frileux que Nicky avait creusé. Presque immédiatement il eut une boule dans la gorge et sentit ses yeux le brûler.

« Les autres ont raison, la dépression n'est pas loin ! »

S'il devenait hypersensible, c'était catastrophique. Ça signifiait que les deux années écoulées, au lieu de le guérir, l'avaient conduit à l'effondrement.

« Bon, je vais aller voir un toubib… Il faut que je me reprenne en main… »

Mais il ne s'imaginait pas racontant ses déboires sentimentaux à un médecin. Il n'avait pas envie de se couvrir de ridicule et, de toute façon, la potion magique n'existait pas. Tournant le dos à la fenêtre, il examina sa chambre d'un œil critique. Cette vaste pièce ronde l'avait charmé autrefois. Il en avait pris possession, à douze ans, avec un immense sentiment de liberté, enfin débarrassé de Franklin et de Victor grâce à son père. Pour son vingtième anniversaire, la décoration avait été refaite, et à nouveau changée à l'occasion de son mariage avec Géraldine. Depuis, rien n'avait été modifié. C'était toujours la même toile gris perle et bleu lavande sur les murs, les mêmes boiseries courbes et la même porte admirablement cintrée, le même mobilier anglais. Il s'était seulement débarrassé, au fil du temps, des bibelots superflus, et il travaillait plus volontiers sur le secrétaire chippendale de sa chambre que dans le bureau du rez-de-chaussée.

« Est-ce que je vais mourir ici ? Est-ce que je verrai ça jusqu'à la fin de ma vie ? »

C'était une idée asphyxiante, désespérante. À quoi servait donc la réussite si c'était pour se retrouver comme un écureuil en cage ? Incapable de rester immobile une seconde de plus, il traversa la pièce, franchit le dressing-room et émergea sur le palier, essoufflé. Pieds nus, il dégringola l'escalier de la tour avant de s'immobiliser sur la dernière marche, surpris par la lumière du hall. Des rires provenaient de la salle de billard et il vit Franklin, à moitié allongé sur le tapis vert, qui ajustait son coup.

— Admirable effet rétrograde ! lui lança-t-il en entrant.

Son frère leva la tête, sourit, et désigna Stéphane qui attendait son tour.

J'ai du mal à le battre, tu te rends compte ?

— Vous vous entraînez toutes les nuits ?

— Mon père a été un bon professeur, dit Stéphane gaiement.

L'image de Victor s'imposa aussitôt et Barth éprouva quelque chose qui ressemblait à de la tristesse. Combien de parties nocturnes avait-il disputées ici même avec ses frères ? Il alla s'asseoir dans l'un des fauteuils club et réclama à boire. Franklin vint lui porter un whisky noyé d'eau gazeuse tandis que Stéphane frappait sa boule.

— C'est la pleine lune ou quoi ? Personne ne dort ?

Le regard de son frère le transperçait et Barth se sentit mal à l'aise.

— Va jouer, ne t'occupe pas de moi…

Franklin aurait peut-être été mieux couché près d'un éphèbe, dans son studio de Deauville, et Stéphane dans les bras de Clémence. Pas plus que Barth, ils n'étaient là où ils le souhaitaient, sans doute.

« Comme tous les habitants de cette foutue baraque qui porte malheur… »

La soie de la robe de chambre était devenue froide et Barth frissonna. Fuir le Carrouges ne l'avancerait à rien. Pour aller où, d'ailleurs, et avec qui ? Recommencer quelque chose en compagnie de la pauvre Géraldine n'était même pas envisageable.

— Mais qu'est-ce que vous faites là ?

Le visage sévère, Irène avait surgi et les considérait tour à tour avec une réprobation qui mit Barth hors de lui.

— Est-ce que nous avons vraiment besoin de la permission de minuit ?

Sa voix mordante la fit reculer d'un pas et elle eut un sourire crispé.

— Bien sûr que non. Mais vous savez à quel point j'ai le sommeil léger, moi qui dors en bas…

Toujours cette même façon de les culpabiliser, sous-entendant qu'elle s'était sacrifiée en s'installant au rez-de-chaussée alors qu'elle avait délibérément fui le premier étage pour être le plus loin possible de ses enfants.

— Vous avez imaginé un cambrioleur, un satyre ?

L'air goguenard de son fils aîné l'exaspéra autant que l'insolence de l'allusion. Elle le toisa et déclara, avec une fausse bienveillance :

— Tu vas prendre froid. Tu serais mieux dans ton lit à te reposer. Tu as une tête à faire peur.

— Je n'ai plus cinq ans ! hurla-t-il en projetant son verre contre le mur.

Le bruit du cristal se fracassant fut suivi d'un silence contraint. Incrédule, Irène regardait les éclats dispersés sur le parquet au milieu d'une flaque. Stéphane fut le premier à bouger. Il s'agenouilla pour ramasser les débris qu'il empila dans un cendrier. Puis il alla poser le tout sur le bar d'acajou qui occupait un angle de la pièce, et il resservit tranquillement un whisky qu'il vint porter à son oncle.

Du bout des doigts, Franklin faisait rouler les boules sur le feutre vert du billard. Irène s'était appuyée d'une main au chambranle et avait posé l'autre sur son cœur, dans une attitude théâtrale que personne ne semblait relever.

— Quelle brutalité, souffla-t-elle. Ah, tu ne doutes de rien…

Mais elle n'osait en dire davantage. Elle sentait qu'elle n'avait aucun secours à attendre de Franklin ni de Stéphane, ce qu'elle jugeait très injuste. Elle aurait voulu faire remarquer qu'elle était chez elle, qu'il n'avait pas le droit de s'y comporter de la sorte, et aussi qu'elle n'avait pas peur de lui. Seulement c'était faux. D'une part elle le craignait, d'autre part elle ne pouvait s'en prendre qu'à elle-même s'il était mal élevé. Toute la journée, dans cet affreux conseil d'administration auquel elle ne comprenait rien, il avait affiché la même arrogance. Il devenait impossible, incontrôlable, et il ne fallait pas compter sur Géraldine pour le remettre dans le droit chemin. Elle était la seule à pouvoir tenter quelque chose contre lui, pourtant elle n'en trouvait pas la force. Il était toujours assis, ses yeux sombres vrillés sur elle, et elle ne sut rien faire d'autre que lui tourner le dos pour quitter la pièce.

Le claquement sec de ses mules résonna sur le carrelage du hall avant d'être étouffé par la moquette du couloir. Barth croisa ses jambes par-dessus l'accoudoir du fauteuil club et ramena les pans de sa robe de chambre.

— J'en ai marre de cette emmerdeuse ! dit-il d'une voix forte.

Levant son verre dans la direction de Stéphane, il lui adressa un clin d'œil.

— Alors, ça te plaît toujours, les joies de la famille ?

— Je m'y fais, répondit son neveu sans manifester d'émotion particulière.

— Formidable ! Eh bien, j'en profite pour t'annoncer que ta période d'essai est terminée.

Un peu inquiet, Franklin abandonna les boules d'ivoire pour observer son frère. Il était prêt à défendre le gamin mais Barth paraissait s'amuser, ayant retrouvé son sang-froid.

— Est-ce qu'un vrai travail te plairait ?

— Dites-moi d'abord en quoi ça consiste…

— Exigeant, avec ça ! Méfiant ! Non, rassure-toi, je parle d'un boulot sérieux. Et des responsabilités qui vont avec. Quelque chose me dit que je vais avoir besoin d'aide pour tenir tête à certains actionnaires…

Franklin retint de justesse le sourire qui lui montait aux lèvres. Barth n'était décidément jamais à court d'idées. À aucun moment il n'avait laissé deux membres du clan s'allier contre lui, manipulant avec une habileté diabolique ses partisans ou ses ennemis. Et avant qu'Irène et Fabienne ne fassent cause commune, il s'empressait d'ajouter un joker dans son jeu.

— J'aimerais rester à La Roque, déclara Stéphane avec un air de parfaite innocence.

— D'une certaine manière, oui. Tu vas me servir de coordinateur entre les différentes unités, mais c'est à La Roque que tu me seras le plus utile. George part à la retraite dans deux ans. Tu seras encore un peu vert mais qui sait ? Prouve-moi que tu peux le faire d'ici là, mais, pour l'instant…

Brusquement il quitta son fauteuil et se mit à arpenter la pièce, toujours pieds nus.

— J'ai besoin de jeunesse, d'initiatives, de projets ! Je veux savoir ce qui se passe en Europe et ailleurs, à quelle sauce nous serons mangés si on ne prend pas les bons virages à temps. Tu comprends ?

Le discours était sincère et Franklin en fut surpris. L'accès de confiance dont Barth faisait preuve était exceptionnel. Que Stéphane en soit le bénéficiaire avait de quoi le stupéfier.

— Richard, Nicolas, ces hommes de moins de trente ans que j'ai engagés pour donner un sang neuf au groupe ne cherchent qu'à me plaire ! À me dire ce qu'ils croient que j'ai envie d'entendre, les cons ! Ce sont des petits vieux dans l'âme, des rentiers ! Personne ne me contre jamais, personne ne me surprend, je paie des rampants qui m'encensent et je dirige seul le navire. Mais j'ai cinquante ans, je suis pétri de traditions, je suis un fils de famille… ce qui ne fait pas de moi un patron d'avant-garde ! Et ça bouge si vite que j'ai du mal à suivre.

Passant devant Stéphane, il cessa net son va-et-vient et le dévisagea.

— Fais le chien fou loin devant, c'est ce que je t'offre. Est-ce que ça te convient ?

— Très bien. À quel titre ?

— Chargé de… prospection.

Le sourire de son neveu rassura Barth mieux que n'importe quelle promesse. Le gamin n'était pas éperdu de reconnaissance, il n'était pas effrayé, il n'était pas avide. Et surtout il ne sortait pas du moule Beaulieu.

— Affaire conclue ! Continuez votre partie, je vais me coucher, j'ai froid.

Il remonta l'escalier en sifflotant, content de lui, et regagna directement sa chambre de la tour. D'avoir jeté un verre à la tête de sa mère – même sans la viser vraiment – le réjouissait autant que d'avoir su dire à Stéphane ce qu'il attendait de lui.

« Est-ce que c'est un bâton de vieillesse que je veux ? Un peu d'oxygène ? J'en suis là ? »

Au moment où il ouvrait sa porte, un mouvement dans la galerie attira son attention. Géraldine venait vers lui, son peignoir blanc flottant autour d'elle.

— Il m'a semblé entendre du bruit, des voix… Tu es descendu voir ?

La lumière des veilleuses faisait briller ses cheveux bien brossés et elle dégageait une odeur de parfum. Il devina instantanément qu'elle avait dû l'attendre et le guetter, décidée à saisir l'occasion.

— Je peux entrer chez toi une minute ? J'ai eu si peur…, ajouta-t-elle.

S'il ne trouvait pas le moyen de l'éloigner, il allait être contraint de l'accueillir dans son lit et il n'en avait aucune envie. Elle devait être très malheureuse pour quémander un tête-à-tête avec autant de maladresse ; en

264

principe, leur comédie de l'amour s'arrêtait tacitement au seuil de leurs chambres.

— Tu dors la fenêtre ouverte ? remarqua-t-elle. C'est vrai que tu fumes...

Elle hésitait, intimidée, et choisit soudain d'aller se réfugier sous la couette. Abandonnant toute réserve, elle tendit alors les bras vers lui.

— Tu viens ? demanda-t-elle d'une toute petite voix.

Refuser aurait été tellement blessant qu'il n'en eut pas le courage. Il s'allongea, de mauvaise grâce, et elle éteignit avant qu'il ait pu saisir un journal ou un livre.

— Géraldine, murmura-t-il dans l'obscurité, dors ici si tu veux.

Jamais il n'avait usé d'un quelconque diminutif avec elle, ni de mots tendres. C'était sa femme, il avait de l'affection pour elle, mais à cette minute sa présence lui était insupportable. Pourtant il y aurait eu quelque chose de ridicule à la repousser. Il avait dix ans de plus qu'elle et il pensait qu'il n'avait rien d'un séducteur, rien qui justifie la constance de Géraldine. Pourquoi ne l'avait-elle pas quitté ? Par sens du devoir, respect de la parole donnée ?

Parfaitement immobile au bout du lit, elle se répétait la dernière phrase de Barth. Dormir. Si elle voulait, elle pouvait *dormir*. Chaque nuit elle espérait trouver la force d'accomplir ce qu'elle avait osé ce soir en forçant sa porte et il parlait de dormir ! Elle était couchée près d'un homme qui était son mari, qu'elle désirait par-dessus tout... et dont elle avait gâché la vie. Quelle absurdité ! Rien ne la délivrerait plus de sa culpabilité, jamais elle ne parviendrait à avoir une attitude naturelle avec lui. Ce qui jugulait chaque tentative de

265

rapprochement. Peut-être fallait-il avouer, se résigner à raconter de quelle façon Irène, le Dr Martin et elle-même… Non. Cette idée-là était encore plus angoissante. On ne peut pas dire à quelqu'un qu'on aime qu'on l'a détruit. Et Barth partirait, bien sûr. Or mieux valait le savoir à quelques mètres, même inaccessible, que de le perdre. Partager ce qui pouvait encore l'être, vieillir ensemble sur ce mensonge abominable.

Elle avança très lentement sa main sur le drap et finit par rencontrer la soie de la robe de chambre qu'il n'avait pas quittée. Elle n'osa pas aller plus loin mais elle eut la certitude qu'il était toujours éveillé.

Nicky piocha une autre prune dans le panier que portait Louis.

— Arrête ! protesta-t-il en riant.

Il comptait utiliser ces reines-claudes de Bavay, difficiles à trouver, dans une recette de tarte tiède à la cannelle. Il avait également déniché des pêches Fayette et des poires Bon-Chrétien pour ses sorbets.

— Tu crois vraiment que tu trouverais tout ça de l'autre côté de la Manche ? demanda-t-elle.

Sans lui laisser le temps de répondre, elle traversa pour aller jeter son noyau dans une poubelle. Il la suivit aussitôt, bien décidé à discuter pied à pied.

— C'est une occasion incroyable, unique, et tu le sais très bien ! En cinq ans, même pas, nous serons riches ! Et si la France te manque, rien ne nous empêchera de revenir.

— Cinq ans, rien que ça !

— Guillaume serait bilingue.

— Tu me vois accueillir des clients avec mon accent épouvantable ?

— Ton accent est délicieusement parisien. Tu feras fureur. Ce sera le restaurant le plus snob de Londres.

Ils avaient rejoint la voiture de Nicky et il mit son panier dans le coffre.

— Allons voir ce que les pêcheurs proposent ce matin, décida-t-il en la prenant par la main d'un geste naturel.

La vente à la criée, devant les petits chalutiers trouvillais, lui permettait parfois d'éviter la Halle du marché au poisson.

— L'aventure me tente, reprit-il d'une voix ferme. Pas toi ?

— Eh bien… Je n'ai pas de…

— Nicky ! C'est toi qui répètes qu'il faut bouger, oser, recommencer ! Tu ne comptes pas conserver Le Bathyscaphe jusqu'à ta retraite, non ? Tu n'es pas la mère Poulard ! Si tu vends maintenant, tu peux en tirer une fortune. Tu rembourses ton emprunt et il te reste un joli paquet, non ?

Ils longeaient le quai, face au petit vent frais qui s'était levé, et Louis, qui n'avait pas lâché la main de Nicky, continuait d'argumenter.

— Nous pourrions acheter cette affaire moitié-moitié, toi et moi. Parts égales et on s'investit à fond. Là-bas, les charges sociales sont à 10 %, pas à 48 comme ici !

— En somme, on délocalise ? dit-elle en riant.

Si elle plaisantait, c'était pour se laisser le temps de réfléchir. Louis la harcelait depuis l'avant-veille, où il était rentré tout excité de son mystérieux voyage. En fait, il avait profité de sa journée de repos pour filer en

Angleterre sans rien lui dire, et il était revenu emballé. Avec force détails, il lui avait décrit l'établissement qu'il avait visité, un restaurant très bien placé dans un quartier à la mode, mais qui avait périclité pendant six mois avant d'être mis en vente.

— Tout est en très bon état. Tu refais la décoration à ton goût et, même en espaçant beaucoup les tables, on peut traiter entre cinquante et soixante couverts. Si tu veux, je me chargerai de toutes les formalités administratives, d'ailleurs tellement plus simples que chez nous ! L'agent immobilier m'a affirmé qu'on trouverait une maison à louer dans le coin sans aucun problème.

Il continuait sur sa lancée, ayant déjà tout arrangé et tout prévu. Surtout les objections que Nicky ne manquerait pas de formuler. Mais il y avait deux mois qu'il cherchait, en secret, bien décidé à dénicher l'occasion qui la ferait craquer.

— J'en ai touché deux mots à Bernadette, elle serait d'accord pour venir avec nous…

Cette fois, Nicky s'arrêta de marcher et ôta sa main de celle de Louis.

— Attends, tu vas trop vite, il n'est pas question que…

— J'ai utilisé le conditionnel, Nick ! *Serait* d'accord, si tu le veux. Au cas où.

Le regard doré de la jeune femme semblait le scruter mais il le soutint jusqu'à ce qu'elle se mette à sourire. Quand elle arborait cette expression têtue, il la trouvait irrésistiblement attendrissante. Le vent soulevait ses boucles et elle avait remonté le col de son caban.

— Il n'y a aucun piège, dit-il lentement. Je ne cherche pas à te forcer la main. Pourtant je crois que c'est une vraie chance qui se présente et qu'il faut la saisir. Tu as toujours su que je ne voulais pas rester un employé. À nous deux, on peut faire fortune si on veut, et ça ne t'engage à rien en ce qui concerne ta vie privée. C'est juste une association que je te propose.

Sa sincérité serait son meilleur atout pour la convaincre, il en avait conscience. Il ne mentait donc pas, même s'il omettait de préciser certaines choses. Entre autres, qu'il souhaitait éloigner Nicky de Barth Beaulieu et qu'un océan lui paraissait une bonne distance.

— Je t'ai dit que j'allais y penser, rappela-t-elle. Et je ne peux pas réfléchir si tu parles tout le temps. Une association ? Pourquoi pas…

Rien ne la retenait à Deauville et cependant l'idée d'en partir lui déplaisait. Ici, elle pouvait se retourner sur tous les hommes grands et élégants qui lui évoquaient Barth, elle pouvait imaginer qu'un jour le père et le fils se croiseraient, que Barth rencontrerait enfin les yeux de Guillaume et s'y reconnaîtrait.

— À moins que tu ne veuilles rester pour continuer à te morfondre, dit-il brutalement, comme s'il l'avait devinée.

Il ne pouvait pas s'empêcher d'y revenir, malgré toutes ses résolutions. Il s'était juré de ne plus faire allusion à Barth, de ne plus la questionner stupidement, mais c'était plus fort que lui. Il aurait voulu pouvoir lui arracher ce type de la tête, la délivrer du souvenir cuisant d'un échec dont elle ne se remettait pas.

— Tu attends encore quelque chose ? demanda-t-il. Parce que si c'est ça, il faut que je le sache.

— Non, rien. Rien du tout…, dit-elle en se remettant à marcher.

269

Il la suivit, incapable de lui exprimer ce qu'il avait sur le cœur, la jalousie et la rage que Barth lui inspiraient, ou les sentiments violents qu'il éprouvait pour elle. Dieu sait qu'il avait été patient, qu'il avait su se raisonner depuis deux ans, mais il n'en pouvait plus.

— Je ne te comprends pas, marmonna-t-il derrière elle, j'aimerais que tu m'expliques ! C'est du masochisme ou quoi ? Si tu ne veux pas de moi, prends-en un autre, mais fais quelque chose ! Tu vas vivre dans le culte de ce connard encore longtemps ?

Elle fit volte-face si brusquement qu'il se retrouva contre elle.

— Assez ! Tu m'entends, Louis ? Assez. Je ne te demande pas ton avis, je ne te dois pas de comptes. D'accord ? D'ailleurs tu mélanges tout, c'est exaspérant. Barth et moi, toi et moi, Le Bathyscaphe et toi…

— Barth et toi, ça n'existe pas ! Ce n'est qu'un mec qui t'a plaquée dès qu'il a su que tu attendais un mouflet ! Tu n'as pas oublié, quand même ? Un homme de cinquante balais que l'idée du scandale a fait fuir comme un pet de lapin ! Ta grande histoire d'amour, c'est ça ! Alors tu peux faire une croix dessus sans états d'âme, merde !

La claque qu'elle lui asséna ne fit presque pas de bruit parce qu'elle portait des gants de laine. Des passants leur jetèrent un regard de curiosité et elle chuchota, désolée :

— Excuse-moi, c'est parti tout seul.

— Oui, ça aussi, répondit-il en la prenant par les épaules pour l'attirer contre lui.

Il lui effleura les lèvres, la serra très fort mais la relâcha presque aussitôt.

— Si on continue comme ça, il n'y aura plus de poisson…

Sa gentillesse était tellement émouvante que ce fut Nicky qui lui reprit la main.

— Tu as raison, viens.

Elle l'entraîna jusqu'au petit groupe de pêcheurs qui, effectivement, n'avait plus grand-chose à vendre. Tandis qu'il se penchait pour regarder les casiers, elle déclara d'une voix nette :

— Ton projet de Londres me tente, finalement.

La presse roulait sous les néons du hangar, éjectant régulièrement ses paquets de livres tout chauds. Stéphane observait le gigantesque rouleau de papier qui défilait à toute allure au-dessus de sa tête. Dans quelques semaines, c'est en Amérique qu'il verrait fonctionner la toute nouvelle Cameron, celle que guignait Barth.

Depuis que son oncle l'avait informé de ce voyage, Stéphane ne tenait plus en place. Il s'était fait prêter par Franklin des cassettes d'anglais qu'il écoutait chaque soir avant de s'endormir et il avait demandé à Clémence de ne plus lui parler en français. Elle riait aux éclats lorsqu'il cherchait ses mots mais elle faisait de son mieux pour lui inculquer un accent américain. Comme elle sortait souvent avec Nicolas, il avait été très surpris de la voir débarquer dans sa chambre, la nuit précédente. Sans explication, elle s'était déshabillée et glissée dans son lit. Ils avaient fait l'amour jusqu'à l'aube, en bons sportifs, et elle était repartie épuisée et souriante. Il avait bien essayé de la retenir en lui demandant si c'était Mike, Nicolas ou lui-même qu'elle préférait, ce qui lui avait valu un regard étrange, presque méchant. À défaut de la comprendre, il tenait à rester son ami et il s'était gardé d'insister.

— Il faut qu'on y aille, c'est l'heure ! cria George qui venait de surgir à côté de lui.

Ils s'éloignèrent de la presse et franchirent le lourd rideau de plastique qui les isola un peu du bruit.

— Alors c'est toi qui accompagnes le patron aux États-Unis le mois prochain ? Tu as de la veine ! Tu me raconteras.

George s'exprimait avec sa bienveillance habituelle, sans trace de rancœur. Depuis le temps qu'il surveillait Stéphane, il savait à quel point celui-ci s'était pris de passion pour l'imprimerie. En tout cas celle des livres. Et la décision de Barth ne l'étonnait pas.

— Qu'est-ce qu'on est censé faire, dans ces déjeuners du mardi ? lui demanda Stéphane en s'installant en voiture.

— Rien. Manger.

— On n'évoque pas les problèmes ?

— Quand on en a, oui. Mais il vaut mieux ne pas en avoir.

C'était la première fois que Stéphane était convié au sacro-saint repas hebdomadaire à Pont-Audemer, et George se demandait comment serait ressentie la présence du neveu de Barth par certains directeurs.

Stéphane n'était pas revenu à Pont-Audemer depuis un moment et il redécouvrit sans plaisir le bâtiment ultramoderne. Les drapeaux qui flottaient en haut de leurs mâts, de part et d'autre des grandes portes coulissantes, lui rappelèrent de quelle façon il avait été traité ici les premiers jours. Le souvenir de la blouse qu'il avait refusé de porter le fit quand même sourire tandis qu'il suivait George le long du couloir central. À leur entrée dans la salle à manger, il y eut des regards de curiosité et un fléchissement perceptible des conversations. Exceptionnellement, Barth était déjà là, verre en main devant la table qui servait de bar, encadré par Delphine et Franklin. Il adressa un clin d'œil amical à George puis éleva la voix pour présenter son neveu au groupe de gens qui les entourait.

— Stéphane Lambert-Beaulieu, le fils de notre frère Victor. Il est en stage chez nous, vous serez gentils de répondre à ses questions.

Ahuri, le jeune homme avala sa salive, cherchant désespérément quelque chose à dire. Il n'était pas impressionné de se retrouver le point de mire mais il n'en revenait pas du nom que Barth venait d'utiliser. Il s'appelait Lambert, comme sa mère, et il n'en avait pas honte. Delphine lui tendit un apéritif en lui souriant.

— Bienvenue au club ! souffla Laurent derrière lui.

Un peu crispé, Richard vint lui serrer la main, murmurant une phrase incompréhensible. Plus loin, Nicolas l'observait avec une animosité évidente, Clémence à son côté.

— On s'assied, viens en face de moi, dit Barth en le poussant vers une table. Laisse ta cousine roucouler en paix, c'est pour emmerder le monde qu'elle le fait. Ou pour plaire à son cher papa, qui sait ?

Comme Delphine avait entendu, elle jeta un regard furieux à son frère avant de gagner sa place. Les allusions de Barth étaient systématiquement odieuses mais elle n'était jamais parvenue à s'aguerrir.

— Pourquoi Lambert-Beaulieu ? demanda Stéphane à mi-voix.

— Tu observes et tu la fermes, lui répondit Barth.

Il n'avait pas l'intention de se justifier et pouvait redevenir désagréable, Stéphane le comprit avec une certaine satisfaction. La personnalité de Barth lui plaisait telle qu'elle était, brutale et sans concession, parce qu'elle le rassurait. Après tout, il avait quand même mis Lambert devant Beaulieu.

— Eh bien, on va pouvoir comparer nos misères ! déclarait Barth à son voisin de droite, un industriel du Havre.

Avec le vent de tempête qui soufflait sur le patronat, Barth était sans cesse sollicité par les chefs d'entreprise de la région. Sa façon nette d'exprimer les choses, sans s'embarrasser de politesse ni se retrancher derrière un jargon d'économiste, en faisait un porte-parole précieux.

— Vous n'avez pas mâché vos mots en ce qui concerne la loi-cadre !

— J'en ai marre de l'ingérence de l'État dans mes affaires, marre qu'on modifie les règles fiscales et sociales toutes les deux semaines, répliqua Barth qui, du bout de la fourchette, éparpillait la nourriture dans son assiette. Je ne veux pas de subvention, ça se paie trop cher par la suite, je ne veux pas être désigné comme l'ennemi public, je ne veux pas qu'on m'empêche d'accéder aux équipements technologiques en me pressant comme un citron pour me reprocher ensuite de ne plus être compétitif et de ne plus embaucher ! J'en ai surtout marre que personne ne le dise…

Ce n'était pas son voisin qu'il regardait en parlant mais son neveu. Il n'écouta que d'une oreille distraite la réponse de l'industriel. Il se demandait combien de temps il lui faudrait pour tout apprendre à Stéphane. La passion de l'imprimerie serait loin de suffire, même si c'était un bon moteur dans un premier temps. Mais comment faire, en quelques années, un requin de ce jeune homme ?

Il tourna la tête vers la table où Clémence et Nicolas avaient pris place. Les provocations de sa nièce le laissaient indifférent. Il ne comptait plus sur elle depuis longtemps. Elle ne cherchait qu'à se construire une vie affective, il en était très conscient. Les autres croyaient qu'elle se passionnait pour ses études, qu'elle allait faire une grande carrière, qu'un jour elle viendrait prendre la relève. Quelle absurdité ! Elle s'était contentée de fuir, sur les conseils de sa mère, et n'avait d'autre ambition que le bonheur.

« Et fuir quoi ? Tonton Barth, le grand méchant loup ! »

C'était un superbe marché de dupes mais il était le seul à en mesurer la portée exacte. Clémence s'était persuadée que jamais son oncle n'accepterait une femme pour la succession, or c'était faux. Si elle l'avait voulu, il lui aurait laissé sa chance. Delphine s'était imaginé qu'en éloignant sa fille du Carrouges elle la mettrait à l'abri. C'était d'autant plus stupide qu'elle ne lui avait pas laissé le temps de régler ses problèmes personnels, la condamnant ainsi à courir après l'image du père. Depuis, Clémence croquait avec entrain les amants comme autant de comprimés de vitamines, supposant que c'était le signe extérieur de la libération féminine. À moins que ce ne soit pour narguer Barth à qui elle vouait des sentiments pour le moins confus.

— ... retourner à la lutte des classes, disait le voisin de Barth qui ne s'apercevait pas de sa distraction.

Richard reprit la balle au bond, fier de prouver qu'il était à l'aise dans les conversations et qu'il pouvait voler au secours de son patron, ce que le malheureux

Stéphane ne saurait pas faire avant un bon moment. Barth le laissa discourir sans intervenir, toujours perdu dans ses pensées. Puis son regard se posa de nouveau sur Stéphane qui écoutait attentivement les propos échangés, oubliant de manger. George affirmait qu'il était *capable*. Un terme vague. Capable de ne pas se laisser écraser par l'empire Beaulieu ?

« J'ai eu les yeux plus gros que leurs ventres, à tous… », songea Barth avec amertume.

On servait le café et certains convives s'étaient levés pour aller bavarder avec d'autres. George vint l'informer qu'un auteur assisterait à l'impression de son livre à La Roque l'après-midi même, et qu'il n'avait jamais vu fonctionner une presse Cameron. Traditionnellement, l'imprimerie accueillait les écrivains avec plaisir.

— Tu t'en occuperas, dit Barth à Stéphane. Tu lui mets le premier exemplaire dans les mains et ensuite tu lui offres le champagne. N'oublie pas de convoquer un ou deux journalistes, ça les amuse toujours.

Il avait vu assez de romanciers célèbres, de penseurs en vogue ou d'historiens chevronnés fondre d'émotion devant la fabrication de leurs œuvres pour comprendre l'importance de ces instants où l'objet échappe définitivement à son créateur.

— Et prends-en un pour Simon, il m'a dit qu'il n'avait plus rien à lire !

Déjà debout, Barth organisait mentalement son emploi du temps jusqu'au soir, répertoriant ses priorités. Franklin lui avait réclamé une entrevue mais il devait d'abord s'occuper d'un éditeur qu'il avait un peu négligé durant le repas. Sans oublier de se pencher sur le contrat de Nicolas Pertuis afin de déterminer les conditions possibles d'un licenciement. Car s'il tolérait les velléités de révolte des membres de la famille, il n'était pas prêt à pardonner celles de son personnel. Et un geste un peu trop familier de Nicolas envers Clémence, à la fin du déjeuner, lui avait profondément déplu.

— Il faut que je te parle, lui dit Delphine qu'il n'avait pas vue approcher.

La requête était assez rare pour paraître incongrue. Barth dévisagea sa sœur avec ennui.

— C'est important ?

— Très.

— À quel sujet ?

Persuadé qu'il s'agissait d'un problème personnel, il la toisait avec dédain, prêt à la rembarrer.

— C'est… Le groupe. Toi.

Surpris, il lui accorda une véritable attention.

— Moi ?

Brusquement il se souvint de son attitude ambiguë lors du précédent conseil d'administration. Elle avait passé son temps à fixer le sous-main, devant elle, évitant le regard de sa mère, de Fabienne ou de ses frères. L'esprit en alerte, il lui adressa un sourire désarmant.

— Eh bien allons-y tout de suite. Honneur aux dames ! lança-t-il en la précédant vers la porte de la salle à manger.

Son principal ennemi était toujours sa propre famille, il ne l'ignorait pas. Aussi, dès qu'ils furent dans son bureau, il ferma soigneusement les portes, y compris celle de communication avec Jacqueline, avant de faire face à sa sœur.

— Alors ? Quel est le problème ?

— Tu vas te faire mettre en minorité.

Stupéfait de la rapidité et de la concision de la réponse, il se contenta d'émettre un petit sifflement approbateur.

— Pas possible ? Par qui ? Maman, Fabienne, ton mari et toi ? Avec Franklin pour faire bonne mesure ? Mais où vous croyez-vous ? Dans la cour de l'école ? Et quand vous aurez le pouvoir, vous vous le refilerez comme un bâton merdeux ?

Elle s'était assise tout au bord d'une chaise, le plus loin possible de lui pour laisser passer l'orage.

— Delphine, reprit-il d'une voix plus calme, qu'est-ce que tu veux ? Qu'est-ce que tu cherches à m'apprendre et surtout pourquoi ?

— Je ne suis pas contre toi. Tu fais bouffer tout le monde, tu nous l'as assez répété.

Sa sœur l'étonnait, pour une fois, et il la considéra avec curiosité.

— Bien… Vous préparez un putsch ?

— Je ne sais pas ce qu'a maman, ces temps-ci, mais je crois qu'elle te hait pour de bon.

— Pour de bon ? Quelle expression ! Et elle me détesterait au point de scier la branche sur laquelle elle est assise ?

— Elle s'est renseignée très longuement auprès du fondé de pouvoir. Elle a raconté des horreurs à Fabienne. Elle…

— Attends, ne mélange pas tout.

Conciliant, il vint près d'elle, lui tapota l'épaule avec une gentillesse inhabituelle.

— Tu te casses la tête pour rien.

Il n'avait pas envie de tout lui expliquer, persuadé qu'elle ne comprenait rien aux affaires.

— Le groupe Beaulieu repose à l'origine sur des capitaux de famille, rappela-t-elle. Et le conseil d'administration a toujours été assez restreint. Tu t'es arrangé pour conserver les rênes mais il te faut au moins trois d'entre nous dans ton camp. Tu peux compter sur Laurent et moi dans n'importe quel cas de figure, je voulais que tu le saches.

Delphine et Laurent. Un couple qu'il ignorait, qu'il écartait, qu'il ne remarquait même pas la plupart du temps.

— Pourquoi fais-tu ça ?

— Parce que tu aimes l'imprimerie.

C'était une réponse absurde mais il la comprit très bien. Sa sœur était née trois ans après lui, pourtant ils n'avaient jamais été proches l'un de l'autre. Il la trouvait insignifiante et cette opinion ne s'était jamais démentie. À partir du moment où elle avait voulu épouser Laurent, il s'en était définitivement désintéressé. Lorsque par hasard il pensait à elle, il la voyait juste comme la mère de Clémence.

— Reste sur tes gardes, Barth.

Tandis qu'elle se levait pour se diriger vers la porte, il la regarda vraiment. Elle était encore assez bien pour ses quarante-sept ans mais elle ressemblait un peu à Irène. Et à Octave.

9

Grâce à ses avocats, Barth avait obtenu la publication d'un démenti à la une du quotidien de sa sœur. Poussé à bout, Gabriel avait laissé à un dessinateur humoristique le soin de caricaturer le président-directeur général du groupe Beaulieu, cigare aux lèvres et rictus haineux, avec pour légende : *Le chantage à l'emploi*. Le croquis illustrait un éditorial rageur sur la responsabilité des patrons trop prospères dans la crise économique. Fabienne entra dans une colère homérique lorsqu'elle découvrit la teneur de l'article. Convoquant son rédacteur en chef et ses journalistes, elle fit savoir que dorénavant rien ne se publierait sans son accord. Puis, en tête-à-tête, elle somma Gabriel de mettre fin à cette stupide guérilla contre son frère. Il eut beau protester, grandiloquent, qu'il ne faisait que son métier, elle le remit en place vertement. Les chiffres de vente continuaient de baisser, preuve que ses attaques personnelles n'intéressaient pas les lecteurs.

— Fous-lui la paix ! fulmina-t-elle. Dieu sait qu'il n'est pas innocent mais ne le prends pas systématiquement pour cible quand tu veux dénoncer des scandales. Les gens en ont marre de la politique, des règlements de comptes qui ne les concernent pas. Donne-leur davantage de résultats sportifs, d'informations locales et de bonne humeur. Et quand tu veux traiter un dossier à fond, reste impartial. Ou va écrire ailleurs.

Il eut beaucoup de mal à accepter la leçon. Aussi égoïste qu'imbu de lui-même, il ne comprit pas qu'elle cherchait seulement à sauvegarder le journal. Elle s'était donné du mal pour en faire ce qu'il était devenu et elle ne laisserait personne l'abîmer. Surtout pas au moment où elle songeait à créer un magazine mensuel, projet qu'elle avait gardé secret jusque-là mais pour lequel, à un moment ou à un autre, elle allait avoir besoin de Barth.

Pour la première fois depuis dix-huit mois que durait leur liaison, Gabriel ne dormit pas chez Fabienne ce soir-là. Il réintégra son petit appartement abandonné de Pont-Audemer et y campa pour la nuit, persuadé que sa maîtresse se morfondrait sans lui. Elle en profita, au contraire, pour réfléchir paisiblement. Gabriel lui avait plu à une époque où il était plus docile, pas encore dévoré d'ambitions. C'était un amant acceptable, assez beau parleur pour lui faire croire qu'il allait améliorer le journal grâce à son talent. Elle avait déchanté, depuis, quant à ses qualités professionnelles. Comme presque chaque fois qu'elle s'entichait d'un homme, d'ailleurs. Et lorsqu'il avait voulu s'en prendre à Barth, elle l'avait laissé faire, sans illusions sur la suite des événements. Elle n'avait pas envie de se fâcher avec son grand frère. Pas sans raison en tout cas. Barth avait eu confiance en elle au point de lui faire des confidences, de se montrer vulnérable, de réclamer son aide lorsqu'il avait perdu pied à cause de cette Nicky. D'autre part il n'avait jamais cherché à l'influencer pour la faire rentrer au bercail. Il s'était incliné devant sa volonté d'indépendance puis devant le succès croissant de son quotidien, faisant ce que Gabriel n'avait jamais été capable de faire : manifester de l'admiration. Et, si réactionnaire et autocrate qu'il fût, son frère était somme toute plus libéral que son amant.

Bonne joueuse, elle admit cette nuit-là qu'elle s'était trompée. Comme toutes les femmes de la famille, elle n'avait pas réglé ses problèmes œdipiens et ce n'était pas Gabriel qui l'y aiderait. À trente-sept ans, elle n'avait plus beaucoup de droits à l'erreur, il était temps qu'elle fasse le ménage dans son existence.

Une brume épaisse noyait les bois du Carrouges. Il était à peine sept heures du matin et le jour venait de se lever, éclairant un paysage fantomatique aux contours imprécis. Simon marchait devant, le plus silencieusement possible, bien décidé à débusquer les biches qu'il voulait montrer à Clémence et à Stéphane. Depuis plusieurs jours il les épiait de loin, subjugué par leur beauté fragile, et il mourait d'envie de partager ce spectacle rare.

Discipliné, Stéphane n'esquissa pas le moindre geste lorsqu'un lièvre déboula tout près d'eux puis traversa le sentier en bondissant. La chasse, ce serait pour après, le plaisir était ailleurs pour le moment. Clémence lui adressa un clin d'œil complice et continua de progresser en évitant de faire craquer les brindilles. Le brouillard ne se levait pas, limitant la visibilité, ce qui rendrait leur approche plus aisée.

Lorsque Simon ralentit et s'immobilisa, ils le rejoignirent à pas de loup, prenant soin de rester contre le vent. Une dizaine de biches et de faons se tenaient à proximité d'un des abreuvoirs métalliques, têtes levées, naseaux frémissants, et leurs silhouettes un peu floues se déplaçaient lentement, presque sans bruit, de façon irréelle. Émerveillé, Stéphane resta bouche bée. Tout ce qu'il savait sur le gibier ne représentait rien, il en eut la certitude, et le cadeau de Simon n'avait pas de prix. Plusieurs minutes passèrent durant lesquelles il ne sentit pas l'humidité qui s'infiltrait dans ses vêtements, ni le froid mordant qui crispait ses doigts autour de la crosse de son arme baissée. Et lorsque, sans raison apparente, le troupeau détala soudain pour s'enfoncer sous le couvert des taillis, il éprouva une intense déception.

— Vous pourrez dire que vous les avez vus, les enfants…, dit enfin Simon d'une voix rauque.

— Je t'adore ! s'exclama Clémence en se précipitant vers le gardien.

Elle l'embrassa sur les joues puis s'ébroua comme un chien fou.

— Pour te remercier, je te prête mon bijou puisque tu voulais l'essayer…

C'était un superbe fusil rapporté d'Amérique, léger et précis, flambant neuf, qu'elle lui tendait. Simon le prit sans hésiter, l'étudia d'un œil critique et enfin lui passa le sien en échange.

— On dirait un jouet. Drôle de truc… On verra ce que j'en pense à la fin de la matinée !

Sans se concerter, ils se remirent en route du même pas allongé pour se réchauffer. La chasse allait pouvoir commencer.

Sous l'effet de la panique, Barth avait couru si vite qu'il ne parvenait pas à retrouver son souffle. Il avait même distancé Stéphane et il fut le premier à s'agenouiller près de Simon. Clémence se tenait à un mètre, hagarde, livide.

D'un coup d'œil, Barth comprit la gravité de la situation. Mais il l'avait pressentie quelques minutes plus tôt, au moment où Stéphane avait surgi dans sa chambre hors d'haleine et tout juste capable de bafouiller.

— L'ambulance arrive, mon vieux, dit Barth en saisissant la main inerte.

Il avait crié à Franklin d'appeler le SAMU et il avait foncé vers les bois sans réfléchir, Stéphane sur ses talons.

— Tiens le coup, Simon, ce ne sera pas long…

La vieille veste de velours était fermée jusqu'au col et il défit les boutons un à un. La doublure était déjà imbibée de sang, le pull aussi. Barth avala sa salive, se contraignit à ne pas détourner les yeux.

— Je crois que ce n'est pas grave, articula-t-il d'une voix blanche. Mais ne bouge pas, on ne sait jamais.

Clémence et Stéphane restaient derrière lui, cependant il n'avait pas conscience de leur présence. Le visage de Simon se tordit brusquement dans une grimace et son regard parut se voiler. Il dit quelque chose que Barth ne comprit pas.

— C'est pas le moment de t'agiter ! Je m'occupe de tout…

Tout quoi ? Il n'y avait strictement rien à faire et l'ambulance arriverait trop tard.

— Barth, grogna Simon, il faut que tu…

— Tais-toi !

285

Barth avait crié sans le vouloir. Il s'aperçut qu'il broyait la main de Simon et relâcha un peu son étreinte.

— Écoute, c'est important, souffla le gardien avec peine.

La brume était toujours aussi dense autour d'eux mais il faisait grand jour à présent. Simon insista :

— N'embête pas les jeunes, ce n'est pas leur faute. Je dois t'avouer un truc…

Sa souffrance crevait les yeux, comme sa peur, et Barth était impuissant à soulager l'une ou l'autre.

— Elles t'ont menti. Ta mère et ta femme.

C'était presque un murmure inaudible, ce qui obligea Barth à se pencher davantage, frôlant la veste de Simon.

— Tu n'y es pour rien. Les enfants, c'est elle qui pouvait pas. J'ai tout raconté au petit. Tu lui demanderas. Après.

Incapable de comprendre quoi que ce soit à ce qu'il entendait, Barth tourna quand même la tête vers Stéphane et Clémence, juste une seconde. Il pensa que Simon délirait, au seuil de l'inconscience. Stéphane avança d'un pas et ses bottes s'enfoncèrent dans le tapis de feuilles.

— J'entends la sirène, mentit Barth. Tiens-toi tranquille, bon sang !

— Ne m'en veux pas, hein, mais j'ai pas eu le courage, chuchota Simon.

Presque aussitôt, il se détendit d'un coup avant de s'affaisser, la bouche et les yeux grands ouverts.

— Putain de bordel de merde ! hurla Barth en se redressant.

Il était secoué de frissons, pieds nus dans les mocassins qu'il avait enfilés en hâte avant de se ruer dehors. Il ne portait qu'un pull et un jean mais le froid était le dernier de ses soucis. De nouveau il se pencha au-dessus de Simon, tendit la main, la recula, et trouva enfin le courage de lui fermer les yeux. Lorsqu'il fit face à ses neveux, ils esquissèrent ensemble le même mouvement de recul.

— Les secours seront là d'une minute à l'autre. Qu'est-ce qui s'est passé ?

— Il était devant nous, dans les taillis, dit lentement Stéphane.

Ensuite il y eut un silence que Barth chercha à interpréter. Il les dévisagea tour à tour.

— Lequel de vous deux a été assez con pour lui tirer dessus ?

Son regard venait de se poser sur les trois fusils alignés au pied d'un arbre.

— Moi, décida Stéphane.

Barth ouvrait les armes une à une. Il ne manquait une cartouche que dans celle de Simon.

— Il me l'avait prêté, ajouta le jeune homme.

Sans s'occuper de lui, Barth vint se planter devant Clémence.

— C'est vrai ?

— Non, dit-elle d'une voix nette.

Elle était très pâle mais elle semblait sortie de son hébétude. Un bruit lointain les fit sursauter tous les trois ensemble.

— On a trente secondes pour trouver une histoire valable, prévint Barth.

D'un geste rageur, il écarta Clémence. Les voix approchaient. Franklin avait dû précéder les secours avec sa voiture, jusqu'à l'endroit où le chemin devenait impraticable. Barth reprit le fusil de Simon, le referma, frappa avec violence la crosse dans une flaque de boue et le tendit à Clémence.

— Tu as trébuché et le coup est parti seul, lui lança-t-il.

— Mais non, protesta-t-elle d'une voix faible. C'est entièrement ma…

— Ferme-la ! tonna Barth.

— Je me débrouillerai mieux qu'elle, dit Stéphane tout à coup, inversons les rôles.

Sans hésiter, Barth lui donna le fusil. Stéphane mit ses mains sur le canon, la crosse et la gâchette avant d'aller le reposer auprès des autres.

— Par ici ! criait Barth en réponse aux appels.

En pleine confusion, Clémence se sentait à la fois soulagée et rejetée. Elle s'efforçait de ne pas regarder dans la direction de Simon. Quand Barth la prit par les épaules, elle eut envie de s'effondrer contre lui mais il se mit à la secouer.

— Tu as compris ? Pour tout le reste, tu t'en tiens à la vérité.

Franklin émergea le premier, à quelques mètres, puis il y eut soudain plein de gens dans la clairière. Barth avait resserré son bras autour de Clémence, dans un geste qui n'avait pourtant rien d'affectueux. Lorsqu'elle le comprit, elle se mit à pleurer.

Le retour vers le Carrouges s'organisa tant bien que mal. Déposé sur un brancard et dissimulé par une couverture, le cadavre de Simon fut chargé dans l'ambulance qui était restée sur le chemin forestier. Barth, toujours décomposé, n'avait pas lâché sa nièce qu'il traînait plus qu'il ne la soutenait.

Quand les gendarmes se présentèrent au Carrouges, une demi-heure plus tard, Renée les introduisit dans le grand salon où tout le clan Beaulieu était réuni. Stéphane raconta l'accident, Clémence confirma et

Barth apporta son témoignage. Les jeunes gens avaient l'habitude de chasser avec le gardien qu'ils aimaient beaucoup, c'était un drame atroce, absurde. Le brigadier se montra courtois mais les convoqua pour le lendemain matin après avoir noté leurs déclarations. Barth ajouta quelques commentaires de circonstance, accepta sans difficulté de confier les trois fusils ainsi que les permis de chasse, puis attendit leur départ sans impatience, debout devant l'une des portes-fenêtres. Lorsque la camionnette bleue eut franchi le portail, au bout de la grande allée, il se retourna pour considérer les visages défaits des membres de sa famille. Irène était assise au bord d'un canapé, entourée de Laurent et Franklin. Delphine avait les yeux rouges et Clémence gardait la tête baissée. Géraldine pleurait en silence, perdue dans un trop grand fauteuil. Stéphane fut le seul à croiser le regard de son oncle.

— Comme nous sommes des gens *honorablement* connus, déclara Barth avec un mépris proche de la dérision, il est probable que cette affaire sera classée sans suite.

Un silence contraint fut tout ce qu'il obtint.

— Simon est mort, ajouta-t-il d'une voix qu'il ne se connaissait pas.

Il en prit vraiment conscience à ce moment-là. Simon n'avait que six ans de plus que lui. Durant toute son enfance, puis surtout son adolescence, il avait été un grand frère, un ami, un initiateur, un confident. C'était peut-être le seul homme que Barth ait jamais respecté, en dehors d'Octave. Sans lui, Barth aurait été aigri ou complexé, ou simplement très malheureux, il ne l'ignorait pas. Simon ne faisait pas seulement partie de sa vie, il était le véritable lien avec le Carrouges, avec le passé, et avec une tradition que Barth avait perpétuée sans savoir pourquoi jusque-là.

Géraldine leva les yeux sur lui. Elle remarqua qu'il était toujours en jean, avec ses mocassins boueux, qu'il portait son pull à même la peau et qu'elle ne l'avait jamais vu dans une tenue aussi négligée. C'est Stéphane qu'il regardait, mais sans le voir.

— Je vais demander du café pour tout le monde, murmura-t-elle.

Personne ne lui répondit, ce qui l'incita à ne pas bouger de son fauteuil. Même Irène ne trouvait rien à dire. Laurent finit par quitter sa place pour aller rejoindre Delphine qu'il prit dans ses bras.

— Il faut que je te parle, déclara Barth à Stéphane.

Cette petite phrase fit réagir Irène avec une brusquerie inattendue.

— Laisse-le ! Il n'est pas responsable, c'est un accident ! Il l'a affirmé aux gendarmes, tu as entendu ? Clémence était là !

Interloqué, Barth reporta son attention sur sa mère, sans trop comprendre ce qu'elle racontait.

— C'est mon petit-fils, je ne te laisserai pas le tyranniser ! Passe tes nerfs sur quelqu'un d'autre et arrête de jouer au patriarche !

Elle montait au créneau, sûre d'elle et satisfaite d'avoir trouvé un motif de querelle. Barth marcha droit sur elle mais Franklin s'interposa, à tout hasard.

— Simon n'a pas de famille, occupez-vous de l'enterrement, dit Barth par-dessus l'épaule de son frère.

Il obliqua en direction de la porte et fit signe à Stéphane de le suivre. L'un derrière l'autre, ils montèrent l'escalier de la tour jusqu'à la chambre de Barth. Le dossier sur lequel il travaillait quelques heures plus tôt était posé sur le petit secrétaire mais les feuilles s'étaient éparpillées. Stéphane ferma lui-même la fenêtre, ramassa les papiers. Derrière lui, Barth se déshabillait, ou plutôt arrachait ses vêtements qu'il jeta par terre. Il gagna la salle de bains par une autre porte et Stéphane s'assit pour attendre. Au bout d'un long moment, les robinets se turent, le silence s'installa. Cinq minutes s'écoulèrent, puis dix, avant que le jeune homme ne se décide à aller voir. Dans le dressing désert, les placards étaient grands ouverts. Il s'immobilisa sur le seuil de la salle de bains et observa son oncle dans la glace. Les mains appuyées de part et d'autre du lavabo, sa cravate pendant comme une écharpe autour du col relevé, Barth lui parut tellement accablé qu'il éprouva un brusque élan d'affection mais se garda bien de bouger jusqu'à ce que l'imprimeur relève la tête.

— Entre… Je finirai bien par m'habiller. Du moins, j'espère.

Le costume gris clair était admirablement coupé, comme toujours, mais Stéphane eut l'impression que Barth flottait dedans.

— Simon a…

Sans pouvoir achever sa phrase, Barth se mordit la lèvre et reprit :

— Tout à l'heure, juste avant de…

Il se retourna d'un bloc pour donner un violent coup de poing contre le mur.

— Simon ! Quelle abominable petite conne ! Elle l'a plombé comme un lapin ?

— Elle l'a pris pour un sanglier. Nous étions sur leurs traces.

— Qu'elle se tire, qu'elle retourne chez les cow-boys, elle a toujours été nulle !

— Il ne prêtait jamais son fusil, poursuivit Stéphane, imperturbable. La détente est très sensible, or elle avait le doigt dessus. Nous étions en plein brouillard. Et, juste avant la clairière, on ne voit rien dans les sous-bois, on est obligé de se fier aux bruits mais…

— Il y avait deux cartouches dans ton fusil, pourquoi n'as-tu pas tiré, toi ?

— C'était son tour à elle, c'était prévu.

— Mais toi tu sais qu'on ne tire jamais sans voir ! Ton père t'a appris ça !

— Simon n'aurait pas dû se trouver là. Une seconde avant, j'aurais pu jurer qu'il était à vingt mètres sur notre droite.

Barth planta ses yeux sombres dans ceux de Stéphane.

— C'est peut-être vrai, seulement je m'en fous. Simon est mort, ça ne change rien. Nous n'aurons pas d'ennuis mais qu'elle s'en aille, je ne veux plus la savoir ici. Fais passer le message.

Pour rien au monde il n'aurait montré aux autres à quel point il était atteint. S'il devait s'écrouler, ce ne serait pas devant eux.

— J'ai moins de peine que vous, mais j'en ai beaucoup et Clémence aussi, dit simplement Stéphane.

Barth retint sa respiration comme s'il venait d'entendre une chose incroyable. Puis il se remit devant la glace pour faire son nœud de cravate d'une main qui ne tremblait plus.

— Tu es amoureux d'elle ? Pourquoi voulais-tu la défendre ?

— Parce qu'elle en est malade.

— Et tes sentiments ? Tu ne m'as pas répondu.

— Eh bien… Un peu, mais c'est supportable.

— Tu l'aimes un peu, c'est ça ? Dis, tu l'as bien regardée ? Elle n'est même pas jolie ! Et puis c'est ta cousine.

— Je sais, Barth.

— En plus, elle te traite comme un chien.

— Mais elle m'a aidé. À un certain moment, elle…

— Ah, d'accord ! Je vois.

Il avait retrouvé un air hautain et un ton railleur que Stéphane n'apprécia pas.

— Vous n'avez jamais fait de bêtises, Barth, jamais commis d'erreur ? Elle a vingt-trois ans.

— Vingt-trois ans, l'héritière, et elle fait des cartons comme à la foire !

Son amertume était compréhensible mais ne lui servait qu'à cacher sa détresse. Finalement, il haussa les épaules.

— C'est beau, la reconnaissance. Tu es seul juge et, de toute façon, ça m'arrange que tu aies pris la responsabilité de ce désastre parce que tu es plus solide qu'elle. D'ailleurs, tu as raison, nous irons tous aux obsèques sinon ce serait bizarre. Après, elle décampe. Compris ?

Stéphane hocha la tête et s'apprêtait à sortir lorsque la voix de son oncle l'arrêta.

— Je n'ai pas fini.

Le moment de vérité était venu.

— Simon a dit quelque chose… que je n'ai pas saisi.

Prudent, Barth laissa passer quelques secondes durant lesquelles Stéphane se sentit à la torture.

— Mais que tu es censé savoir et m'expliquer, acheva-t-il.

Le silence qui suivit leur permit de distinguer jusqu'au tic-tac de l'horloge du palier, de l'autre côté du mur.

— J'attends.

La bouche sèche, Stéphane cherchait désespérément comment échapper à ce qui allait arriver.

— Pas ici, souffla-t-il. Impossible.

Il était sincère ; il lui suffisait d'imaginer les autres, à l'étage en dessous, pour être pris de panique. Barth était capable de n'importe quoi, surtout aujourd'hui, dans l'état de choc où il se trouvait.

— Comment ça, pas ici ? Pas dans la salle de bains ?

— C'est trop grave. Allons où vous voulez. À La Roque ?

— La Roque ? On est dimanche !

Pourquoi Simon l'avait-il chargé d'un poids pareil ? Où allait-il trouver les mots pour expliquer à Barth de quelle façon sa propre mère et sa chère épouse l'avaient aussi sûrement assassiné que la cartouche qui avait tué Simon ?

— Oh, Simon, merde…, chuchota Stéphane.

Sourcils froncés, Barth l'observait.

— Très bien, dit-il, allons à La Roque.

Penchée sur ses livres de comptes, Nicky ignorait les allées et venues de Louis derrière elle. Sa décision était prise, depuis la veille, mais elle attendait encore pour la lui annoncer. Louis ne devait pas en tirer les conclusions qui l'arrangeaient. Leur aventure commune devait rester professionnelle tant qu'elle n'aurait pas vraiment envie d'autre chose.

— Tu vas me laisser encore longtemps sur le gril ? demanda-t-il d'une voix câline.

Difficile de ne pas succomber à la douceur de Louis et à sa gaieté, pourtant elle devait s'en méfier. Le jour où elle tomberait dans ses bras, elle ne pourrait plus en partir. Ce ne serait pas une passade ou un pis-aller, il avait attendu trop longtemps pour ça.

— D'accord, dit-elle, je tente le coup.

Elle avait jeté un bref regard amusé, par-dessus son épaule, et il la rejoignit en deux enjambées.

— Tu es une petite bonne femme exceptionnelle ! On va faire fortune !

Sans effort apparent, il l'arracha de son siège et la plaqua contre lui puis se mit à valser comme un fou. Mais il glissa sur le parquet, trébucha et faillit tomber.

— Repose-moi, nous ne sommes pas prêts pour les championnats de patinage artistique, ironisa-t-elle.

— Quand partons-nous ?

C'était la question la plus délicate mais elle y avait déjà réfléchi.

— Nous allons faire une fermeture exceptionnelle de quinze jours pendant lesquels nous serons en Angleterre. S'il faut rouvrir un mois ou deux pour achever les contrats du personnel, on pourrait envisager de mettre provisoirement un gérant. Je me suis fixé un prix en dessous duquel je n'irai pas, mais aux dires de l'agent immobilier qui a commencé à sonder le marché, Le Bathyscaphe peut être vendu très vite et très bien.

— Je te l'avais dit !

— Ne ramène pas ta science. J'espère gagner de l'argent dans la transaction. Mais si ça devait durer, je…

— C'est moi qui arrête l'affaire là-bas, avec mon capital. Et nous passerons chez le notaire chaque fois que l'un de nous déboursera une livre de plus que l'autre. Est-ce que ça te va comme ça ?

Il débordait tellement d'énergie qu'elle finit par sourire, alors qu'elle se sentait triste. Pourtant ils avaient passé deux journées exaltantes à Londres, la semaine précédente. Le restaurant déniché par Louis avait tout pour plaire et elle savait déjà exactement ce qu'elle allait en faire. Repartir à zéro était la chose la plus galvanisante qui soit. À eux deux, ils pourraient obtenir rapidement un succès fou.

— Je me sens comme un gamin, déclara-t-il.

— Tu es un gamin !

— Pour la première fois, je serai chez moi, au lieu d'être l'employé d'une patronne acariâtre ! Allons fêter ça, tu veux ?

— Où ?

— Au bar du Normandy. On a le temps de descendre quelques coupes avant de rouvrir les fourneaux ici. Et on emmène Guillaume, ça l'amusera.

Jamais il n'oubliait le petit garçon, comme si sa présence lui plaisait vraiment. Elle se demanda si elle n'était pas déjà allée beaucoup trop loin, avec Louis, pour pouvoir envisager autre chose qu'un avenir commun. Laborieusement, insidieusement, il avait grignoté son intimité et obtenu de tels privilèges qu'il n'était plus question de le tenir à distance. Ce serait encore pire s'ils emménageaient ensemble dans une nouvelle maison. Elle passa la longue redingote qu'elle avait achetée à Londres et qui lui donnait une allure de jeune officier. Ravi, il la détailla des pieds à la tête.

— Tu es… superbe. Je ne trouve pas d'expression mieux adaptée.

Elle n'était pas aveugle, n'ignorait pas les regards qui la suivaient dans les rues ou dans la salle du Bathyscaphe. Mais il n'y avait jamais qu'un seul homme qu'elle aurait voulu subjuguer, et ce n'était pas Louis.

— Guillaume ! l'entendit-elle appeler. Mets ton blouson, on va se promener !

Malgré la haine qu'il affichait à l'égard de Barth, il était assez altruiste pour oublier que ce petit garçon était son fils. En fait, il était prêt à concéder n'importe quoi, faire table rase de tout, du moment qu'il l'obtenait, elle. Et pas seulement comme associée.

— Bernadette vient avec nous ! cria-t-il depuis le salon.

Juste à temps, elle réfréna le commentaire désagréable qu'elle s'apprêtait à lancer. Elle ne voulait pas qu'il décide pour elle. Les détails non plus. Rien. Dans les jours à venir, elle allait devoir faire très attention, sinon elle se retrouverait devant un pasteur avant d'avoir réalisé ce qui lui arrivait.

« Je suis plus têtue que toi », songea-t-elle sans la moindre vanité.

La Roque était comme un monstre endormi. L'absence de bruit, dans le grand hangar, était presque inquiétante. Stéphane longea les tapis roulants immobilisés, leva la tête vers les passerelles, revint sous les gigantesques bobines inertes. Pas de trace de Barth. Pourtant il fallait bien qu'il soit quelque part. Vidé, écœuré, le jeune homme finit par s'asseoir à même le sol de béton. C'était de loin la pire journée de son existence. La mort de Simon recommençait à le torturer mais, durant plus d'une heure, il n'avait pas eu un instant pour y penser. Maintenant il savait pourquoi le gardien n'avait pas voulu parler. Il avait vu la réaction de Barth et il avait compris.

— Mais qu'est-ce que je fais là ? se dit-il à mi-voix.

Comment pouvait-il être impliqué à ce point dans une famille dont il ne se souciait pas six mois plus tôt ? Par quel enchaînement abominable ? Et pourquoi était-il si malheureux à présent ? Son père lui avait souvent répété que les Beaulieu étaient des gens à fuir, qu'il était fier que Stéphane ne porte pas leur nom, que le Carrouges était le dernier endroit du monde où il fallait vivre. Aujourd'hui, il était des leurs. Si ahurissant que ce soit, il était vraiment concerné.

— Barth ? Barth !

Sa voix résonna le long de la presse. Il commençait à se faire du souci pour son oncle. Il lui avait répété, la mort dans l'âme mais mot pour mot, les propos surpris par Simon. Les conclusions étaient simples, il n'y avait pas de place pour le doute. Elles l'avaient eu. Restait juste à savoir comment, et éventuellement pourquoi.

D'abord, Barth avait eu besoin de quelques minutes pour réaliser l'énormité de ce qu'il entendait puis pour l'accepter. Ensuite, évidemment, il était entré dans une colère folle et avait tout cassé, dévastant son bureau du premier étage, baies vitrées comprises. Stéphane était resté à l'écart, impuissant, jusqu'à ce que son oncle disparaisse en direction des sous-sols.

« Qu'est-ce qu'il va faire, maintenant ? Il est capable de tout ! »

En tout cas, tant qu'il serait dans cet état de nerfs, il n'était pas question de regagner le Carrouges. Il essaya d'imaginer leur retour là-bas mais ne parvint qu'à des idées absurdes. Irène et Géraldine… Barth allait les tuer.

« Non… Mais quoi, alors ? »

Que pouvait faire un homme qui venait d'encaisser un coup pareil ? Irène était sa mère, oui, pourtant ce ne serait jamais suffisant pour l'arrêter. Le saccage du bureau, là-haut, n'était sans doute qu'un avant-goût.

Stéphane observa une nouvelle fois la Cameron silencieuse. Barth aurait dû être là, près de sa presse géante, son fleuron, sa fabuleuse machine dont il ne pouvait pas se passer trois jours de suite. Peut-être lui aurait-elle rendu un peu de sang-froid ?

Avec un soupir, le jeune homme se releva, guettant en vain les bruits de l'usine silencieuse. Puis soudain il comprit où il devait chercher.

« Évidemment ! »

Il fila vers le fond du hangar, passa dans un autre bâtiment puis émergea enfin dans le local qui abritait la plus ancienne des presses. La *première* Cameron. La vieille. Celle qui, bien des années plus tôt, avait propulsé Barth au rang des grands imprimeurs européens, malgré toutes les craintes du groupe.

Les néons étaient allumés et Stéphane repéra aussitôt son oncle appuyé à la vitre protégeant les massicots. D'un pas résolu, il le rejoignit. Peut-être Barth n'avait-il pas envie d'un témoin, mais il n'y avait personne d'autre qu'eux deux à La Roque et il devait aussi avoir besoin de parler.

— Il est tard, murmura platement Stéphane.

— Oui ! Très tard. Mais jamais trop tard pour régler ses comptes.

— Qu'est-ce que…

— Ne me demande rien, je ne sais pas !

Sa voix était tendue, son visage fermé.

— Tu dois me trouver sacrément con ! ajouta-t-il avec une rage désespérée.

Après une hésitation, le jeune homme répondit :

— Je vous trouve incroyablement sympathique.

— Eh bien tu seras le seul d'ici peu de temps !

— Oui, j'imagine.

— Je ne crois pas que tu puisses.

Barth haussa les épaules et Stéphane s'aperçut qu'une manche de son costume était déchirée. Sans doute lorsqu'il s'en était pris aux fenêtres du bureau.

— Je n'arrive même pas à y réfléchir, reprit Barth. Je crois que je vais devenir fou.

Ses mains crispées s'accrochaient au tapis roulant.

— Tu vois, j'attendais que cette machine me parle mais elle ne me dit rien ! Quand je pense que j'ai consacré ma vie à ces imprimeries et que je suis passé à côté de tout le reste ! Tout ! Si tu savais comme j'ai voulu un enfant… À moi…

La fureur revenait et Stéphane se mit à espérer que, comme dans sa salle de bains au Carrouges, son oncle reprenne le contrôle de lui-même. Au contraire, il éleva la voix :

— Et le pire, c'est que j'en ai eu un !

Un frisson le parcourut, tellement cette idée lui était insupportable. Stéphane le regardait sans comprendre.

— En famille, c'est comme au jeu, déclara Barth en passant devant lui. Il faut payer ses dettes. Viens.

Ils durent retraverser tous les bâtiments, couper les lumières et réenclencher les systèmes de sécurité. Barth ne disait plus un mot. Stéphane aurait préféré rester là, dormir sur des piles de livres, ignorer ce qui allait immanquablement se produire. Ils mirent peu de temps pour rentrer. Barth conduisait comme s'il était seul sur la route et il ne ralentit même pas pour franchir le portail, évitant de regarder dans la direction de la maison de Simon. Dès qu'ils descendirent de voiture, la voix d'Irène leur parvint :

— Nous étions très inquiets ! Où étiez-vous ?

Comme ils en étaient restés à l'accident de chasse, ils avaient dû imaginer n'importe quoi et supposer que Barth passait sa colère sur celui qui avait tiré. À moins que Clémence n'ait craqué, ce qui était peu probable.

— Barth ! cria Irène.

Son fils l'avait saisie brutalement par le bras et la poussait dans le hall.

— Tu es fou, lâche-moi !

Il lui faisait mal. Elle ne devinait pas encore pourquoi. Géraldine et Franklin apparurent à la porte du grand salon où Barth les fit aussitôt reculer, traînant toujours sa mère qui commençait à se débattre. De sa main libre, il attrapa Géraldine par le poignet et les deux femmes se retrouvèrent côte à côte devant lui.

— Espèces de salopes, gronda Barth, vous osez me regarder en face ?

Éberlué, Franklin voulut intervenir mais Stéphane s'était approché de lui.

— Laisse-les…, murmura-t-il. Ça ne nous concerne pas.

Elles avaient compris ensemble et étaient devenues aussi pâles l'une que l'autre. Barth les repoussa loin de lui et Géraldine trébucha. Elle avait si souvent pensé à ce qui arriverait si jamais son mari apprenait la vérité qu'elle était vraiment terrorisée.

— Comment as-tu pu ? lui jeta Barth. Toi ! Elle, encore…

Ainsi désignée, Irène se redressa pour essayer de faire front.

— Écoute-moi, s'il te plaît, dit-elle d'un ton mal assuré.

Mais elle ne voyait pas du tout ce qu'elle allait pouvoir inventer.

— J'ai cru bien faire, affirma-t-elle.

Ce singulier, délibérément utilisé, ne servait pas à protéger Géraldine. Elle voulait assumer l'entière responsabilité de l'acte. C'était son plan, c'est elle qui avait voulu atteindre son fils aîné et elle tenait à ce qu'il le sache désormais.

— Si vous prononcez un seul mot…, l'avertit Barth.

Il n'avait pas besoin de la menacer, la violence était presque palpable tout autour de lui.

— Vous êtes une vermine, mon père avait raison.

La phrase la prit de court et elle resta muette d'humiliation. Elle avait l'habitude de prétendre que le *pauvre* Octave la vénérait.

— Ce que vous avez fait est tellement indigne que je ne veux même pas en parler. Ceux qui vous ont aidée vont payer aussi. Daniel Martin ? Le labo ? Je vais envoyer tout le monde devant les tribunaux.

— Non, attends !

Mais Barth s'était tourné vers Géraldine et ce fut à elle qu'il répondit.

— Il y a quinze ans que j'attends un enfant. Tu t'es bien amusée ?

Son menton tremblait et quand elle ouvrit la bouche ce fut pour éclater en sanglots convulsifs, coupés de mots incompréhensibles. Elle était debout, à deux mètres de lui, hoquetant au bord de l'hystérie. Il avança, la gifla à toute volée et la propulsa vers un fauteuil où elle s'effondra. Irène s'était raidie, persuadée que s'il commençait il ne pourrait plus s'arrêter. Elle jeta un regard affolé vers Franklin et Stéphane qui semblaient statufiés. Barth s'approchait d'elle mais il n'était pas menaçant.

— Quelle perversité… Quelle constance ! Vous avez eu raison de dix générations de Beaulieu, c'est très fort ! Vous aurez tout votre temps pour savourer votre triomphe, je m'en vais.

Elle crut rêver en le voyant effectivement traverser la pièce.

— Barth !

— Non, dit-il sans se retourner. Barth c'est fini, je ne vous connais plus. J'en ai pour deux ou trois semaines à vous faire virer des imprimeries et dans quelques jours votre médecin marron sera sous les verrous. J'espère que vous crèverez toute seule ici.

— Je t'interdis de…

Ce n'était qu'un réflexe malheureux, elle se tut aussitôt. À l'autre bout du salon, Barth s'était retourné et la toisait.

— Vraiment ? demanda-t-il.

Elle baissa la tête, incapable de soutenir son regard, même à cette distance. Il passa la porte et ils entendirent distinctement son pas dans le hall. Quelques secondes plus tard, la voiture démarra. Personne ne bougea jusqu'à ce que le bruit du moteur se soit tu. Alors seulement, Franklin trouva le courage de se pencher vers Stéphane.

— Comment…

— Simon savait. Et il a eu le temps de lui parler.

Le silence retomba puis il y eut une série de craquements au-dessus de leurs têtes et dans l'escalier de la bibliothèque. Delphine apparut mais s'immobilisa sur le seuil du salon. Ses yeux allèrent de Géraldine à sa mère.

— Qu'est-ce qui se passe ?

Elle répéta encore deux fois sa question sans obtenir de réponse. Puis elle s'approcha de sa belle-sœur qui continuait de pleurer, la tête dans son bras replié. S'agenouillant à côté du fauteuil, elle voulut lui poser la main sur les cheveux mais Géraldine se recroquevilla davantage.

— Il va se calmer, articula Irène, il est coléreux mais il va se calmer. J'irai le voir à Pont-Audemer demain.

N'y croyant pas elle-même, elle n'avait aucune chance de convaincre les autres.

— Ne mettez pas les pieds là-bas, dit Franklin d'un ton net.

La porte d'entrée, en claquant, les fit tous taire de nouveau.

— Je suis désolée d'arriver si tard ! s'exclama Fabienne en faisant irruption dans la pièce. J'ai trouvé le message sur mon répondeur, j'étais à Rouen. Est-ce que Simon est…

— Oui, répondit froidement sa mère, il est mort.

À deux heures du matin, même si personne ne dormait au Carrouges, tout semblait tranquille. Le lendemain serait sans aucun doute difficile, mais la nuit laissait chacun à ses réflexions.

Pour ne pas être mise en accusation par ses enfants, Irène s'était retirée dans sa chambre dès l'arrivée de sa fille cadette. La plus grande partie de la journée, avant l'esclandre de Barth, avait déjà été consacrée à se lamenter sur le sort de Simon. Or c'était bien lui qui l'avait trahie. Elle ne savait pas depuis combien de temps il gardait le secret, quand et comment il avait pu apprendre la vérité, mais la simple idée qu'il ait su la révoltait.

« De toute façon, le personnel écoute aux portes, il n'y a rien à faire… »

Elle aurait voulu se mettre en colère mais une angoisse diffuse l'en empêchait.

— Il n'osera pas, il n'osera pas…, répétait-elle entre ses dents.

Si, sûrement. Il mettait toujours ses menaces à exécution. Et il avait dit qu'il allait se débarrasser d'elle. Avait-elle pris assez de précautions ? Elle détenait des actions, elle siégeait au conseil d'administration, mais serait-ce suffisant ?

« Ah, que j'ai été bête… »

Et si le reste de la famille soutenait Barth ?

« Mais non ! Il est fâché avec Fabienne, Delphine le déteste et Franklin en a peur. Il faudra que je leur parle. Demain. »

Quelques mois plus tôt, elle avait discrètement consulté un conseiller juridique pour tenter d'y voir clair dans les affaires du groupe qui s'étaient beaucoup compliquées avec les années. Du temps d'Octave, elle arrivait encore à suivre.

« Il a tout chamboulé, embrouillé à plaisir… »

Elle aurait dû se méfier davantage de lui. Refuser d'être écartée. Pourtant elle n'avait jamais envisagé sérieusement qu'il puisse se retourner contre elle.

« Mon propre fils… »

Immobile au milieu de sa chambre, elle avait froid soudain.

Ils s'étaient tous réfugiés dans la petite bibliothèque du premier étage, à l'autre bout du manoir. Ils avaient machinalement suivi Franklin lorsqu'il avait emprunté l'escalier d'honneur, comme pour s'éloigner avec lui de l'aile ouest. Déjà, lorsqu'ils étaient enfants, c'était leur réflexe commun. Plus ils mettaient d'espace entre leur mère et eux, plus ils se sentaient libres. En prenant à douze ans la chambre de la tour, Barth avait en quelque sorte reconquis du terrain chez l'ennemi.

Les antiques bancs de pierre, sous les fenêtres à meneaux, étaient recouverts d'une profusion de coussins de velours qui les rendaient moins inconfortables et sur lesquels ils s'installèrent en silence. Malgré la présence de son mari et de sa fille, Delphine choisit de s'asseoir entre Fabienne et Franklin, comme si les frères et sœurs devaient faire bloc dans la tempête qui depuis le lever du jour soufflait sur les Beaulieu.

Toujours hagarde, Géraldine faisait pitié. Elle s'était isolée du petit groupe en restant debout, appuyée contre les rayonnages. Résignée, elle était prête à donner des explications que personne ne lui demandait encore.

— Je crois qu'on a tous besoin d'un remontant, murmura Laurent au bout d'un long moment.

Il disparut quelques minutes puis revint chargé d'un plateau. Il distribua des verres et servit à chacun une rasade de cognac.

— À quoi allons-nous boire ? lui demanda Fabienne d'un ton tranchant.

Elle prit le temps d'avaler une gorgée avant de les regarder l'un après l'autre, terminant par Géraldine.

— C'est à moi de parler, dit celle-ci dans un souffle.

Mais elle ne trouva pas le courage de poursuivre et le silence retomba. Fabienne acheva son verre tout en observant Stéphane. Quelle était la place exacte de ce garçon dans la famille à présent ? C'est lui qui, à son arrivée, lui avait raconté l'accident de chasse. Elle avait été étonnée par son sang-froid malgré sa lourde responsabilité, même s'il semblait accablé par la mort de Simon.

— Quelle journée ! soupira Franklin avec dégoût.

Comme aucun d'entre eux ne se décidait à affronter Géraldine, ce fut Clémence qui osa.

— Maintenant qu'il a découvert le pot-aux-roses, vous pouvez être sûrs que Barth ne remettra pas les pieds ici... Et je le comprends... Qui était dans la confidence ?

— Personne ! cria Géraldine.

— Toi, poursuivit impitoyablement Clémence, grand-mère, le vieux toubib, Simon... ça fait du monde !

Mais sa tante ne l'écoutait pas. Elle s'était précipitée vers Delphine en hurlant :

— Où est-il allé ? Je veux lui expliquer ! Tu comprends, j'avais tellement peur et c'est ta mère qui m'a mis ça dans la tête, moi je ne voulais pas, mais elle disait qu'il partirait et je ne pouvais pas le supporter !

— Eh bien ça y est, il est parti, coupa Fabienne.

De nouveau en larmes, Géraldine semblait incapable de se maîtriser.

— Tu n'aurais pas un tranquillisant ou un somnifère à lui donner ? demanda Fabienne à sa sœur.

Delphine se leva, prit Géraldine par les épaules et l'entraîna presque de force vers la galerie.

— Elle est complètement hystérique, mais elle a raison d'avoir la trouille ! s'exclama Clémence.

— Elle l'aime, dit doucement Stéphane.

— Une façon d'aimer dont il se serait passé ! riposta la jeune fille. Est-ce que tu te rends compte de la mons-truosité de cette bonne femme ?

— C'est ta tante ! protesta Laurent.

— Plus pour longtemps, j'espère ! Oh oui, j'espère qu'il va divorcer, tous vous plaquer !

Elle s'arrêta net, consciente d'avoir été trop loin. Son père la dévisageait avec stupeur.

— Je suis à bout de nerfs, s'excusa-t-elle sans conviction.

Ses sentiments pour Barth étaient toujours aussi contradictoires et violents. D'un geste impulsif, elle saisit la main de Stéphane qui était à côté d'elle.

— Vous vivez en huis clos, dans votre tour d'ivoire, vous ne vous rendez plus compte de rien, ajouta-t-elle en guise d'explication. Ce qui se passe ici depuis quinze ans est une aberration.

— Oh, dis, tu nous fais la morale ? demanda Fabienne rageusement. C'est beau l'intransigeance de la jeunesse mais ce qui est arrivé ce matin, c'est quoi ?

— Un accident, répondit Stéphane. Un truc atroce qui s'est produit en une seconde. Pas un coup monté ni un mensonge au long cours. J'ai tué Simon par connerie mais je ne me suis pas acharné sur lui pendant quinze ans.

Soudain bouleversée, Clémence serra sa main encore plus fort. Elle avait accepté qu'il se désigne à sa place sans vraiment comprendre la nécessité de cette version des événements. Pourtant Barth et Stéphane avaient eu raison, elle était probablement incapable d'assumer son geste. Elle avait déjà commencé à occulter la mort de Simon. Et elle n'était pas en mesure de tenir tête à quelqu'un comme Fabienne.

— Personne ne te reproche rien, dit Franklin à Stéphane.

C'était une phrase absurde mais Franklin ne pouvait pas le savoir.

— Le problème, déclara brusquement Laurent, c'est Barth, non ? Parce que je ne vois pas très bien comment assurer un intérim s'il ne revient pas.

— Mais enfin, où veux-tu qu'il aille ? s'exclama Fabienne.

— Loin de sa femme et de sa mère, le plus loin possible.

— Et les imprimeries ?

— C'est ce que je voulais dire. C'est toute la question.

Ils avaient été élevés dans cette idée : l'imprimerie passait avant tout parce que c'était le moyen d'existence et le titre de gloire de la famille depuis bien des générations.

— Je lui ai donné deux comprimés, je pense qu'elle va finir par dormir, annonça Delphine en revenant. Pour le moment, elle pleure…

Avec l'habitude, Géraldine était devenue des leurs et ils avaient beaucoup de mal à accepter ce qu'elle avait fait. Mais leur mère aussi était *des leurs*…

— Est-ce que quelqu'un a compris ce qui s'est passé exactement ? s'enquit Franklin d'une voix lasse.

— Dans le détail, je ne sais pas, mais en gros c'est assez clair ! lança Fabienne avec un petit sourire dédaigneux qui rappelait celui de Barth. Quand Géraldine a appris qu'elle ne pouvait pas avoir d'enfants, elle a préféré faire porter le chapeau à son mari pour éviter de se faire jeter.

— Mais c'est impossible ! Il aurait fallu trafiquer les résultats des laboratoires, ou…

Delphine s'arrêta d'elle-même. Barth avait affirmé qu'il enverrait Daniel Martin devant les tribunaux.

— Et l'idée vient de maman…, ajouta-t-elle. De maman.

Cette constatation l'effrayait tant qu'elle chercha un démenti sur le visage des autres. Fabienne l'apostropha :

— Je ne vois pas ce qui t'étonne ! Elle a toujours détesté Barth, ce n'était pas un mystère !

— Tu crois qu'il va se venger ?

— Se venger… Ma pauvre Delph, tu es idiote ou quoi ? Bien sûr, tu ne t'occupes que de ton mari et de ta fille, tu ne vois rien !

— Je t'en prie ! dit Delphine en se redressant.

Fabienne était de dix ans sa cadette et elles ne s'étaient jamais très bien entendues. Pourtant Delphine admirait l'indépendance de sa petite sœur et la manière dont elle était parvenue à s'extraire du clan.

— Inutile de se disputer, on en a eu assez pour la journée, déclara Laurent en attirant sa femme vers lui.

Un nouveau silence s'installa, chacun essayant d'imaginer ce qui allait arriver dans les jours prochains. Comme ils travaillaient à Pont-Audemer, Franklin, Delphine et Laurent savaient à quel point Barth contrôlait tout. La moindre de ses absences était planifiée à l'avance, personne ne pouvant prendre de décision sans lui. Et s'il s'éloignait, même seulement quelques semaines, ce serait un désastre pour le groupe.

— Il sera là pour l'enterrement de Simon, de toute façon…

Que ce soit Stéphane qui le dise surprit tous les autres. Ils auraient pu y penser seuls au lieu de se lamenter. Un peu gêné, Franklin hocha la tête.

— Oui, bien sûr, nous y serons tous.

Tous ? Il était désormais difficile d'imaginer Irène et Géraldine en présence de Barth.

— Eh bien, j'espère que vous êtes prêts à essuyer des changements de cap ! ricana Fabienne. Parce que, à mon avis, la famille vient d'éclater pour de bon. Même le Carrouges risque d'y passer...

Pour avoir énoncé aussi crûment cette vérité, elle fut soudain le point de mire. Delphine frissonna et se serra davantage contre Laurent. Elle eut la vision fugitive d'une autre vie, complètement différente, qui l'attendait peut-être ailleurs. Mais c'était trop tard pour la liberté, et le gouffre qui s'ouvrait ainsi la terrorisa.

— Tu crois que Barth peut vraiment exclure maman comme ça ? dit-elle en faisant claquer ses doigts.

— Il peut le faire. Et bien pire..., répondit Franklin.

Une nouvelle fois, ils se regardèrent les uns les autres comme pour se deviner.

— Il va falloir choisir son camp, déclara Fabienne en se levant.

Mais elle ne donnait aucune indication sur sa propre détermination. Ils étaient persuadés, la connaissant, qu'elle allait soutenir Barth. À moins que le danger ne soit trop grand pour elle aussi.

— Je vous souhaite bien du plaisir ! ajouta-t-elle, juste avant de sortir.

10

Barth se réveilla avec une épouvantable migraine et se fit monter de l'aspirine par un groom qu'il gratifia d'un bon pourboire. Étonné d'avoir pu dormir trois heures, il se traîna jusqu'à la salle de bains pour prendre une douche. Longtemps, il alterna l'eau chaude et l'eau froide avant de se décider à se laver. Lorsqu'il eut terminé, il s'enveloppa du peignoir de l'hôtel et retourna dans sa chambre. Il fallait qu'il s'organise, au moins pour la journée à venir. Après avoir ouvert les rideaux, son regard tomba sur le costume qu'il portait la veille, impossible à remettre avec sa manche déchirée. Il appela la réception pour expliquer son problème et on lui assura qu'on envoyait quelqu'un. Le service était parfait, ce qui était bien la moindre des choses pour un palace, et il en profita pour commander un petit déjeuner.

De la nuit précédente, il n'avait que des souvenirs confus bien qu'il n'ait pas bu une goutte d'alcool. Il avait même roulé assez prudemment jusqu'à Paris, conscient de son état de fatigue. Place Vendôme, il s'était arrêté devant le Ritz, abandonnant sa voiture à un chasseur. Il n'avait pas choisi cet hôtel-là plus qu'un autre mais il n'en pouvait plus. Pourtant il avait encore traîné longtemps au bar, sans toucher à son whisky, perdu dans ses réflexions.

Sa montre, sur la table de chevet, indiquait dix heures. Il s'était endormi à l'aube, c'était déjà miraculeux. Un coup discret fut frappé à sa porte et une femme de chambre entra, poussant une table roulante. Derrière elle, un jeune homme souriant vint se présenter comme le gérant d'une des boutiques du rez-de-chaussée. Il énonça les marques des couturiers qu'il diffusait, prit le costume tout froissé comme modèle et nota la liste des accessoires que son client désirait.

— Mettez-moi trois chemises, des sous-vêtements, deux cravates… et un imperméable, précisa Barth d'un ton las.

Ce serait suffisant pour l'instant car il ignorait encore ce qu'il allait faire des prochaines heures ; il avait seulement remarqué qu'il pleuvait. Dès qu'il fut à nouveau seul, il s'attaqua résolument à son petit déjeuner. Même s'il n'avait pas faim, il devait manger car il n'avait rien avalé depuis vingt-quatre heures. La première tasse de café lui procura une sensation agréable et il se détendit un peu. Son problème le plus crucial était de mettre de l'ordre dans ses idées. Et d'obtenir rapidement un rendez-vous chez un médecin. Comme il tendait la main vers le téléphone, il s'aperçut qu'il avait laissé son portable dans sa voiture. Tant mieux, il n'avait aucune intention de répondre aux appels. Il composa le numéro direct du bureau de Jacqueline, à Pont-Audemer. Sans lui donner aucune explication, il annonça qu'il serait absent jusqu'à nouvel ordre.

— Mais vous savez bien que c'est impossible ! protesta-t-elle avec véhémence.

— C'est pourtant comme ça…

— Vous avez des obligations, des réunions que je ne peux pas déplacer, et demain on est mardi, vous vous en souvenez, quand même ? Barth, qu'est-ce qu'il y a ?

Il attendit quelques secondes avant de répondre, très gentiment :

— Jacqueline, ils vous ont chapitrée ? Toute la famille vous est tombée dessus dès votre arrivée ? Bon, l'imprimerie peut se passer de moi pour l'instant…

— Ça veut dire quoi, pour l'instant ? coupa-t-elle.

— Je n'en sais rien.

— Où êtes-vous ? Vous êtes impossible à joindre !

— À Paris. Je ne serai pas là demain, annulez le déjeuner.

Un silence outré fut tout ce qu'il obtint. Toucher à la sacro-sainte tradition du mardi devait la révolter.

— Je veux pouvoir vous contacter, reprit-elle enfin. Vous connaissez la fragilité du groupe…

C'était un propos à double tranchant. Combien étaient-ils, dans le bureau de sa secrétaire, à écouter cette conversation ? Peut-être voulait-elle le mettre en garde.

— Je vous rappellerai en fin de journée, promit-il seulement.

Il raccrocha, amusé. En fait, il comptait téléphoner directement chez elle, dans la soirée. Jacqueline avait beau être son alliée, elle ne pourrait pas résister long-temps aux pressions de Franklin, de Delphine, d'Irène…

— Qu'ils s'agitent dans leur bocal, murmura-t-il, grand bien leur fasse…

Feuilletant son agenda de poche, il fixa son choix sur le nom d'un grand patron de médecine. Ce n'était pas vraiment un ami, plutôt une relation, mais justement il ne tenait pas à entrer dans les détails. Il ne voulait qu'obtenir une consultation en urgence et une ordonnance pour des examens de laboratoire. Même s'il était certain des résultats, il lui fallait cette ultime confirmation. Après, il pourrait enfin penser à l'essentiel : était-il le père de l'enfant de Nicky ?

Depuis les révélations de Stéphane, il tentait de repousser cette obsédante question et toutes celles qui en découlaient. Dans quelques heures, il allait sans doute apprendre que c'était lui qui avait odieusement trahi Nicky. Un retournement de situation plutôt inconcevable. Ainsi il aurait gâché sa seule chance, ignoré son propre enfant et perdu la femme dont il était fou par sa faute ?

Pas la sienne, non. Mais il portait la responsabilité de sa propre naïveté. Car s'il avait accepté le verdict de stérilité avec tant de facilité, c'est qu'il avait été trop atteint dans son orgueil pour vouloir s'y attarder. À sa place, n'importe qui aurait remué ciel et terre, consulté des dizaines de spécialistes à travers le monde. Et lui, qu'avait-il fait ? Il s'était drapé dans sa dignité pour qu'on ne lui en parle plus. C'était uniquement par amour-propre qu'il s'était incliné si vite devant cette prétendue fatalité.

« Pauvre con... Pauvre, pauvre con ! »

Nicky si heureuse d'attendre un bébé après toutes les déclarations d'amour et d'éternité qu'il lui avait faites. Nicky folle de bonheur en le lui annonçant... Et lui... vexé ! Vexé, furieux, borné. Se servant de cette intolérable humiliation comme d'une arme pour la renier. Sans chercher plus loin que le bout de sa petite rage. Sans imaginer une seconde qu'elle puisse être sincère.

Rejetant en bloc les explications qu'elle avait tenté de lui offrir à deux reprises.

« Elle ne s'est pas laissé détruire parce qu'elle est forte. Elle a même eu le courage de garder l'enfant. »

Et désormais Guillaume n'appartenait qu'à elle, Barth était devenu son pire ennemi, et trop de temps s'était écoulé pour pouvoir y changer quoi que ce soit. Un contentieux impossible à solder. Et il ne savait même pas à quoi – à *qui* – ressemblait le gamin, ce petit bâtard Beaulieu né de la femme idéale ! Fiasco complet.

— J'ai frappé deux fois, vous n'avez pas dû entendre ?

Barth sursauta en découvrant le tailleur qui se tenait à l'entrée de la chambre, portant à bout de bras deux costumes sur des cintres.

— Pour les chemises, vous n'aviez pas précisé la couleur, alors j'ai monté un assortiment…

— Ce sera parfait, laissez tout ça sur un fauteuil, répondit Barth en tendant la main vers son carnet de chèques.

L'instant n'était pas aux essayages, et la manière dont il serait habillé importait peu pour ce qui l'attendait.

Franklin était juché sur un haut tabouret, devant le comptoir d'aluminium de la cuisine ultramoderne. Sa sœur déposa leurs deux assiettes et prit place à son tour.

— Tu l'aimes toujours saignant ?

Les tournedos étaient juste saisis, relevés de gros sel et entourés de pommes sautées persillées.

— C'est divin. Renée ne saura jamais faire ça !

— Elle cuisine comme maman le lui a appris, c'est tout dire…

Évoquer Irène leur fit échanger un regard circonspect.

— Comment est-elle ? hasarda Fabienne.

— Plutôt mal dans sa peau. Pour une fois elle ne pavoise pas, elle s'angoisse. Et Géraldine est aux abois.

— Toujours pas de nouvelles de Barth ?

— Il a appelé Jacqueline deux fois. Elle lui a fait savoir que l'enterrement de Simon aurait lieu vendredi. À priori, il sera là.

Fabienne prit la bouteille de saint-émilion et emplit leurs verres en demandant :

— Dans quel état d'esprit crois-tu qu'il soit ?

— Tu le connais aussi bien que moi, répondit-il d'un ton las. Il ne pardonnera pas. Elles ne l'ont pas seulement trahi, elles ont saboté son existence, ce n'est pas rien…

— Donc il va se venger ?

— Se venger ? Oh, je pense qu'il va d'abord se débarrasser d'elles. Mais pas en douceur ! Pour sa femme, c'est assez facile. Pour maman…

— Elle détient des actions, des parts du capital, elle…

— Fabienne ! Est-ce que tu as une vague idée de ce qu'est devenu le groupe Beaulieu ? Barth a soigneusement bétonné autour de lui depuis des années ! Il est inamovible, mais pas elle.

— Et on va le laisser faire ? Toi, moi, Delphine…

— En ce qui me concerne, je ne prendrai pas la défense de maman. D'abord parce qu'elle a été ignoble, ensuite parce que je ne l'imagine pas en P-DG ! Si les imprimeries coulent, je coule avec, or je ne sais rien faire d'autre. Delphine et Laurent non plus. Évidemment, toi, tu t'en fous.

— Non. Bien sûr que non.

Il savoura une gorgée de vin qu'il ponctua d'un sourire. Fabienne avait toujours eu un faible pour Barth et ce

318

n'étaient pas ses amants qui pourraient jamais y changer quelque chose. La preuve, Gabriel brillait par son absence. Peut-être Barth y était-il pour quelque chose ?

— C'est son deuxième coup dur, dit-elle.

— Le premier s'appelait Nicky, c'est ça ?

Un peu surprise, elle esquissa une grimace.

— Je croyais être la seule dans la confidence !

— C'est récent. Il me l'a appris à la suite d'une drôle de discussion que nous avons eue tous les deux.

— Il t'a aussi expliqué pourquoi il l'avait quittée ?

— Non, pas vraiment.

— Parce qu'elle attendait un enfant.

Il en resta bouche bée, prenant lentement conscience des implications de la phrase.

— Mais… elle l'a eu, cet enfant ? articula-t-il enfin.

— Oui.

— Seigneur…

— Comme tu dis.

Chipotant sur ses rondelles de pomme de terre, Fabienne murmura :

— Ni Clémence, ni Stéphane, ni ce malheureux gamin ne portent notre nom. Tu n'auras pas d'enfant et je ne pense pas m'y mettre, ce qui…

— Je sais tout ça, Barth l'a servi à maman. Il lui a jeté à la tête qu'elle avait bousillé la dynastie.

Il le racontait avec un petit sourire parce que cet aspect du problème ne l'atteignait pas.

— Ce qui m'inquiète davantage, c'est l'avenir à court terme, précisa-t-il.

— Vous vous en sortez, à Pont-Audemer ?

— Pour le moment, oui. Et George veille à La Roque, tu le connais. Mais on commence à avoir besoin de signatures.

— Et à la maison ?

Même en vivant au Havre depuis longtemps, même en ayant délibérément fui le Carrouges, c'était resté pour elle « la maison », en tout cas celle de son enfance.

— Jusqu'ici, Barth réglait tout. Sur le plan financier, s'entend. C'est quand même une baraque ruineuse…

— Dans laquelle il ne mettra plus les pieds, on a compris. Qu'est-ce que Delphine compte faire ?

— Elle ne s'est pas encore posé la question.

Ils poussèrent un soupir au même moment, ce qui les fit rire.

— Quant à Géraldine, elle pleure, du matin au soir et ainsi de suite, poursuivit-il. Elle a perdu Barth mais elle ne peut pas s'y résoudre, ça la rend folle. Je ne croyais pas qu'elle l'aimait encore à ce point.

— Tu es aveugle ou quoi ? Il faut des sentiments très violents pour faire ce qu'elles ont fait.

— Elle va en crever, Fabienne.

— Tant pis pour elle !

Attaquer directement leur mère, sans doute seule responsable, leur était encore un peu difficile. Pourtant Franklin poursuivit :

— L'idée ne vient pas de Géraldine, j'en mettrais ma main à couper.

— D'elle ? Sûrement pas ! Elle n'a aucune imagination et elle a toujours regardé son mari avec des yeux de merlan frit ! Mais ça ne suffit pas, mon vieux ! Elle aurait dû le protéger, pas l'enfoncer !

— Comment voulais-tu qu'elle le garde, alors ?

— Personne n'appartient à personne ! s'écria Fabienne, soudain furieuse.

Il comprit qu'il avait touché un point sensible et ne fit pas de commentaire.

— À cause de Gabriel, j'étais en froid avec Barth ces temps derniers, reprit-elle. Alors, bien entendu, j'ai eu droit aux avances de maman. Je ne sais pas ce qu'elle a pu en déduire à ce moment-là, quel genre d'alliance elle a envisagé, pour moi, mais la question est réglée aujourd'hui.

Jamais il n'en avait douté. En s'en prenant à son fils aîné, Irène avait donné la preuve qu'elle pouvait détruire de sang-froid un de ses enfants et maintenant ils se sentaient tous visés. Cependant les choses allaient se compliquer pour une simple raison de survie. Comme tous les membres de la famille, Delphine, Laurent et Clémence étaient actionnaires, ainsi que Géraldine. En principe, ils siégeaient tous au conseil d'administration, même s'ils s'étaient contentés jusque-là d'envoyer leurs pouvoirs à Barth. Irène allait se battre comme un beau diable pour sauver ses rentes et le Carrouges.

— On ne peut pas tous se liguer contre elle pour la dépouiller et la mettre à la rue, fit remarquer Franklin d'un ton grave.

— Tu as dit que tu ne la défendrais pas.

— Non, mais de là à… C'est notre mère.

— Qui sème le vent…

Elle n'acheva pas parce que son frère l'attendrissait. Il allait se retrouver écrasé entre les deux camps avant de comprendre ce qui lui arrivait. Personne n'était moins capable que lui d'affronter une guerre de clan.

— Tu es trop gentil, lui dit-elle.

En fait, elle pensait qu'il était faible. Irène l'avait beaucoup gâté, flatté, parce qu'il était plus malléable que Barth ou que Victor. Elle en avait fait un fils à maman tout en le dégoûtant des femmes.

— Donne-moi encore un peu de vin, demanda-t-elle en tendant son verre. Est-ce que tu vas vraiment la soutenir ? Si tu es pour elle et moi contre, nos votes s'annuleront et ça ne servira à rien, ni dans un sens ni dans l'autre.

Il avait toujours eu horreur d'être mis au pied du mur. Choisir était une torture pour lui, elle le savait.

— Je crois que je vais partir en vacances, juste après l'enterrement, déclara-t-il très sérieusement.

Nicky frissonna et resserra la ceinture de son manteau. Elle était seule dans les locaux du Silver Bowl, au milieu d'un désordre indescriptible. Le mobilier des précédents propriétaires était empilé le long des murs, attendant le camion qui l'emporterait en salle des ventes. Des liasses d'échantillons avaient été laissées bien en évidence par le décorateur le matin même, mais elle n'avait pas envie de s'y intéresser pour le moment. Elle devait d'abord s'imprégner de l'atmosphère du lieu, se familiariser avec ses proportions, et surtout retrouver l'enthousiasme qui lui manquait.

Louis l'avait déposée là une heure plus tôt, avant de filer chez leur avoué, et elle était censée réfléchir à un nom pour le restaurant qui allait faire leur fortune. Quelque chose de très français, à la fois raffiné et original, en rapport avec la décoration qu'elle ne se décidait pas à concevoir.

Elle alla chercher l'un des fauteuils qu'elle porta au milieu de la grande pièce et dans lequel elle se pelotonna, le col relevé.

« Voyons un peu… »

Mais, décidément, elle ne voyait rien du tout. Louis menait leurs affaires tambour battant, ce qui aurait dû lui plaire, pourtant elle traînait les pieds. Elle aimait Londres, et particulièrement ce quartier de Chelsea, alors pourquoi se sentait-elle si mal à l'aise ?

— Le Normandy, Le Léopard, La Belle Étoile, Le Petit Paris, Les Rois de France, Chez Nous, La Maison Rose…, énonça-t-elle sans conviction.

Au bout du compte, elle ferma les yeux. La fatigue se faisait sentir, elle n'avait pas dormi de la nuit. Louis était capable de prendre ses cernes et ses traits tirés pour une victoire totale puisqu'il était parvenu à ses fins.

Secouant la tête, elle se redressa et se mit à arpenter la salle. Louis s'était révélé un bon amant et elle ne regrettait pas d'avoir mis un terme à ces ridicules années d'abstinence. Mais la tendresse qui avait suivi l'avait glacée. Il était authentiquement amoureux, prêt à tous les serments, et pas elle. Loyale, elle avait tenté de le lui faire comprendre et, bien entendu, s'était heurtée à un mur. Il s'était endormi lové contre elle, conservant un sourire de béatitude qu'elle avait longtemps regardé. Il nageait dans le bonheur alors qu'elle n'était qu'apaisée par un plaisir partagé. D'ici peu, il lui parlerait de mariage et d'enfants.

« Et ensuite il souffrira, fera des scènes, boudera dans sa cuisine et gâtera les sauces… »

C'était méchant et elle s'en voulut. Jamais elle n'aurait dû le laisser entrer dans son lit, elle était pleinement responsable de ce qui allait suivre, quand sa malheureuse faiblesse se retournerait contre elle. Et tout ça parce qu'elle ne parvenait pas à chasser Barth de sa tête ! Parce qu'elle se rendait malade avec des souvenirs dont elle ne pouvait rien faire. Parce qu'elle avait dans la peau, pour la vie, un homme de cinquante ans qu'elle aimait au moins autant qu'elle le haïssait.

— Mais quelle horreur…, murmura-t-elle.

La grande porte vitrée s'ouvrit soudain et une bourrasque pluvieuse s'engouffra dans la salle avec Louis.

— La première chose à faire est d'installer un sas ! fit-elle remarquer.

Il éclata de rire tout en secouant ses cheveux mouillés. Puis il découvrit le fauteuil, planté au beau milieu du capharnaüm.

— Ah, je te reconnais bien là ! s'écria-t-il. Alors ? Qu'est-ce que tu nous as concocté ? Dans quel décor de rêve vas-tu séduire nos nombreux clients ? Et comment s'appelle cet établissement désormais ?

Sans attendre les réponses qu'elle aurait d'ailleurs été incapable de lui donner, il vint vers elle et la prit dans ses bras.

— Tu as froid, tu es livide. Je vais brancher le chauffage tout de suite…

Déjà il s'éloignait en direction des cuisines et elle en éprouva un vrai soulagement.

Simon n'avait pas de parents et pas d'amis, les Beaulieu lui tenant lieu de tout univers. La famille avait donc occupé seule le premier rang de l'église déserte. Derrière eux, il n'y avait eu que Renée, qui avait reniflé pendant tout l'office.

Barth était arrivé peu après le début de la cérémonie et avait choisi de rester debout près d'un pilier, sans avancer dans la nef. De là il avait écouté attentivement les paroles du prêtre sans quitter des yeux le catafalque. Et, à la fin, il était sorti le premier derrière le cercueil.

Au cimetière, où il était parvenu avant tout le monde, il avait continué de se tenir à l'écart et n'avait approché la tombe que quand les autres s'étaient enfin écartés. Il était resté plusieurs minutes immobile au bord de la fosse avant de se décider à jeter la rose que lui avait remis l'ordonnateur des pompes funèbres, oubliant la présence du clan Beaulieu qui l'observait à quelques mètres de là. Ensuite il s'était détourné, avait remonté l'allée jusqu'à la grille et, près de sa voiture, il avait allumé un cigare. Puis il s'était appuyé à la carrosserie, avait croisé les bras et enfin dirigé son regard sur le petit groupe en deuil.

Irène venait en tête mais elle n'avançait qu'à pas lents, peu pressée de se retrouver devant son fils aîné. Elle avait glissé son bras sous celui de Géraldine qu'elle obligeait à marcher. Derrière elles, Delphine et Laurent encadraient Clémence. Fabienne était seule, suivie de Franklin et Stéphane.

Barth fumait posément, les dévisageant tour à tour pendant qu'ils approchaient. Géraldine gardait les yeux obstinément baissés mais Irène rassembla son courage pour faire face.

— Veux-tu venir jusqu'à la maison ? articula-t-elle d'une voix crispée. Nous avons des choses à régler…

Au lieu de répondre, il haussa les épaules avec lassitude et esquissa un mouvement qui obligea Irène et Géraldine à dévier leur chemin.

— Je serai à La Roque en fin d'après-midi, dit-il à Stéphane.

Qu'il ait préféré s'adresser à son neveu avait de quoi surprendre mais personne n'ouvrit la bouche. Il déverrouilla sa portière, prit tout son temps pour s'installer au volant, et Géraldine en profita pour échapper à la poigne de sa belle-mère. Elle se jeta vers la voiture et réussit à saisir un bout de l'imperméable de Barth.

— Attends ! Je t'en supplie, attends !

Elle s'accrochait à lui, terrifiée à l'idée de le voir disparaître à nouveau.

— S'il te plaît, laisse-moi monter, il faut que je te parle…, gémit-elle.

Le moteur du coupé rugit tandis qu'il la repoussait sans ménagement.

— Ne te ridiculise donc pas, dit-il entre ses dents.

Il démarra en la frôlant mais elle eut tout de même le réflexe de reculer précipitamment. Une petite pluie fine s'était mise à tomber et il brancha les essuie-glaces sans même jeter un coup d'œil dans son rétroviseur. Géraldine pouvait bien s'être étalée sur la route, il s'en moquait. Il avait dû rouler à tombeau ouvert pour arriver à temps car il n'avait obtenu tous ses résultats qu'en début de matinée. L'enveloppe du laboratoire était restée posée sur le siège passager depuis son départ de Paris. Des analyses normales, des chiffres standard pour un homme de son âge. Les deux tests successifs faisaient état d'un nombre satisfaisant de spermatozoïdes dont la morphologie et la mobilité étaient conformes. Rien à signaler, en somme, lui avait affirmé le biologiste en souriant. Rien.

Tous les souvenirs qu'il avait de sa précédente expérience, douze ans plus tôt, lui étaient revenus peu à peu en mémoire. Tout ce qu'il avait soigneusement occulté. Le Dr Daniel Martin expliquant les résultats dans un incompréhensible jargon. Étiologie multiple et de toute façon incurable. Problème endocrinien, absence de cellules germinales, azoospermie sécrétoire… Des mots qui l'avaient horrifié à l'époque et l'avaient dissuadé de faire des examens complémentaires. La masturbation au-dessus d'un récipient stérile était déjà une expérience déprimante, alors quand il avait été question de biopsie des testicules ! Non, la seule chose que Barth avait retenue était le chiffre : deux millions, là où il en aurait fallu deux cents millions. D'après Daniel Martin, à ce stade il ne restait que l'adoption ou encore l'insémination artificielle avec donneur. La cause était entendue ; Barth s'était résigné, trop vite, pour qu'on ne lui en parle plus. Une irréparable lâcheté de sa part.

À présent il devait se rendre à Deauville, au Bathyscaphe, et cette perspective l'écrasait. Baissant sa vitre, il inspira profondément. Son compteur indiquait quarante à l'heure, il se traînait sur la route. Qu'allait-il bien pouvoir lui dire ? Existait-il seulement une chance pour que, à défaut de lui pardonner, elle accepte au moins de l'écouter ?

Saisi d'une sensation physique d'étouffement, il s'arrêta en catastrophe sur le bas-côté. Apercevoir Nicky était déjà une torture, mais devoir l'affronter dans ces conditions était presque au-dessus de ses forces. Il cala sa nuque contre l'appui-tête et ferma les yeux quelques secondes. Aucune échappatoire n'était possible, il était obligé d'y aller. Tout comme il serait contraint d'accepter ses insultes ou son mépris. Au pire, ce serait ce Louis qui le flanquerait dehors. Tant pis, il était déterminé à faire bien davantage que ce qu'avait tenté Géraldine cinq minutes plus tôt. Il ne se contenterait pas, lui, d'accrocher Nicky par le bout de sa jupe ! Et même s'il n'avait rien à espérer de cette ultime confrontation, même s'il ne pouvait évidemment plus

327

rien réparer, il fallait qu'elle sache. Reprenant le volant, il démarra.

Lorsqu'il eut dépassé le panneau annonçant Deauville, son rythme cardiaque s'accéléra encore. C'était l'heure du déjeuner, le restaurant serait plein et Nicky très occupée, mais ce n'était pas une raison pour reculer. Il gara son coupé de l'autre côté de la rue, descendit, puis se tourna résolument vers la façade. L'absence de lumière le cloua sur place. Incrédule, il découvrit les stores qui masquaient les baies vitrées, puis le panneau blanc, affiché sur la porte. Il traversa en deux enjambées. Ce qu'il lut était plus accablant que tout ce qu'il avait pu craindre. « Fermeture exceptionnelle », qu'est-ce que ça signifiait ?

Stéphane ne s'était pas senti le droit de parler à George. Les histoires sordides de la famille Beaulieu devaient rester entre les murs du Carrouges, il en était certain. Aussi quand il lui avait appris, de façon laconique, que Barth serait là en fin d'après-midi, George avait exprimé une joie intempestive. Le patron était de retour après une mystérieuse escapade, tout allait bien ! Beaucoup moins optimiste, et pour cause, Stéphane s'était concentré sur son travail en attendant l'arrivée de son oncle. L'enterrement de Simon l'avait bouleversé et le repas sinistre qui avait suivi s'était déroulé dans un silence complet. Ainsi que Barth l'avait prévu, la gendarmerie semblait conclure son enquête de routine par un décès accidentel. Stéphane avait eu droit à un sermon du brigadier, que Clémence avait écouté tête baissée. En ce moment, elle devait être en train de boucler ses bagages sous le regard vigilant de Delphine.

Errant dans les hangars, Stéphane pensait toujours au vieux gardien à qui il ne pourrait plus rapporter de livres. À tout ce que cet homme lui avait appris en quelques mois avec les récits qu'il avait faits de l'enfance de Victor, de Barth et des autres. Car c'était bien grâce à Simon que Stéphane avait pu supporter les premières semaines au Carrouges.

— J'ai mis tous les dossiers en instance sur son bureau, tu crois qu'il aura le temps d'y jeter un coup d'œil ? cria George qui venait de le rejoindre.

Le bruit de la presse empêchant toute conversation, Stéphane eut un geste d'ignorance.

— Il y a des trucs vraiment urgents !

George pouvait parfaitement prendre toutes les décisions nécessaires à la bonne marche de La Roque mais il était de la vieille école et il se sentait perdu sans son patron. D'autant plus qu'il ne comprenait rien à cette absence imprévue. Stéphane l'entraîna à l'autre bout du hangar, vers la petite cabine de surveillance où l'on pouvait se parler sans hurler.

— Je ne sais pas ce qu'il aura envie de faire ou pas aujourd'hui, dit-il prudemment. En fait, il a un problème familial assez sérieux…

— C'est cet accident de chasse ?

— Non, pas seulement.

Quelqu'un est malade chez vous ?

La discrétion naturelle de George s'effaçait devant ses inquiétudes professionnelles.

— Non, non…

George le regarda avec insistance encore quelques instants, puis il hocha la tête.

— C'est demain le Goncourt, rappela-t-il. Il y a des chances pour que ce soit un livre de chez nous. Comme toujours, ce sera la bousculade, il faudra modifier tout le planning pour réimprimer dans la nuit. Et en plus, tu es au courant de la grève des routiers ?

Depuis le début de la semaine, Stéphane n'avait même pas eu le temps de lire la presse. Il réalisa tout de suite les implications de cette grève.

— En période de prix littéraires, il faut livrer tout de suite parce que, passé la fête, passé le saint ! ponctua George.

Ils quittèrent ensemble la cabine et Stéphane reprit ses rondes à travers les bâtiments. Barth l'avait chargé de trouver des idées, de donner une impulsion moderne aux projets de l'entreprise, mais ce n'était pas à La Roque qu'il fallait envisager des changements. Pont-Audemer offrait un champ d'investigations infiniment plus large et ce n'était pas par hasard que Barth y passait le plus clair de son temps. La presse, la vente par correspondance, n'importe quelle forme de publicité sur le support-papier, tout ce qui avait trait à l'écrit et au graphisme pouvait intéresser le groupe Beaulieu. Y compris les possibilités du multimédia sans doute. Barth avait déjà étendu son empire en décidant de brocher, de relier, d'expédier lui-même. Qu'est-ce que Stéphane pourrait bien lui suggérer de résolument neuf ? Lors d'une discussion, son oncle lui avait précisé : « Trouve le débouché et je monte l'usine. N'importe quoi, je suis prêt à tout envisager. » Et c'était une proposition sincère. À Stéphane de l'honorer d'une façon ou d'une autre.

Perdu dans ses réflexions, il grimpa jusqu'à l'étage de la direction. Autant attendre l'arrivée de Barth dans son bureau. Il poussa la porte pour s'assurer que tout était en ordre et resta muet de surprise. La tête penché sur des papiers étalés devant lui, Barth les étudiait d'un œil critique, stylo en main.

— Entre, assieds-toi, c'est toi que je voulais voir…

Il leva son regard sombre vers Stéphane et recula son fauteuil pour croiser ses jambes.

— Vous reprenez vos fonctions ou vous jouez les prolongations ? s'enquit le jeune homme en souriant.

— Tu sais ce que j'apprécie, chez toi ? Le sang-froid et l'humour, répliqua Barth.

— Comment êtes-vous entré ? Tout le monde vous guettait !

— Par la porte. La Roque est un moulin… et comme les bons moulins, ça tourne tout seul.

Ses traits accusaient la fatigue et il conservait un pli amer au coin de la bouche.

— J'attends mon avocat et le fondé de pouvoir. Je les ai convoqués ici parce que c'est plus tranquille qu'à Pont-Audemer. J'ai invité Jacqueline à dîner, ce soir. Tu veux te joindre à nous ?

Ainsi il s'organisait, il reprenait les rênes, il allait y avoir du changement.

— Où comptez-vous dormir, cette nuit ?

— Et du sens pratique, en plus ! Ah, tu changes, tu sais ! C'est spectaculaire… Notre belle région ne manque pas d'hôtels, réserve-moi donc une chambre quelque part.

— En ce qui concerne le Carrouges, vous ne…

— Je n'ai pas l'habitude de cracher en l'air quand je parle.

C'était clair, il ne franchirait jamais plus la porte du manoir.

— Franklin prend une semaine de vacances, il part demain, annonça alors Stéphane.

— Sûrement pas ! J'ai besoin de lui. De tout le monde, à vrai dire… Toi, surtout.

— Et ce voyage en Amérique…

— Non, ce sera pour plus tard. Tu restes.

Stéphane n'avait aucune envie de manquer ce qui allait suivre et il ne fut pas vraiment déçu.

— Je me sens un peu seul, dit brusquement son oncle. Et tu es quand même le moins antipathique du lot.

Il quitta son fauteuil et alla se planter devant les baies vitrées qu'il avait fracassées quelques jours plus tôt dans sa rage. Tout en observant le cours d'eau, en contrebas, il reprit :

— Tu vas servir d'intermédiaire entre ces deux mégères et moi, ensuite la justice prendra le relais. Je n'ai pas fini de régler mes affaires personnelles et je m'absenterai encore. Tu assureras l'intérim. D'accord ?

Sans doute ne pouvait-il compter sur personne d'autre. Sa marge de manœuvre devait être étroite.

— Très bien, accepta Stéphane sans hésiter.

— Je vais t'établir une procuration. Il n'est pas question de freiner la marche des affaires. Par téléphone, je t'indiquerai ce que tu peux valider ou pas. En cas de doute, tu croises les bras et tu attends sans te laisser impressionner par les charognards, vu ?

Éberlué, Stéphane se demanda ce que Barth était en train d'échafauder mais il ne posa pas de question superflue.

— Avant tout, je divorce de cette salope dans les plus brefs délais. À ses torts, naturellement, que ça lui plaise ou non. Quant à cet escroc de médecin, il doit déjà être dans ses petits souliers… Je vais convoquer un conseil d'administration extraordinaire. Mais pour ça…

Tournant le dos aux vitres, il posa un regard indéchiffrable sur son neveu.

— Quel âge as-tu exactement ?

— Vingt ans et huit mois.

— Formidable. Tu es majeur, il est temps que tu touches ton héritage.

— Mon quoi ?

— Le paquet d'actions au porteur que ton père nous a jeté à la tête quand il a décidé de prendre le large. Son héritage à lui, en quelque sorte, enfin je simplifie.

Barth attendit quelques instants pour s'assurer que le jeune homme avait bien compris. Puis il ajouta, d'un ton assez mordant :

— Un bel âge, vingt ans !

C'était presque une provocation mais son neveu ne réagit pas et il reprit :

— Les idées de Victor, je te jure… Aucun réalisme ! Mais il m'a fait confiance et, comme tu vois, je ne le trahis pas. Bon, va chercher George maintenant, il doit se morfondre.

— Vous êtes au courant, pour la grève des routiers ? demanda Stéphane en se levant.

— Pour qui me prends-tu ? J'ai la radio à bord, tu sais !

Une ombre de sourire flottait sur ses lèvres, comme si cette conversation était parvenue à le détendre un peu.

— Attends une minute ! s'écria-t-il. Je voudrais savoir quelque chose…

Stéphane revint sur ses pas et resta debout devant le bureau.

— Pourquoi es-tu dans mon camp ? Je ne t'ai pas toujours ménagé, non ? Tu as oublié que j'ai voulu te gaver comme une oie avec tes foutus petits cochons

333

roses ? Que je t'ai fait interner ? Tu devrais hurler avec les loups : s'il existe une seule possibilité de me déboulonner, c'est bien maintenant ! Ou alors tu t'apitoies sur ton vieil oncle ? Allez, réponds-moi.

— Vous, avant que je vous plaigne... Je suis avec vous parce qu'il faut être cinglé pour vous faire la guerre. Ça vous va ?

— Non, mais je m'en accommoderai. Au fond, je t'aime bien.

C'était tellement inattendu que Stéphane eut l'impression d'avoir reçu un coup dans l'estomac. Depuis l'accident de moto de son père, il s'était interdit toute affection. Il avait dérivé afin de ne pas couler. Trop malheureux et trop perdu pour se l'avouer, il s'était bardé de défenses que sa mère avait été impuissante à franchir. Sa grand-mère s'était servie de lui. Les autres Beaulieu ne l'avaient même pas regardé. Clémence ne lui avait pas permis de se livrer et c'était seulement auprès de Simon qu'il avait pu trouver un peu d'amitié. Oui, Barth l'avait malmené, mais il l'avait aidé. Ainsi qu'il l'avait espéré inconsciemment en acceptant de vivre au Carrouges, c'était cet oncle redoutable qui lui avait tenu, de force, la tête hors de l'eau.

— Tu prends racine ? lui demanda Barth.

— Ah, ça promet..., marmonna Stéphane en s'éclipsant.

Mais il ne l'avait dit que pour masquer son émotion, ils le savaient tous deux.

Daniel Martin se passa une fois de plus la main dans les cheveux, d'un geste mécanique.

— C'est épouvantable, Irène, je ne crois pas que vous vous rendiez bien compte…

Depuis qu'il se savait découvert, il ne vivait plus. La monstruosité du complot de femmes auquel il s'était mêlé lui apparaissait soudain avec un réalisme intolérable. Durant douze ans, pas une seule journée ne s'était écoulée sans qu'il y pense. Mais c'était devenu presque abstrait avec le temps, comme une vieille faute qui s'atténuait. Irène l'avait endormi peu à peu en prétendant qu'il était l'artisan du bonheur de Géraldine. De la famille entière. Comme si un mensonge aussi odieux pouvait avoir des conséquences heureuses ! À présent il s'attendait à voir débarquer Barthélemy Beaulieu d'une minute à l'autre et cette idée le faisait défaillir.

Deux zéros, deux simples zéros allaient le conduire en prison, à son âge, sauf si sa victime choisissait une justice plus expéditive – ce qui était probable, hélas ! Les chiffres de la trahison l'avaient finalement rattrapé et il allait devoir régler ces décimales avec des intérêts exorbitants.

— La panique ne vous sera d'aucune utilité ! lui lança Irène.

Il la regarda, sans indulgence pour une fois.

— Je vous avais toujours prédit qu'il finirait par l'apprendre, rappela-t-il. Il aurait suffi qu'il ait une liaison, par exemple. Ou qu'il décide de faire un nouvel examen.

— Et alors ? Nous n'étions pas directement en cause ! Vous m'aviez expliqué tout ça !

— Oui, reconnut-il d'un ton las. Une stérilité de ce type peut être transitoire… quand elle est consécutive à une infection sévère par exemple… Après quelques années, la spermatogenèse peut reprendre.

— Il en aurait déduit qu'il était « guéri » ! Non, il n'y avait aucun risque, c'est cet abruti de Simon qui a tout gâché !

Choqué par le mot, il sursauta.

— Irène, voyons…

— Oh, ne soyez pas bien-pensant ! Je n'ai jamais aimé Simon. Il faisait correctement son travail, c'est vrai, mais il avait un comportement insolent.

Elle ne lui pardonnait pas d'avoir été l'ami de ses enfants et de ses petits-enfants. Ni d'avoir occupé au Carrouges une place à part, qui n'était pas vraiment celle d'un domestique. En plus, Simon avait reporté la reconnaissance qu'il vouait à Octave sur Barth sans jamais la mettre, elle, sur un piédestal.

— Que croyez-vous qu'il va faire ?

— Barth ? Je ne sais pas…

Cette fois, elle s'avouait dépassée. Son fils aîné allait pouvoir étaler sa haine au grand jour, se poser en victime, se livrer à tous les chantages, elle serait impuissante.

— Je boirais volontiers un peu de votre cognac, mon ami.

L'appelait-elle ainsi pour souligner leur alliance ? Avec un soupir, il se dirigea vers le buffet où il prit deux verres à liqueur et une bouteille. Irène lui faisait rarement la grâce d'une visite dans sa maison de Trouville. Combien de fois l'avait-il imaginée assise là où elle se tenait, dans ce fauteuil de velours vert ? Mais son rêve s'était usé avec le temps, comme tout le reste.

— Juste une larme, merci.

Elle avait encore des mains magnifiques, même si ses doigts étaient devenus un peu osseux.

— Vous êtes sa mère, il finira par s'en souvenir, dit-il sans conviction.

Barth lui avait toujours fait peur. D'abord parce qu'il effrayait Irène qui était tout sauf une femme impressionnable, ensuite parce que, avec cet ignoble mensonge, il s'était mis à sa merci.

— Il n'a pas de cœur, il n'aime personne ! riposta Irène. Regardez de quelle manière il traite Géraldine depuis des années ! Il l'a reléguée dans une chambre d'ami où elle se morfond alors qu'elle est folle de lui, cette idiote !

Sa peur expliquait sans doute sa hargne mais il la trouva presque vulgaire soudain.

— La seule chose qui l'intéresse, c'est l'odeur de l'encre parce qu'elle l'enrichit ! acheva-t-elle. À présent, il va tout faire pour m'isoler puis me spolier. Il voudrait me voir crever seule, ce sont les termes qu'il a employés.

Elle attendit un peu mais, comme il se taisait, elle ajouta :

— Heureusement que je vous ai.

C'était une offre de quelle sorte ? Que devait-il répondre pour lui plaire ? Il allait être traîné dans la boue, déshonoré, sans doute ruiné par le procès que Barth ne manquerait pas d'intenter, et il devait la rassurer, elle ?

— Je suis très inquiet, dit-il d'un ton pitoyable.

Et Dieu sait qu'il l'était, pourtant il n'eut droit qu'à un regard froid. Elle avait toujours été plus forte que lui.

— Ma maison vous est ouverte, vous le savez bien, murmura-t-il encore.

— Il n'est pas question de ça !

Sa réaction hautaine aurait dû le blesser mais il ne ressentit rien d'autre qu'un immense découragement. C'est au Carrouges qu'elle allait s'accrocher, bien sûr, à ses droits et à ses habitudes parmi lesquelles il n'était qu'un détail. Il voulut tenter un geste extravagant et il posa sa main sur celle d'Irène qui se leva aussitôt.

— Je ne peux pas laisser Géraldine seule trop longtemps, elle est incontrôlable ! s'écria-t-elle.

Il était assez lucide pour comprendre qu'elle n'était nullement troublée mais juste agacée. Dans le vestibule, il l'aida à passer son manteau avant de lui ouvrir la porte. Tout de même, alors qu'elle allait s'élancer au-dehors, elle se retourna vers lui un instant.

— Ne vous inquiétez donc pas, il n'y a aucune preuve de tout ça. Aucune ! Ce sera sa parole contre les nôtres.

Accablé, il la regarda s'éloigner, mince et droite, et traverser la rue de sa démarche énergique. Et il se demanda si, depuis le début, il ne s'était pas trompé sur son compte.

11

Barth ne jeta qu'un regard indifférent à la superbe chambre réservée par Stéphane au Petit Coq aux Champs, une auberge de charme située à quelques kilomètres de Pont-Audemer. Il avait refusé les fastes de la ferme Saint-Siméon, non seulement parce qu'il préférait un établissement plus tranquille et plus discret pour les jours à venir, mais surtout parce qu'il tenait à s'éloigner de Honfleur et du Carrouges. Il connaissait désormais l'ordre de ses priorités. D'abord, il avait besoin d'un toit. Il ignorait encore ce qu'il ferait et avec qui, mais il fallait bien que ce soit quelque part et il devait vite trouver l'endroit.

Par acquit de conscience, il était retourné vérifier le panneau, sur la porte du Bathyscaphe, mais il n'avait relevé aucun indice supplémentaire. Nicky pouvait être en vacances, ou malade, elle pouvait aussi avoir changé de métier, voire de pays. En appelant au restaurant, il était tombé sur un message enregistré qui ne lui avait rien appris de plus. Sa déception s'était augmentée d'un sentiment d'urgence et il bouillait d'impatience. Même s'il n'attendait rien de cette confrontation, elle lui était indispensable. Pour retrouver Nicky et pour lui parler, il allait devoir contacter tous les agents immobiliers de Deauville, interroger la poste afin de découvrir où son courrier était réexpédié, bref mener une véritable enquête qui risquait de prendre du temps. Or il avait une foule d'autres choses à régler.

Au sujet de son divorce, il s'était montré aussi bref que formel avec son avocat. Il exigeait une séparation de corps immédiate, tous les torts pour son épouse, ni pension alimentaire ni prestation compensatoire. Depuis qu'il avait compris le rôle joué par Géraldine, il l'avait rayée de son existence sans le moindre scrupule. Il ne comptait pas exercer de représailles mais il voulait qu'elle disparaisse de sa vie le plus rapidement possible.

En revanche, il concentrait sur sa mère une colère et un désir de vengeance qui ne faiblissaient pas. S'il avait longtemps toléré être haï sans raison par une femme qu'il était obligé de respecter malgré tout, dorénavant plus rien ne le retenait. Les anciennes blessures s'additionnaient lourdement, lui rappelant avec amertume sa jeunesse. Combien de fois avait-elle repoussé ses tendresses d'enfant, combien de jours heureux avait-elle gâchés par ses pseudo-migraines ou ses petits rires cyniques ? Un de ses vieux souvenirs remontait à l'époque de l'école primaire. Pour la fête des Mères, l'institutrice avait fait préparer par ses petits élèves un cadeau. Il s'agissait d'un dessin à la gouache, encadré d'une baguette de bois doré. Une véritable horreur, bien entendu, mais sur laquelle Barth s'était beaucoup appliqué. C'était dans la bibliothèque du Carrouges qu'il avait offert son chef-d'œuvre à Irène qui n'avait même pas cherché à dissimuler sa grimace. Comme elle n'avait fait aucun commentaire, Octave s'était donné la peine de prononcer quelques mots gentils à sa place. Très déçu, Barth était alors parti la tête basse. Hésitant au seuil de la porte, il avait eu le temps de voir sa mère jeter négligemment le « tableau » dans la cheminée où brûlait un bon feu. Les protestations d'Octave s'étaient perdues dans son rire à elle. Un rire méchant qu'il avait entendu souvent depuis – il perdait le compte des vexations et des mensonges qu'il avait supportés durant cinquante ans. Il s'étonnait d'avoir tant attendu pour se libérer d'elle, mais les imprimeries l'avaient aveuglé, absorbé, et il s'y était entièrement consacré pour échapper au reste : une mère dénaturée, un mariage sans passion, une famille médiocre, une stérilité honteuse. Honteuse, oui, c'était là sa faille, il s'était piégé lui-même.

— Pose les valises où tu veux, et merci d'y avoir pensé, dit-il à Stéphane qui le suivait.

— J'ai choisi comme pour moi, répliqua son neveu.

En fait, le jeune homme avait beaucoup hésité, dans le dressing du Carrouges, ébahi par la quantité de vêtements que possédait Barth. Personne ne lui avait rien demandé, même pas Géraldine qui était restée sur le palier en l'observant d'un air de chien battu.

Devant Jacqueline, tout à l'heure, je t'expliquerai un certain nombre de choses... Mais, pour le moment, fais-nous donc monter du whisky. Franklin va nous rejoindre.

— On organise un conseil de guerre ?

— Pourquoi, ça t'amuserait ?

— Non. Pas vraiment.

Barth l'effleura du regard puis haussa les épaules.

341

— Ne me dis pas qu'elles te font de la peine ! Parce que, je te préviens, je vais les réduire à deux petits tas de cendres…

Il ouvrit l'une des valises, choisit une chemise et commença à se changer. En quelques jours, il avait beaucoup maigri. D'une main experte, il exécuta un nœud de cravate impeccable puis sourit à son neveu dans la glace.

— Tu verras, un jour ou l'autre tu te soucieras de ton apparence. Quand ta jeunesse ne t'habillera plus assez !

On frappa et Franklin entra, ou plutôt se glissa dans la pièce avec un air de conspirateur.

— Tu me fais rater mon avion, dit-il en guise de salut. Je devais partir ce soir.

Il tenait une mallette qu'il déposa cérémonieusement devant son frère.

— Rien que des trucs urgents, annonça-t-il.

— L'urgence, c'est que tu annules tes vacances.

— Écoute…

— Rien du tout ! Il y a assez de bordel comme ça ! Tu as la trouille de te retrouver au milieu de la mêlée ?

— Pas la trouille ! se rebella Franklin. Je ne veux pas, voilà.

— Je m'en fous, répondit Barth sans perdre son calme, tu restes.

— Mais tu vas réunir les actionnaires, tu…

— Oui, et tu voteras. En ton âme et conscience, mon vieux !

Barth passa prestement sa veste puis ouvrit la mallette pour prendre les dossiers. Il n'y accorda qu'un minimum d'attention mais enregistra l'essentiel avant de se tourner vers son frère.

— Ce serait trop facile de se tirer à l'autre bout du monde pendant qu'on s'étripe en famille. Tu *es* de la famille, non ? Tu ne voudrais pas, à ton retour, avoir la surprise de découvrir que c'est maman ton employeur ?

— Ni que tu l'as envoyée à la soupe populaire, dit Franklin en essayant de sourire.

— Eh bien, tu vois, tu ne peux pas rater ça ! Il va falloir que tu te mouilles…

Franklin étouffa un soupir résigné tout en secouant la tête.

— J'ai amené Clémence avec moi, elle est en bas, annonça-t-il. Elle voudrait te dire au revoir en tête-à-tête, elle t'attend au bar.

— Ah, tiens…, murmura Barth.

Il parut réfléchir quelques instants, puis il traversa la chambre et sortit. Sa nièce faisait partie des gens qu'il aurait préféré oublier pour le moment mais il ne voulait pas la fuir ouvertement. Après tout, elle n'avait pas trempé dans les mensonges de sa grand-mère et de sa tante. Sa faute à elle était involontaire.

Il la trouva assise dans l'un des profonds fauteuils du petit salon. Elle lui sembla dérisoirement jeune et fragile avec son visage qui n'était ni gai ni arrogant, pour une fois. Une coupe de champagne était posée sur une table basse, près d'elle, mais elle n'y avait pas encore touché.

— Alors ? demanda-t-il seulement en s'asseyant.

Elle dut faire un effort pour le regarder en face.

— Je retourne là-bas…

— Je sais. Combien de temps pour ce nouveau diplôme ?

— Deux ans.

— Parfait.

343

Ainsi qu'elle l'avait prévu, il ne faisait rien pour l'aider. Elle fouilla dans son sac et en extirpa un papier plié en quatre.

— Mon pouvoir en blanc, pour le conseil.

Voyant qu'il ne faisait aucun geste pour le prendre, elle le posa sur la table et le poussa vers lui.

— Pourquoi ne l'as-tu pas remis à ton père, comme d'habitude ? interrogea-t-il avec indifférence.

— Il va y avoir de la houle en mer, non ? Et c'est toi qui es visé…

Le sourire de son oncle acheva de la désorienter. Il se pencha vers elle.

— Est-ce que tu attends des remerciements ? demanda-t-il d'un ton amusé.

— Non. Stéphane m'a dit que tu m'en voulais beaucoup, pour Simon.

— Et tu comptes te dédouaner avec ça ?

Il saisit le papier et elle crut qu'il allait le lui jeter à la tête. Au contraire, il le rangea dans sa poche.

— Qu'est-ce que tu vas faire, Barth ? interrogea-t-elle d'une voix à peine audible.

— Acheter une maison, changer de vie. Rien qui te concerne. Ta place est là-bas, essaie d'y rester le plus longtemps possible. Tu vas revoir ce Mike ?

— En principe, il m'attendra à l'aéroport demain.

— Tu es bien organisée.

Elle le regardait avec insistance, détaillant ses traits fatigués, cherchant à se défendre de la séduction qu'il exerçait sur elle en dépit de tout.

— Tu vas faire craquer les femmes si tu gardes cet air désespéré, dit-elle doucement.

— J'ai l'air comme ça ?

D'un mouvement impulsif, elle lui prit la main et la serra très fort, juste un instant, avant de débiter, d'une traite :

— Elles se sont comportées comme des ordures ! Fais ce que tu veux, j'applaudis d'avance. Je t'aime beaucoup. Quand j'essaie de dormir, c'est Simon que je vois, ça me rend dingue. Tu crois qu'on oubliera ?

Il lui adressa un sourire tendre, inattendu, un sourire qu'elle lui avait très rarement connu.

— Le coup de fusil, on oubliera, répondit-il. C'est de Simon qu'on se souviendra. Ne t'en fais pas trop…

— Juste avant, il nous avait montré des biches. Une dizaine de biches qu'il avait repérées. C'était…

Le reste de sa phrase s'étrangla dans sa gorge. Elle tendit la main vers sa coupe qu'elle vida à moitié.

— Si je n'avais pas tiré, rien de tout ça ne serait arrivé. Tu serais au Carrouges et Simon dans sa maison. C'est dur à supporter, tu comprends.

— Oui, mais tu ne peux plus rien y changer. Il faut accepter, ma petite fille. On est responsable de ses actes, tu le sais très bien, avec toute cette psycho que tu as ingurgitée… En ce qui me concerne, j'aurais préféré apprendre la vérité autrement mais ça me redonne quand même une chance. Une toute petite.

Une larme roulait sur la joue de Clémence et il l'écrasa, du bout du doigt.

— Stéphane est un type très bien, dit-elle encore en levant les yeux sur lui.

— Oui. J'avais remarqué.

— Est-ce que tu me donneras ton adresse, quand tu en auras une ?

— Pour quoi faire ?

— Les vœux, à Noël…

Il se leva le premier, obligeant la jeune fille à l'imiter. Il ne lui avait sans doute pas encore pardonné mais il s'était montré moins hostile qu'elle ne l'avait redouté. Elle l'embrassa furtivement avant de s'enfuir.

Géraldine n'avait pas osé remettre les pieds dans la chambre de la tour tant qu'elle avait cru que Barth y reviendrait un jour. Mais lorsque, un peu plus tôt dans la soirée, elle avait vu Stéphane décrocher des costumes et des chemises pour les entasser dans des valises, elle avait réalisé que jamais plus son mari n'habiterait là. Alors, après le lugubre dîner, quand elle était montée se coucher, elle était entrée dans la grande pièce ronde. Elle avait examiné les objets un par un, lu chaque papier, caressé l'unique oreiller, puis s'était enfin assise au pied du lit pour réfléchir. Elle avait tant pleuré depuis quelques jours qu'elle était épuisée. Son sentiment d'impuissance demeurait absolu. Rien au monde ne lui ramènerait plus Barth. Tout ce qu'elle avait fait pour le garder n'avait servi qu'à le perdre plus sûrement, malgré les quinze ans de bonheur gagnés.

Bonheur ? Il avait été un mari plutôt distant ! Indifférent, oui, mais présent. Autoritaire, mais courtois. *Son* mari. L'homme qu'elle avait passionnément aimé et qu'elle aimait encore. Celui pour qui elle avait été capable du pire. Celui dont elle avait tout accepté, y compris les désillusions successives.

« Si nous avions adopté des enfants, il ne serait pas parti. Pas comme ça. »

C'était sa seconde erreur monumentale. La première, bien sûr, avait été d'écouter Irène qui prétendait le connaître mieux que personne. Mais aujourd'hui les regrets ne servaient à rien. L'avenir de Géraldine était uniformément noir. Elle ne savait même pas ce qu'elle allait devenir ni si elle pourrait se réfugier chez ses parents. Comment allaient-ils la juger en découvrant ce qu'elle avait fait ? Bien sûr, ils n'aimaient pas leur gendre, mais de là à approuver le traitement qui lui avait été infligé par deux femmes... Barth allait vouloir divorcer, et ensuite où vivrait-elle ? Avec quel argent ? Il serait sans pitié, elle n'en doutait pas.

« Il faut que je lui parle... »

Pour lui dire quoi ? Il avait clairement montré qu'il ne voulait ni la voir ni l'entendre. Pourtant elle aurait préféré n'importe quel châtiment à cette fuite, cette insupportable absence. Est-ce qu'il allait refaire sa vie ? Le pouvait-il à cinquante ans ? Cette idée la révulsa. Elle-même ne s'imaginait pas ailleurs qu'au Carrouges, autrement que dans la peau de madame Barthélemy Beaulieu. Hélas, elle allait redevenir Géraldine Bernay et une autre femme prendrait sa place dans le lit de Barth.

— Ah, non... Non !

Elle s'était remise debout, secouée d'une aveugle jalousie, et elle entendit à peine la porte s'ouvrir.

— Qu'est-ce que vous faites là ? Vous parlez toute seule ?

Irène se tenait sur le seuil, le visage renfrogné. Elle regarda autour d'elle avec dédain.

— Cette chambre est d'une tristesse ! C'est tout lui.

— Non, il n'est pas...

— Si ! Il est sinistre, depuis qu'il est haut comme ça.

Sans indulgence, elle toisa sa belle-fille.

— Vous avez tort de vous laisser aller, vous êtes méconnaissable.

— Et alors ? riposta Géraldine. Je n'ai plus rien à perdre !

Ne trouvant pas de réponse appropriée, Irène haussa les épaules. Elle se sentait mal à l'aise dans cette pièce où elle n'était presque jamais entrée.

— Il est temps de vous reprendre, dit-elle d'un ton brusque. Ce n'est pas la fin du monde, vous savez ! À quarante ans, je ne me serais pas écroulée comme ça !

— Mais qu'est-ce que je vais devenir ?

— Oh, arrêtez vos jérémiades à la fin ! Un peu de tenue, voyons… Vous pouvez rester ici si vous voulez, je vous apprécie beaucoup. Vous êtes chez vous au Carrouges.

Géraldine la regarda avec horreur, se demandant si elle n'était pas en train d'organiser froidement sa vieillesse.

— Et Delphine ? Franklin ? Vous pensez qu'ils seront d'accord ? Vous n'avez pas vu les regards qu'ils me jettent ? C'est leur frère, ils le défendent… Même le petit Stéphane me fuit comme si j'étais pestiférée !

— Ne me faites pas rire ! Une fois la tempête passée, ils seront bien contents d'être débarrassés du tyran. De manger à des heures raisonnables, de ne plus entendre parler des imprimeries à tout bout de champ, de ne plus être infantilisés dans l'ombre du grand homme ! On va enfin pouvoir respirer et personne ne s'en plaindra, croyez-moi.

— Je ne veux plus jamais vous croire ! protesta Géraldine.

C'était un véritable cri du cœur et Irène en fut très agacée. Sa belle-fille craquait complètement, il n'y avait rien à en tirer.

— Vous ferez ce que vous voudrez, dit-elle d'une voix froide, mais je vous aurai tendu la main.

Tournant les talons, elle quitta la chambre en hâte, abandonnant Géraldine à une nouvelle crise de larmes.

Franklin avait dormi dans son studio de Deauville pour éviter de croiser sa mère au Carrouges. Il se savait capable d'attendrissement à son égard, surtout lorsqu'elle lui glissait un compliment ou murmurait qu'elle était si heureuse de l'avoir, *lui*. De ses trois fils, bien entendu, il était le préféré, mais il n'était pas assez naïf pour en ignorer la raison. Irène ne l'appréciait que parce qu'il ne s'était jamais révolté.

Il avait passé une très mauvaise nuit, recensant les ennuis en perspective. D'abord Barth l'avait chargé de trouver une maison dans les environs, le plus vite possible, et dès neuf heures du matin il avait commencé à téléphoner aux différents agents immobiliers. À chacun de ses interlocuteurs il avait posé la question du Bathyscaphe, mais en vain. Une affaire commerciale de cette importance avait dû être confiée à des spécialistes hors de la région, ce fut la seule réponse qu'il put obtenir.

En fin de matinée, il se rendit à son premier rendez-vous pour visiter une propriété dont le descriptif lui avait paru satisfaisant. Barth n'avait exprimé aucune exigence particulière, déclarant avec ironie qu'il se fiait au goût légendaire de Franklin. « Un truc à mi-chemin des deux imprimeries et loin du Carrouges, fais à ton idée. » Ni ordre de prix ni considération esthétique, mais c'était facile pour Franklin de deviner les préférences de son frère.

Toute la journée, il sillonna le périmètre qu'il s'était fixé en compagnie de négociateurs plus bavards les uns que les autres. Entre la forêt de Brotonne et la vallée de la Risle, il refusa une dizaine de maisons prétentieuses. Sa dernière tentative, alors que la nuit tombait, réveilla brusquement son attention.

— Si elle vous plaît, autant revenir demain parce que l'électricité est coupée et on ne verra rien du tout, proposa l'agent immobilier.

Dans le crépuscule, Franklin distinguait une haute façade blanche, des colonnes et un toit plat cerné d'une balustrade de pierre. La bâtisse devait dater du siècle dernier.

— Pour moi, ça tient du Directoire et du style colonial… Faut aimer ! ricana l'agent.

Le parc était un peu à l'abandon mais bien planté. Les feuilles des platanes et des marronniers jonchaient les allées.

— La route s'arrête ici, c'est vraiment le bout du monde. Mais, si on tient à sa tranquillité, c'est idéal. La maison est vide depuis trois mois et je n'ai pas fait une seule visite. Trop grand, impossible à chauffer…

— Et l'état général ? s'enquit Franklin.

Son frère était pressé, il n'était pas question de se lancer dans des travaux.

— Excellent. Ce qui justifie son prix.

Il venait de prendre conscience de l'intérêt du client et il entama aussitôt un éloge de la propriété, sans crainte de se contredire.

— Sept hectares qui comprennent le petit bois, là-bas, entièrement clos de murs, c'est rare. Beaucoup de surface habitable, de superbes volumes de réception. Voulez-vous que nous prenions rendez-vous ?

— Demain matin 9 heures, accepta Franklin qui observait toujours la bâtisse malgré l'obscurité grandissante.

Barth apprécierait l'isolement, il en était certain. Quant à l'impression de mélancolie qui se dégageait de l'ensemble, un bon jardinier pourrait sans doute y remédier. Simon aurait adoré cet endroit… Penser au gardien le fit frissonner. Sa mort entraînait des conséquences incroyables, précipitant toute la famille dans le chaos. Un retour en arrière n'était plus envisageable désormais et Franklin étouffa un soupir.

— Demain matin, oui, dit l'agent en démarrant. Ce sera plus gai !

Ils regagnèrent Deauville où Franklin récupéra sa propre voiture pour filer à La Roque. Il voulait faire la surprise de sa trouvaille à Barth mais, lorsqu'il pénétra dans le bureau de son frère, il régnait une ambiance particulièrement électrique. La grève des transporteurs routiers se prolongeait et leurs barrages empêchaient les camions de l'imprimerie de circuler.

— Je livrerai de gré ou de force ! hurlait Barth qui marchait de long en large devant les baies vitrées.

Avisant Franklin, il lui lança d'un ton rageur :

— On a quarante mille exemplaires en attente, avec la bande du prix Goncourt autour, et il faut qu'on trouve un moyen pour atteindre les dépôts de la région parisienne. Tu as une idée ?

— Non… Nous ne sommes pas responsables des grèves, celle-là ne dépend pas de nous.

— Mais c'est une question de principe ! Je livre *toujours* mes commandes !

— Tu en fais une affaire personnelle, déclara Franklin en oubliant toute prudence.

— Espèce de con ! tonna Barth. Tu crois que je vais rester les bras croisés ? À méditer sur cette pauvre France qui va si mal ? Ces bouquins sont aussi périssables que des fraises, on le sait tous ! Et si ce cirque dure plusieurs semaines, on fait quoi ? On attend que ça se passe ? Quand les Cameron auront craché tellement de volumes qu'il y en aura jusqu'aux toits des hangars, on y mettra le feu ?

George se tenait immobile dans un coin, se gardant d'intervenir.

— Très bien, dit Barth en se reprenant, je vais trouver une solution. On peut passer par les petites routes, je connais ce département comme ma poche.

— À un moment ou à un autre, vos poids lourds rejoindront un grand axe, fit remarquer Stéphane.

Il était assis en tailleur sur la moquette, le dos appuyé au mur, et son oncle le regarda un instant, perplexe. Les chauffeurs de La Roque étant syndiqués, ils allaient suivre les mots d'ordre et refuser tout net de se transformer en briseurs de grève, c'était évident.

— De quels véhicules légers dispose-t-on à Pont-Audemer ? demanda-t-il brusquement. Je suppose que les barrages ne bloquent que les gros bahuts ? Mais des camionnettes, des utilitaires ? Tout ce qu'on peut récupérer, y compris des voitures particulières, en les bourrant jusqu'à la gueule, est-ce que ça suffirait ?

— Peut-être, seulement il faudrait combien de conducteurs ? protesta Franklin.

Barth se tourna vers lui pour le toiser des pieds à la tête.

— Oh, ça c'est facile ! Regarde, ici nous sommes quatre et nous avons tous le permis… Allez, allez, appelle-moi Jacqueline, je réquisitionne.

George restait sans réaction, éberlué, tandis que Stéphane s'était déjà mis debout et s'ébrouait comme un jeune chien.

— Oui, voilà, tous les employés qui disposent d'une voiture pourraient nous aider, poursuivait Barth d'une voix tendue. Je vais leur parler, ce sera les taxis de la Marne !

— Tu es complètement fou, dit son frère.

— Non, je suis imprimeur ! Pas marchand de cacahuètes. Et il y a une sacrée différence…

Un œil sur sa montre, il saisit le téléphone et expliqua à Jacqueline ce qu'il attendait d'elle.

— Réunissez le maximum de monde… Si, même ceux qui sont rentrés chez eux. Faites-les patienter dans la grande salle de réunions, j'arrive dans une demi-heure.

Dès qu'il eut raccroché, il apostropha George.

Voyez ce que vous pouvez faire ici. Et surtout, dégagez la cour, parce que quand toutes les bagnoles vont arriver pour charger, je ne veux pas de pagaille.

Les employés étant beaucoup plus nombreux sur les différentes unités de Pont-Audemer qu'à La Roque, et ne travaillant pas la nuit, il était logique de faire appel à eux. Franklin était en train de se demander comment son frère allait les convaincre, quand celui-ci lui donna spontanément la réponse.

— Creuse-toi la tête pour me trouver un système de prime exceptionnelle, il faut toujours motiver les bonnes volontés.

Attrapant son manteau, il lança à Stéphane :

— D'ici mon retour, calcule le poids des cartons et vois combien on peut en mettre dans un coffre sans bousiller les suspensions. S'il te reste cinq minutes, prépare plusieurs itinéraires pour qu'on ne forme pas un convoi trop louche !

La porte du bureau claqua et il y eut un silence. George regarda alternativement Franklin et Stéphane avant de murmurer :

— Très en forme, le patron…

Après le discours vibrant de Barth, soixante-douze employés s'étaient portés volontaires avec enthousiasme, en plus des cadres et des directeurs du groupe pour lesquels il était impossible de ne pas suivre leur président-directeur général. Ce fut donc une bonne centaine de véhicules qui vinrent prendre leurs lots de livres à La Roque avant de foncer vers le grand dépôt de Maurepas. Jacqueline elle-même participa à l'expédition, sa petite Clio lourdement chargée, suivant aveuglément le coupé italien de Barth qui avait donné l'exemple en partant le premier. Seul Stéphane ne faisait pas partie des livreurs improvisés, contraint de rester le dernier à La Roque pour tout comptabiliser.

Emplie de voitures savamment ordonnées en file indienne, la cour avait été éclairée par de puissants projecteurs pour faciliter la manutention. Des silhouettes s'agitaient un peu partout dans un désordre assez bien canalisé par George, et on entendait parfois de brefs éclats de rire à travers le brouillard qui s'était levé. Durant des heures, Stéphane observa l'étrange ballet avec le sentiment aigu d'assister à quelque chose d'exceptionnel. Qui d'autre que Barth aurait pu obtenir un tel effort de la part des employés ? Oui, il en avait fait une affaire personnelle parce qu'il avait une haute idée de son métier d'imprimeur, ce que savaient tous les gens qui travaillaient avec lui, des plus modestes stagiaires aux cadres supérieurs. Pour les convaincre, sa sincérité avait dû suffire, il avait sans doute rappelé que les livres n'étaient pas des savonnettes et que le groupe Beaulieu savait prendre ses responsabilités face à une actualité littéraire fragile.

Après avoir vérifié que la cour était déserte, Stéphane alla éteindre les lumières extérieures puis entreprit un tour de ronde dans les étages. Il ne s'étonnait pas de pouvoir imaginer si aisément les arguments utilisés par le grand patron car il s'était produit, à son insu, une sorte de fusion entre son oncle et lui. Sans hésiter, sans même se poser de questions, Stéphane avait pris le parti de Barth depuis la révélation de Simon. Peut-être celui-ci, en chargeant Stéphane d'un secret aussi effrayant, avait-il deviné qu'il provoquerait un rapprochement entre les deux hommes. En tout cas, bien malgré lui, Stéphane s'était attaché à la personnalité de Barth dont l'autoritarisme ne le rebutait plus. Pour régner sur autant de gens et de machines, il fallait une poigne de fer. Quant à la famille, elle avait démontré qu'elle méritait amplement la façon dont Barth la traitait.

Refermant les portes des bureaux, coupant les circuits électriques, Stéphane descendit jusqu'aux hangars où il retrouva l'activité nocturne habituelle. Deux des Cameron tournaient avec des équipes se relayant toutes les huit heures. L'un des employés vint immédiatement aux nouvelles, navré d'être de service et de ne pas avoir pu se joindre aux chauffeurs volontaires.

— S'il faut faire une deuxième tournée, j'en serai ! affirma-t-il avec enthousiasme avant de regagner son poste.

Stéphane aimait l'ambiance de La Roque mais c'était la première fois qu'il s'y trouvait en plein milieu de la nuit. La solidarité du personnel avec la décision du P-DG était évidente. Tout comme il commençait à apparaître clairement que le neveu du patron était désormais bien accepté malgré sa jeunesse. Existait-il une infime chance pour que Stéphane, un jour, puisse diriger La Roque ? Voire succéder à Barth ? Cela paraissait impensable, mais peut-être était-ce inévitable. L'empire Beaulieu, cette prodigieuse affaire familiale qui prospérait depuis deux siècles, ne pouvait pas sombrer ou passer aux mains d'étrangers, c'était une idée révoltante. Tous les risques pris par Barth, tous ses coups de génie, ses coups de gueule ou ses coups de chance, n'allaient quand même pas déboucher sur une stupide mise en vente ?

Tandis qu'il réfléchissait, sourcils froncés, la chaîne freina soudain sa course et le bruit strident décrut un peu quand les immenses rouleaux ralentirent leurs rotations. Le tirage s'achevait en douceur alors qu'on apportait déjà les nouvelles bobines. Stéphane se secoua puis se dirigea vers l'une des passerelles. Il voulait superviser de loin le prochain calage et entendre la presse redémarrer. Inspirant à fond, il se laissa griser par l'odeur des bacs d'encre sans s'apercevoir que, d'en bas, des employés le regardaient en lui découvrant soudain une étrange ressemblance avec le patron.

Appuyé au toit de sa voiture, Barth observait la façade de la grande maison blanche qu'il venait de visiter au pas de course. Un peu à l'écart, Franklin et l'agent immobilier discutaient, attendant sa réaction.

Rien, dans cet endroit, ne pouvait évoquer le Carrouges de près ou de loin. Les lignes épurées, la pierre de taille et les hautes fenêtres pouvaient vaguement s'apparenter à un style Empire encore mâtiné d'inspiration antique avec ses colonnes et son fronton, mais la sobriété de l'architecte l'avait quand même emporté sur toute autre considération. Cette rigueur plaisait à Barth, ainsi que les grandes pièces claires et symétriques, le romantisme du parc, l'isolement de l'endroit. Et surtout la possibilité d'emménager tout de suite.

Affichant délibérément un air morose, il rejoignit son frère à qui il commença d'énumérer tous les défauts de la propriété, puis il se tourna vers le malheureux négociateur qui l'avait écouté en se renfrognant, et enfin il lança un chiffre très inférieur au prix demandé.

— À prendre ou à laisser, si vous prenez je ferai affaire tout de suite, ajouta-t-il. Transmettez mon offre à vos clients et donnez-moi une réponse sous vingt-quatre heures.

Il attendit que l'autre ait regagné sa voiture avant de se tourner vers Franklin.

— Tu as très bien choisi, j'adore cette baraque !

— Tu n'as pas tapé un peu bas ? s'inquiéta son frère.

— On verra s'ils mordent à l'hameçon ou pas, mais nous ne devons pas être nombreux sur les rangs !

Le manque de sommeil commençait à se faire sentir. Leur équipée nocturne ne s'était achevée qu'à quatre heures du matin.

— Tu devrais aller te reposer un peu, suggéra Franklin.

— Tu plaisantes ? Je vais t'accompagner à Pont-Audemer, voir le planning avec Jacqueline, et ensuite j'ai une petite visite urgente…

Ses derniers mots avaient été prononcés avec une telle agressivité que Franklin le dévisagea, sur la défensive.

— Ce bon Dr Martin, précisa Barth.

— Non, n'y va pas ! s'écria son frère.

Il regretta aussitôt son exclamation mais c'était trop tard et il tenta de s'expliquer.

— C'est un vieux bonhomme maintenant... Il n'exerce plus, il ne fera jamais plus de mal à personne.

— Mais je m'en fous ! explosa Barth. L'avenir, les autres, c'est quoi ? J'ai un compte à régler, c'est tout.

Déjà à bout d'arguments, Franklin secouait la tête. Il savait exactement ce qui allait se produire dans les semaines ou les mois à venir. Leur mère allait se retrouver isolée comme une brebis galeuse, elle serait contrainte de vendre le Carrouges, et il éprouvait par avance une compassion inattendue.

— Laisse-lui au moins Daniel Martin, elle n'aura rien d'autre !

— Rien ? Et toi ? Et Delphine ?

— Tu as tort de mépriser Delphine. Elle parle de s'en aller, elle prend maman en horreur. En réalité, elle a toujours été dans ton camp, même si tu ne voulais pas le voir. Quant à moi...

Détournant les yeux, il poussa un long soupir.

— Eh bien ? insista Barth.

— Oh, je ne vais pas rester avec elle, seulement c'est notre mère...

— Et alors ?

— Alors venge-toi comme tu veux mais ne me demande pas de t'aider, souffla Franklin. Puisque je m'en irai aussi, tu peux bien épargner Daniel ?

Très gentiment, Barth tapota l'épaule de son frère comme s'il voulait le consoler.

— Tu gâches de la salive pour rien, mon pauvre ! Il y a trois responsables, ils seront trois à payer.

Sa détermination était intacte et le resterait jusqu'au bout. Franklin fut parcouru d'un frisson désagréable.

— Vraiment, j'aime cette maison, dit Barth en le prenant par le bras. C'est clair, c'est simple, c'est... nouveau. Si je l'achète, il va falloir la meubler de quelques trucs indispensables. Tu pourras t'en occuper ?

Il procurait ainsi une échappatoire à son frère, sachant que celui-ci voulait à la fois lui rendre service et se tenir éloigné du conflit. Irène l'avait beaucoup choyé, il ne pouvait ni la piétiner ni même regarder sans rien faire le spectacle de la curée à laquelle Barth allait se livrer.

Fabienne relut pour la dixième fois la fiche qu'un des journalistes venait de poser sur son bureau. L'adresse du Silver Bowl y était notée. Fulham Road, dans le quartier de Chelsea, à Londres. Rien ne valait l'efficacité d'un bon reporter quand on voulait obtenir un renseignement, même si les moyens employés étaient à la limite de la légalité. Nicky semblait avoir coupé les ponts derrière elle quand on constatait le soin qu'elle avait mis à ne pas laisser de trace. Toute la transaction du Bathyscaphe avait été confiée à un notaire tenu à la confidentialité par sa cliente.

Pianotant nerveusement sur la fiche, Fabienne se demanda ce qu'elle devait en faire. Barth finirait par obtenir ces coordonnées, de toute façon, mais elle pouvait lui épargner du temps perdu. Était-ce important ? Il avait décidé un conseil d'administration extraordinaire pour le surlendemain, comme en attestait la convocation officielle reçue le matin même. Il fallait qu'il puisse le mener à bien sans se laisser distraire, or dès qu'il saurait où trouver Nicky, il laisserait tomber tout le reste.

— Il en est capable maintenant qu'il sait qu'il a un fils…, murmura-t-elle d'une voix rêveuse.

Mais comment allait-il s'y prendre pour convaincre la mère ? Après tout, il l'avait plaquée comme la dernière des garces et, depuis bientôt trois ans, elle avait dû s'en consoler ! D'autant plus qu'elle était belle, intelligente, et désormais bien tranquille de l'autre côté de la Manche.

Fabienne était en train de ranger la fiche dans un des tiroirs de son bureau lorsque Gabriel entra.

— Les ventes remontent ! annonça-t-il d'un air satisfait.

Elle l'avait déjà constaté et en connaissait les raisons. La progression ne devait rien aux initiatives malheureuses du rédacteur en chef.

— Je sais.

Contre l'avis de Gabriel, elle avait imposé plusieurs nouvelles rubriques et rédigé elle-même un certain nombre d'éditoriaux. Il n'avait pas protesté, inquiet de la façon dont elle le traitait ces derniers jours.

— Si on fêtait ça ? proposa-t-il. Que dirais-tu d'un déjeuner en amoureux ?

L'idée n'enthousiasmait pas Fabienne, c'était visible.

— Tu fais la tête ou quoi ? maugréa-t-il, vexé. C'est encore ta famille ? Tempête dans un verre d'eau…

Elle se félicita de ne rien lui avoir raconté de précis.

— Je crois qu'on devrait se séparer, déclara-t-elle brusquement.

Il espéra avoir mal entendu ou mal compris et il prit aussitôt ce qu'il croyait être un air de circonstance.

— Tu plaisantes ? Fabienne, je t'aime trop pour que tu me fasses marcher ! Je ne pourrais pas vivre sans toi, je…

— Je parlais d'un point de vue professionnel, précisa-t-elle.

C'était un bon moyen pour savoir à quoi s'en tenir sur leurs sentiments réciproques mais il était trop vexé pour voir le piège.

— Alors ça, c'est trop fort ! s'écria-t-il, furieux. Je me suis battu pour ce journal, j'ai passé des nuits blanches, je suis arrivé à…

— Presque arrivé à le couler, oui !

Atterré, il la dévisagea et constata qu'elle était sérieuse.

— Je crois que tu deviens folle, ma pauvre ! Le journal…

— *Mon* journal, corrigea-t-elle. Je ne t'ai pas attendu pour en faire un grand quotidien.

— Mais quand j'ai remplacé cet abruti de Paul, vous battiez de l'aile !

— Comme aujourd'hui. J'ai le chic pour dégotter des minables, on dirait !

Hors de lui, il tapa du poing sur le bureau, renversant la lampe.

— J'ai fait de ton canard quelque chose de sérieux, de responsable, et tu ne t'en rends même pas compte parce que tu es une tête de linotte ! Une fille à papa ! Tu voulais rivaliser avec ton grand frère, tu ne t'en souviens pas ? Et c'est moi qui t'ai permis de te rebiffer pour lui donner une leçon. Tu ne supportes pas de perdre des acheteurs, c'est une politique de vente à court terme, comme tes idées ! En réalité, j'étais ta seule chance.

— Ton ego est devenu très encombrant et il est temps que quelqu'un te le dise : tu es nul. Si mes idées sont courtes, les tiennes sont creuses. Tu n'as aucun talent, tu ne sais pas écrire, tu n'as pas fait carrière, et tu ne seras jamais élu, même pas maire d'un hameau.

— Je ne te savais pas si aigrie, tu es vraiment mal…

— Mal baisée ?

Sans s'énerver, elle le provoquait délibérément et il laissa libre cours à sa rage.

— Tu prends de la bouteille, Fabienne, tu finiras vieille fille ! Moi, j'étais sincère, et tu me piétines. Pourquoi ? C'est encore ton grand con de frère ? Il me déteste depuis le début parce qu'il ne veut pas que tu lui échappes. Tu n'as pas compris ? Il te laisse jouer avec ton quotidien tant que ça ne lui fait pas d'ombre mais ne rêve pas, s'il veut te détruire tu ne seras pas de taille ! Et je ne serai plus là pour te protéger. Tu es condamnée à végéter et sous peu tu rempliras tes colonnes avec des recettes de cuisine ou des horoscopes !

— Mon problème n'est pas de remplir les colonnes mais les caisses ! Des scribouillards, j'en trouverai treize à la douzaine et mieux inspirés que toi. La porte est là-bas.

Elle se rassit dans son fauteuil, signifiant ainsi que leur discussion était close. Ce qu'il avait pu prendre pour une querelle d'amoureux se transformait en licenciement et il avait du mal à y croire.

— Attends, dit-il d'une voix oppressée.

— Là-bas, répéta-t-elle froidement.

Cette scène lui en rappelait d'autres, tout aussi pénibles, et elle se sentit écœurée, vidée. Aucun de ses amants n'avait jamais paru la regretter, elle, mais ils s'étaient tous accrochés à leur poste. Et, chaque fois, elle refaisait la même erreur en devenant la maîtresse de ses rédacteurs.

Elle tendit la main vers l'un des téléphones, composa le numéro de l'imprimerie et demanda son frère.

Lassé de sonner en vain, Barth redescendit le perron et contempla la façade de la villa. Il n'avait pas remarqué, en arrivant, que la plupart des volets étaient clos. Daniel Martin pouvait être sorti faire ses courses de vieux célibataire ou encore être réfugié au Carrouges sous l'illusoire protection d'Irène.

Barth avait un planning trop minuté pour se permettre d'attendre indéfiniment mais il répugnait à différer cet entretien. Il imaginait avec satisfaction la terreur que devait connaître le médecin. À moins d'être inconscient, il devait faire des cauchemars depuis plusieurs nuits. Devant Barth, il avait toujours manifesté une sorte de crainte, sans doute inspirée par son odieux mensonge. Mais puisqu'il avait préféré trahir le serment d'Hippocrate que désobéir à Irène ou seulement la contrarier, il allait falloir qu'il en réponde.

Avant de se résigner à partir, Barth retourna sonner une dernière fois. À sa grande surprise, la porte s'ouvrit et la silhouette du médecin recula précipitamment dans l'entrée obscure.

— Tiens, vous êtes là quand même ? lança Barth en pénétrant dans la maison.

— Vous ne vous découragez pas vite, murmura l'autre.

— La grande nouvelle ! Où est le salon ? Par là ?

Il aperçut une pièce assez vaste, sur sa droite, pleine de fauteuils dépareillés, où il pénétra résolument.

— C'est ravissant, chez vous. On s'installe ?

Résigné, le vieil homme alluma un lustre et vit Barth choisir le siège de velours vert où Irène s'était assise quelques jours plus tôt lorsqu'elle avait affirmé qu'il n'y avait aucune preuve.

— Vous vivez toujours dans l'obscurité ou vous vous barricadez ?

La voix de Barth, aussi désinvolte que son attitude, acheva de désorienter Daniel Martin.

— Je ne sais pas quoi vous dire, avoua-t-il humblement.

Il ne pouvait pas affronter le regard sombre de Barth, c'était au-dessus de ses forces.

— Il va falloir trouver ! J'attends…

— Mais que voulez-vous que j'invente ? Vous connaissez la vérité et j'ai toujours su que ça finirait comme ça ! C'était trop insensé, je n'étais pas d'accord.

— Donc l'idée n'était pas de vous ? Et comme Géraldine est trop bête…

Daniel venait implicitement d'accuser Irène et il se mordit les lèvres.

— Votre femme est peut-être bête mais elle vous aime éperdument, osa-t-il répondre.

— La question n'est plus là, mon pauvre !

Barth prit le temps d'allumer un de ses petits cigares, de tirer une bouffée. Puis il demanda, martelant ses mots :

— Est-ce que vous vous souvenez de votre brillant discours, quand vous m'avez commenté les résultats des tests ?

Il vit le vieil homme, soudain livide, reculer de deux pas, mais il poursuivit impitoyablement :

— J'ai une très bonne mémoire et l'instant était grave… Je pourrais citer par cœur toutes vos phrases. Les explications d'abord, les consolations ensuite. Votre gêne était très authentique.

Il y eut un silence contraint qui se prolongea jusqu'à ce que Daniel trouve le courage de parler.

— J'ai regretté, chaque jour, mais je ne pouvais plus revenir en arrière. J'ai cru que vous adopteriez des enfants. J'ai même espéré que vous en feriez ailleurs ! Deux ans plus tard, je vous ai suggéré de pratiquer un nouveau test parce que je n'en pouvais plus ! Irène était folle de rage et vous, vous ne m'avez même pas écouté ! Je n'ai pas insisté parce que j'ai peur de vous. Tout le monde a peur de vous, sauf votre mère…

— Est-ce que vous êtes amoureux d'elle ? demanda brutalement Barth en se penchant en avant.

Daniel voulut reculer encore mais il était contre le mur à présent. Il n'avait rien à perdre et il choisit d'être sincère.

— Oui, avoua-t-il. Je l'ai toujours été. De façon platonique, bien entendu. Quand votre père… Enfin, elle détestait ces maternités, je ne vous apprends rien ? Elle se confiait à moi. Les nouveau-nés étaient pour elle un cauchemar qui tournait à l'obsession. Presque une psychose à ce stade-là. C'est resté un souvenir très cruel et elle en voulait énormément à son mari. Elle a toujours affirmé qu'il lui avait fait gâcher dix ans de son existence, les dix meilleures années. À l'époque où

Delphine s'est retrouvée enceinte de Clémence, elle était consternée pour elle. Alors il m'est arrivé de croire que… qu'elle a voulu épargner Géraldine. Elle disait que vous la quitteriez et la malheureuse était terrorisée. J'aurais préféré ne pas être mêlé à tout ça, mais c'est vrai qu'elles me faisaient de la peine, toutes les deux…

— C'est trop gentil ! Quel émouvant trio !

Barth s'était levé et avait franchi en deux enjambées la distance qui les séparait.

— Vous vouliez continuer à jouer au bridge et à prendre le thé avec ma mère, c'est bien ça ? Et c'est pour cette raison grotesque que vous avez bousillé ma vie ?

Les yeux fermés, Daniel essayait de réprimer le tremblement nerveux qui s'était emparé de lui.

— Allez-y, souffla-t-il, frappez-moi, cassez tout, c'est votre droit.

— Je ne vois rien qui vaille la peine d'être cassé ici. Quant à vous taper dessus, quel maigre plaisir…

Il s'éloigna un peu et le médecin se laissa glisser sur une chaise. À bout de nerfs, il dut avaler sa salive avant de pouvoir articuler :

— J'ai même pensé à en finir, ces temps-ci.

— Vous auriez dû, l'idée n'est pas mauvaise. Mais si elle vous déplaît trop, je n'en ai qu'une seule de rechange à vous offrir.

Gagnant l'autre bout de la pièce, Barth se pencha sur une grande photo d'Irène qui trônait sur la cheminée. Il l'examina un moment avant de reprendre la parole.

— Je vous donne un mois pour partir. Bazardez cette brocante et allez voir ailleurs.

— Ailleurs ?

— Où vous voulez, mais loin.

— Je suis né dans cette maison ! bafouilla Daniel.

— Eh oui, elle doit porter malheur.

— Je ne peux pas vendre tous mes souvenirs comme ça !

— Alors emmenez-les et n'oubliez pas cette photo. À moins que ma mère en personne ne vous suive ? Qui sait ? Vous avez une retraite de toubib, la vie est belle !

Le cynisme de Barth acheva d'affoler le vieil homme.

— Vous ne pouvez pas me demander ça, protesta-t-il dans un sursaut d'énergie.

— Ah, mais je ne demande rien, j'exige ! Vous partez, d'accord ou pas ! Ou bien vous revenez à votre première option, vous vous pendez dans votre grenier, ce sera tout aussi bien !

— Mais pourquoi vous acharnez-vous ? Pourquoi voulez-vous…

— Pour ne jamais vous croiser. Parce que, moi, je reste ! Et je ne veux pas vous trouver sur mon chemin. Je ne veux pas que vous alliez tenir la main de ma mère au Carrouges, ni que vous vous consoliez mutuellement. Mais surtout, je ne veux pas que mon fils vous rencontre un jour !

Souffle coupé, Daniel essaya de comprendre ce que ces derniers mots signifiaient.

— Votre fils ? Quel fils ?

— Peu importe. Est-ce que nous sommes d'accord ?

Durant ses nuits blanches, Daniel avait tout imaginé sauf cette solution cruelle. Loin d'ici, son existence deviendrait absurde – mais sans doute l'était-elle déjà. Barth aurait pu le rouer de coups, il aurait pu tout saccager, se venger sur n'importe quoi. Certes, il n'y avait aucune preuve, le dossier médical ayant été détruit par Irène à l'époque, seulement ce n'était pas suffisant pour arrêter un homme comme lui. Séparer les anciens complices, les obliger à vieillir seuls chacun de leur côté, c'était sans aucun doute la pire sanction. Et où aller ? Ici, il avait des habitudes, des amis, il était respecté de tous ses anciens patients. Il connaissait chaque ruelle et presque chaque maison, des gens l'arrêtaient souvent pour lui demander des conseils. Et puis il y avait Irène et le Carrouges où il restait dormir les soirs d'hiver dans la chambre aux oiseaux. Leurs conversations à bâtons rompus, les chocolats dont elle était friande et qu'il lui offrait régulièrement, leurs promenades dans le parc. Tout cela constituait une existence douillette à laquelle il allait devoir renoncer, à son âge ?

— Vous n'avez qu'un mois, alors faites attention, ça passe vite.

Vaincu, le vieux médecin hocha la tête. Barth attendit encore un instant, presque déçu de cette soumission, puis il quitta le salon en haussant les épaules. Lorsque la porte d'entrée eut claqué derrière lui, Daniel Martin mit sa tête dans ses mains et se tassa sur lui-même.

12

Après avoir flâné dans les boutiques d'Elizabeth Street et de King's Road, Nicky décida de s'offrir le thé à l'hôtel Dorchester. Guillaume devait avoir fini sa sieste depuis longtemps, cependant elle n'avait pas le courage de rentrer avant de s'être un peu réchauffée et elle comptait sur l'imagination de Bernadette pour le distraire. Elle passa sa commande puis retira ses gants, son écharpe, mais conserva son petit béret de feutre bleu électrique d'où quelques mèches s'échappaient. Beaucoup d'hommes s'étaient retournés sur son passage ou lui avaient souri aujourd'hui. Depuis qu'elle était à Londres, elle avait fait des folies vestimentaires sans le moindre remords, encouragée par Louis qui s'extasiait à chaque nouvelle tenue. Ils formaient un beau couple, elle en était consciente, mais elle n'était toujours pas amoureuse de lui.

Mordant dans un appétissant morceau de cake, elle essaya de repousser les pensées désagréables qui l'assaillaient dès qu'elle était seule. La présence de Louis et son infatigable enthousiasme parvenaient à créer l'illusion du bonheur, tout comme les rires de son fils que le changement de décor amusait beaucoup.

Hélas, dès qu'elle s'éloignait d'eux, une sourde angoisse la tenaillait. Lorsqu'elle allait surveiller la fin des travaux, au restaurant, ou lorsqu'elle aménageait la maison typiquement londonienne qu'ils avaient louée, elle ne parvenait pas à se sentir à l'aise. Ces lieux ne la concernaient pas vraiment et, malgré ses efforts, elle n'y projetait pas son avenir. Autant elle s'était investie au Bathyscaphe, autant elle se sentait encore étrangère au Saint-Louis. C'était le nom qu'ils avaient fini par choisir, un soir d'euphorie où ils avaient dégusté trop de vins de Californie.

Louis faisait tout ce qu'il pouvait pour que leur nouvelle vie soit agréable. Il se donnait un mal fou pour concocter ses prochains menus, et il trouvait encore le temps d'emmener Guillaume à Hyde Park pour lui montrer les écureuils. Le soir venu, quand il rejoignait Nicky dans leur chambre, il déployait des trésors de tendresse et de charme pour la séduire, devinant qu'il lui fallait vaincre ses dernières résistances. Car elle luttait, sans parvenir à s'abandonner tout à fait. Elle avait cru qu'il lui suffirait de décider pour ne plus regarder en arrière, or c'était faux. Même leur association professionnelle, qu'elle avait librement consentie, ne la satisfaisait pas. Travailler avec Louis était une chose, dormir à son côté en était une autre et, à présent que tout était mélangé, elle ne s'y retrouvait plus.

La serveuse lui présenta la note qu'elle régla distraitement. Le choix de raison qu'elle avait fait en venant à Londres puis en cédant à Louis l'exaspérait parfois. À Deauville, elle s'était sentie bien plus libre qu'ici. Elle y avait réussi seule, s'était montrée capable de surmonter n'importe quelle difficulté. Fallait-il vraiment rentrer dans le rang, épouser son chef pour donner un père à son fils, partager les risques et les succès ?

Une fois dans la rue, elle dut affronter le petit vent glacial qui soufflait depuis plusieurs jours. La mer et la plage lui manquaient beaucoup. L'ouverture du Saint-Louis était prévue pour la fin de la semaine et, à partir de ce moment-là, elle n'aurait plus le loisir de se poser de questions. Elle espérait que le travail l'absorberait assez et que la réussite serait rapide. D'ici à quelques mois, elle pourrait se livrer à un premier bilan. Pas seulement financier.

« Louis est un excellent cuisinier, en plus c'est un bon amant, et surtout il a mon âge… »

Cette idée n'avait rien de réconfortant. Qu'il ait dix ans de plus ou de moins, Louis ne serait jamais l'homme de sa vie. Celui-ci, elle le connaissait déjà et elle l'avait perdu. Un échec qui la ferait rager jusqu'à son dernier jour, elle en était certaine. D'autant plus qu'elle pensait davantage à Barth depuis qu'elle avait quitté la France, comme si ce départ tirait douloureusement sur le dernier fil qui la rattachait à lui. Ne plus savoir ce qu'il devenait, ne plus avoir la possibilité de le croiser, c'était peut-être son unique chance de l'oublier. Mais elle l'avait tant aimé, puis tant haï, qu'elle ne se débarrasserait sans doute jamais de son souvenir, même en fuyant au bout du monde.

Elle claqua la porte d'entrée et s'y appuya, un peu essoufflée d'avoir marché si vite. Il régnait une délicieuse odeur de pommes chaudes et elle entendit des rires en provenance de la cuisine. Louis devait initier Guillaume aux joies de la pâtisserie.

« Je suis chez moi… Je peux acheter cette maison, décider que Louis fait partie de ma famille… avoir d'autres enfants… c'est juste une question de volonté… »

Elle ne manquait ni de courage ni de force de caractère et il était grand temps qu'elle le prouve.

— Oh, ce béret, quelle merveille ! s'exclama Louis.

Il avait dû l'entendre arriver et ses premiers mots étaient un compliment, comme toujours. Sans avoir à se forcer, elle lui rendit son sourire.

— Viens te réchauffer, tu as les joues rouges… Ton fils nous fait un *apple pie*.

Penché sur elle, il lui effleura les lèvres d'un baiser léger.

— La promenade était bonne ? Tu vas bien ? J'ai quelque chose à te montrer…

Il saisit un journal qu'il lui mit sous le nez.

— La pub est passée aujourd'hui. C'est exactement ce je voulais.

Le montage photographique représentait la vitrine du Saint-Louis et le portrait de Nicky en médaillon. Elle parcourut le texte qu'elle approuva d'un hochement de tête. Les bras de Louis s'étaient refermés autour d'elle.

— On n'est pas loin du bonheur, non ? chuchota-t-il à son oreille.

Relâchant son étreinte, il la laissa entrer dans la cuisine où Guillaume l'accueillit avec des cris de joie. Un instant, il se demanda s'il devait lui parler du coup de téléphone reçu une heure plus tôt. Mais dans ce cas, il lui faudrait avouer son mensonge, expliquer pourquoi il avait affirmé qu'elle était absente de Londres. Une réponse qui lui était venue spontanément en entendant le nom de Fabienne Beaulieu. Les Beaulieu !

Qu'est-ce que ces gens pouvaient bien vouloir et comment avaient-ils obtenu leur numéro en Angleterre ? Quoi qu'il en soit, Louis protégerait Nicky, malgré elle au besoin. Il avait dû attendre des années avant de pouvoir l'embrasser, la toucher, lui parler d'avenir, et il ne laisserait plus personne désormais se mettre en travers de sa route. Surtout pas cet odieux imprimeur normand dont il ne voulait plus jamais entendre parler.

Plus troublé qu'il ne l'aurait voulu, Franklin prit machinalement la main que lui tendait Marc. C'était la dernière personne qu'il s'attendait à rencontrer dans l'agence immobilière.

— Le patron revient dans cinq minutes, dit Marc très vite.

— Qu'est-ce que tu fais ici ?

— J'ai été embauché comme négociateur, à l'essai. Je ne touche pas de salaire, juste une commission sur chaque affaire. Oh, je pourrai sûrement te rembourser d'ici à quelques mois.

Il y avait une lueur de panique dans le regard du jeune homme et Franklin se contenta de hocher la tête. Il suffisait qu'il parle au directeur de l'agence pour qu'un scandale éclate. C'est exactement ce que Barth aurait fait à sa place.

— Eh bien, j'espère que tout marchera bien pour toi, répondit-il seulement.

Marc était toujours aussi séduisant. Il s'apprêtait à ajouter quelque chose lorsque la porte s'ouvrit.

— Ah, monsieur Beaulieu ! s'écria l'agent en entrant. Vous avez fait connaissance avec notre stagiaire ? Tenez, j'ai vos clefs, les propriétaires ont été très arrangeants. Il y a un délai légal pour la signature, chez le notaire, mais votre frère peut s'installer avant, s'il prend l'assurance nécessaire.

Tournant le dos à son ancien amant, Franklin retrouva son sang-froid. Il empocha le lourd trousseau de clefs. Barth en avait assez de vivre à l'hôtel et avait exigé de se retrouver seul dans sa nouvelle maison sans attendre.

— Tous nos papiers sont en ordre, marmonna l'agent en feuilletant le dossier.

La rapidité de la transaction l'avait surpris mais tout s'était très bien passé. D'ailleurs il avait rencontré une foule de clients bizarres durant sa carrière, et le P-DG du groupe Beaulieu n'était pas le pire.

— Voulez-vous que Marc vous accompagne là-bas pour vous aider à trouver les compteurs ou à…

— Non, c'est inutile, l'interrompit Franklin.

Comme il avait décliné l'offre d'un ton trop vif, il se hâta de préciser :

— Il n'y a pas d'urgence, ne dérangez personne.

Dès qu'il fut sorti, l'agent se permit un petit rire.

— Pas d'urgence ! Si je les avais écoutés, ils auraient acheté en vingt-quatre heures ! C'est d'autant plus drôle que je croyais cette maison invendable…

Mais Marc ne l'écoutait plus. Il avait suivi Franklin qu'il rattrapa sur le trottoir.

— Je voulais juste te dire merci, déclara-t-il d'un air gêné.

— De quoi ?

— Si tu lui avais dit un seul mot, il m'aurait viré. Je n'ai pas encore de contrat.

— Pourquoi ? Tu es majeur, maintenant, si mes souvenirs sont bons ?

Un peu rebuté par l'ironie de la remarque, Marc leva lentement un bras puis remonta sa manche.

— Je la porte toujours, je n'ai pas pu me résoudre à la vendre. Veux-tu la reprendre ?

Franklin jeta un regard sur le poignet du jeune homme et y découvrit sa propre montre.

— Non, garde-la.

La leçon lui avait été profitable, finalement, car il s'éloigna vers sa voiture d'un pas décidé. Encore cinq minutes de conversation et Marc lui aurait sans doute proposé d'aller boire un verre. Seulement il ne voulait plus se faire piéger. Plus jamais. Et il refusait de croire que Marc ait pu changer de personnalité ou de caractère en quelques semaines. Il se souvenait encore de sa honte, lorsqu'il avait constaté la facilité avec laquelle il s'était fait voler. Sans compter les mots plutôt crus que Barth lui avait assénés. Oui, c'en était fini pour lui d'une certaine catégorie de jeunes gens. À quarante-cinq ans, il pouvait encore croiser l'amour, ou au moins quelque chose qui y ressemblerait, il n'était pas encore obligé de payer le prix fort.

Perdu dans ses pensées, il aborda un peu vite l'allée du Carrouges et faillit percuter l'un des piliers du portail. Simon n'était plus là pour faire de réflexion désormais ; c'était affreusement triste.

Il entra sans bruit dans le hall, espérant que sa mère ne l'entendrait pas, mais elle surgit avant même qu'il eût fermé la porte.

— Ah, te voilà ! J'ai bien cru que je déjeunerais seule, aujourd'hui…

L'atmosphère du manoir était devenue tellement pesante que Delphine et Laurent ne rentraient plus qu'à l'heure du dîner. Quant à Stéphane, il prenait tous ses repas avec Barth au restaurant.

— Tu sais, lui dit sa mère, ça m'est bien égal qu'on me traite de haut, mais vous aurez des remords quand je ne serai plus là, or je ne serai pas éternelle ! Même mon petit-fils me boude, et personne n'a voulu m'écouter. Pourtant, je peux m'expliquer. Je ne suis pas le monstre que ton frère imagine.

Elle le précédait vers la salle à manger, tout en continuant à discourir, et il étouffa un soupir.

— Où est Géraldine ? demanda-t-il pour arrêter ce flot de paroles inutiles.

— Dans sa chambre. Elle a reçu une lettre de l'avocat ce matin et elle s'est remise à pleurer. Comme compagnie, il y a plus drôle ! Renée lui a porté du thé. Je ne sais pas ce qu'elle va devenir, elle m'inquiète vraiment. Et il faudra bien qu'elle se décide à parler à ses parents. Elle n'est pas obligée d'entrer dans les détails…

Ils s'installèrent de part et d'autre de la grande table puis Irène agita sa cloche pour prévenir Renée à la cuisine.

— Que fait Barth ?

La question avait fusé, imprévisible, et Franklin resta bouche bée.

— Qu'est-ce que j'ai dit de si extraordinaire ? s'enquit-elle. Je ne peux plus prononcer son prénom, c'est interdit ?

— Il a acheté une maison.

— Ah bon ?

Elle affichait un petit sourire ironique mais sa voix venait de trembler. Jusque-là, il ne s'était rien produit de décisif et elle avait fini par reprendre espoir. Une fois divorcé, une fois apaisé, son fils aîné aurait pu retrouver sa place au Carrouges, elle ne s'y serait pas opposée. Certes, elle le détestait, mais elle avait quand même besoin de lui.

— Il aurait mieux fait de louer quelque chose en attendant.

— En attendant quoi ? s'écria Franklin exaspéré.

— Oh, je ne sais pas ! Dans la vie tout s'arrange… Vous n'êtes plus des enfants.

L'arrivée de Renée, qui portait un plat de coquilles Saint-Jacques, l'empêcha de répondre. Il observa sa mère tandis qu'elle se servait, et se sentit très mal à l'aise. Éprouvait-il encore de l'affection pour elle ou seulement de la pitié ?

— Je ne pourrai jamais entretenir cette maison toute seule, reprit-elle. Vous en êtes conscients, Delphine et toi ? Il faudra nous réorganiser puisque ton frère nous laisse tomber.

— Maman…

— Mais quoi, à la fin ? Pourquoi me regardes-tu comme ça ? La terre ne va pas s'arrêter de tourner parce que Barth a piqué sa crise ! Il veut me faire exclure du conseil d'administration, c'est ça ? À sa guise ! Je reste actionnaire, je touche mes dividendes et voilà. Il m'en veut, d'accord, la belle affaire ! Il ne comprend pas que j'ai voulu sauver son couple, lui épargner d'affreux soucis. J'ai peut-être choisi la mauvaise solution, je l'admets mais, Dieu m'est témoin, j'ai cru bien faire.

Elle repoussa son assiette et se pencha au-dessus de la table.

— Est-ce que tu imagines le genre de père qu'il aurait fait, violent et caractériel comme il l'est ? Je ne sais pas de qui il tient, je t'assure, seulement de vous tous c'est lui le vilain petit canard de la fable. Et il a fallu qu'il prenne la direction de nos affaires ! Depuis, il se croit tout permis. Tu l'as bien remarqué, non ? Il tyrannise tous ses employés, vous les premiers.

— Barth est un formidable chef d'entreprise.

— C'est un mauvais fils.

— Pour lui, vous êtes une mère indigne.

Interloquée, elle mit quelques instants à se reprendre.

— Je t'en prie, ne parle pas comme lui !

— Mais enfin, qu'est-ce qu'il vous a fait ?

— Tout ! Toutes les insolences, toutes les mesquineries possibles ! Tiens, il voudrait même faire croire que ce pauvre Octave ne m'aimait pas, alors qu'il m'adorait, c'est notoire. J'ai été une bonne épouse et une bonne mère. J'ai eu je ne sais plus combien d'enfants auxquels j'ai consacré ma vie entière, et mon fils aîné me souhaite de crever seule ! Tu trouves ça normal ?

Franklin n'écoutait plus, atterré par l'expression qu'elle venait d'utiliser. Ce « je ne sais plus combien d'enfants » était la chose la plus monstrueuse qu'elle ait jamais dite. Perdait-elle le compte de ceux qui n'avaient pas vécu ? Avait-elle oublié Victor au passage ?

— Et toi en particulier, Franklin, tu devrais lui en vouloir, poursuivait-elle. Nous n'en avons jamais parlé mais je n'ignore pas tes… problèmes. Il est fréquent de mettre ça sur le compte de la mère, je sais, c'est plus facile ! Seulement, en réalité, c'est ton frère qui est responsable de ton déséquilibre. Il t'a tellement ignoré, rabaissé, puis écrasé… Il te tenait pour quantité négligeable, il n'y avait que lui qui comptait ! D'ailleurs, même votre père ne regardait que lui, sa préférence crevait les yeux, mes pauvres chéris !

Encouragée par son silence, Irène tentait de monter Franklin contre Barth et, dans ces cas-là, elle était intarissable.

— Maman, dit-il brusquement en se levant, je dois retourner travailler.

— Tu n'as rien mangé ! Attends un peu, Renée a fait des îles flottantes.

— Je m'en vais, répéta-t-il d'un ton plus dur.

Il faillit lui avouer qu'il partait pour de bon mais il y renonça afin de quitter plus vite cette salle à manger dans laquelle il étouffait soudain

Dans la grande maison vide, les pas de Barth et de Stéphane résonnaient étrangement. L'entreprise de nettoyage avait laissé les sols de marbre impeccables, les sanitaires rutilants. Jacqueline était venue surveiller la livraison des quelques meubles qu'elle avait dû acheter seule. Deux lits, deux tables et six chaises. Barth avait trouvé une heure pour passer commande dans un magasin d'électroménager où il avait choisi un gros réfrigérateur américain avec distributeur de glaçons, un percolateur, un téléviseur géant et un télécopieur.

— Très spartiate, la déco ! ironisa Stéphane.

— C'est assez dépouillé, admit son oncle, ça m'ira très bien pour le moment.

Ils entrèrent dans la cuisine où, comme partout ailleurs, une simple ampoule nue pendait au plafond. Deux cartons ouverts étaient posés à même le sol. L'un venait d'une boutique de linge de maison où Jacqueline avait eu l'idée d'acheter des draps, des couvertures et des serviettes de toilette. L'autre provenait d'une épicerie de luxe et contenait du whisky, du Perrier, des gobelets en carton et du café.

— Je n'ai pas le temps de m'en occuper, déclara Barth. Et de toute façon, je ne le souhaite pas. Franklin pourra s'en donner à cœur joie si… enfin, quand la vente sera effective. Mais, d'ici là, j'espère que…

Il chercha comment terminer sa phrase mais y renonça. Il ne voulait pas le formuler à haute voix, même pas y penser. Il espérait de toutes ses forces qu'un jour Nicky franchirait le seuil de sa maison. Seulement ça.

— Est-ce que je peux camper ici avec vous ? demanda Stéphane.

Le regard sombre de Barth se posa sur lui et parut le scruter.

— Pourquoi pas ? Il y a deux lits, prends-en un et installe-le n'importe où, tu n'as que l'embarras du choix !

Négligeant les chaises, Barth alla s'asseoir au bord de l'évier. Stéphane prit l'une des bouteilles, l'ouvrit et versa un peu d'alcool dans deux gobelets.

— À quoi allons-nous boire ? s'enquit-il. À votre nouvelle vie ? À l'avenir du groupe ?

— Non, dit Barth en secouant la tête. À ton père.

Stéphane garda le silence, attendant la suite, et Barth finit par sourire.

— De temps en temps, tu me sidères. Je t'ai parlé d'héritage il y a quelques jours et tu ne m'as pas posé une seule question là-dessus !

— Vous avez pas mal de soucis en ce moment.

— Quand je me souviens du petit merdeux qui est arrivé au Carrouges avant l'été, sale, amorphe, minable… Avec ta pauvre mère qui en était toute gênée et ta grand-mère qui se réjouissait d'avance des colères que j'allais piquer…

Il tendit le gobelet vide pour que son neveu le resserve.

— Je vous faisais pitié ?

— Non. Plutôt horreur. Enfin à peine, en passant. Mais je t'ai quand même secoué les puces et j'ai eu le dernier mot, non ? Tout ça pour te dire que les actions de Victor sont donc restées là où elles étaient, à l'abri dans mon coffre-fort. En famille, on a toujours des arrangements un peu bizarres. Bref, je te passe les détails mais, droits de succession payés, il te reste environ un douzième du capital, ce qui fait de toi un homme riche. Ta part est égale à celle de Franklin ou de Delphine.

— Ou Fabienne ?

— Non, c'est différent pour elle parce que je lui ai racheté quelques actions quand elle a voulu des liquidités pour monter son journal.

— Et Irène ?

— Là, ça se complique. Elle aurait dû obtenir la quotité disponible au décès de son mari, mais mon père n'était pas fou, il la connaissait trop, il a pris quelques précautions. Et comme la paperasserie était plus simple, il a dégagé de l'actif à temps. Tout un paquet au porteur… Belle époque !

— Il vous l'a donné ?

— Oui. Il appelait ça une marge de sécurité. J'ai augmenté cette marge, depuis. Bref, nos affaires sont tellement embrouillées aujourd'hui qu'on pourrait employer tout un service juridique ! D'autant plus que Delphine a rétrocédé quelques parts à Clémence pour la mettre à l'abri du besoin, et que j'ai dû, à un certain moment, faire entrer Géraldine au conseil d'administration, tout comme Laurent…

Abandonnant l'évier, il traversa la cuisine et récupéra sa mallette qu'il avait posée sur la table.

— J'ai demandé à un avocat de te faire un petit topo pour t'aider à comprendre la situation. Tu l'étudieras avec attention d'ici demain parce que, crois-moi, je n'ai pas convoqué tout le monde pour rien, il va y avoir du sport !

Cette idée le réjouissait, il s'apprêtait à jouer une grande partie.

— Irène va vraiment venir ?

— Bien sûr.

Comme chaque fois qu'il parlait d'elle, sa voix s'était durcie. Stéphane le regarda allumer un cigare, ses joues creusées au-dessus de la flamme du briquet. Il avait encore maigri, sautant un repas sur deux et dormant à peine.

— Elle sera là, oui. Elle a peur de moi mais davantage encore de ce qui va lui arriver. Elle se croit bien conseillée, l'imbécile… Je vais l'écarter sans problème, en lui laissant quelques os à ronger, que je lui enlèverai un par un dans l'avenir, fais-moi confiance. Tu vas pouvoir affronter ça ou tu vas craquer ?

— Pour elle ? Vous voulez rire ?

Il s'était mis à rire, en effet, avec l'insouciance de la jeunesse. Barth l'impressionnait toujours mais à présent il appréciait vraiment sa compagnie et se sentait très à l'aise avec lui.

— Au Carrouges, l'atmosphère est devenue irrespirable, déclara-t-il. Et les rats quittent le navire. Delphine et Laurent cherchent un truc à louer.

— Ah bon ? C'est plutôt… étonnant.

Le regard de Barth se perdit dans le vague mais ce n'était pas à sa sœur qu'il réfléchissait.

— Écoute, je dois te parler de quelque chose d'important.

C'était l'instant crucial, celui où il allait faire basculer l'avenir. Il y avait songé des heures entières, sans parvenir à prendre un parti, pourtant il devait trancher et il se décida d'un coup.

— J'ai un fils, quelque part, et je vais tout faire pour le reconnaître, annonça-t-il. C'est pour cette raison que je partirai demain soir, après le conseil.

— Un fils ? Vous ?

Stéphane avait sauté sur ses pieds, et il vint spontanément donner une joyeuse bourrade à Barth.

— C'est vrai ? Donc vous aviez une…

Son attitude spontanée emporta les dernières réserves de son oncle qui l'interrompit.

— Je te raconterai tout ça plus tard. Je ne sais pas si je vais pouvoir reconnaître cet enfant, si sa mère sera d'accord. Mais de toute façon, il n'a que deux ans. Et moi cinquante. Je ne peux pas attendre vingt ans pour passer le flambeau, c'est trop risqué. Toi, tu existes, tu as *déjà* vingt ans, et tu aimes l'imprimerie. Non ?

— Oui, bien sûr que oui ! Mais je ne suis pas…

— Si. Tu es un Beaulieu. Pour légaliser ça, on trouvera une solution, ce n'est qu'un détail. Ce qui compte, c'est que je veux un successeur pour le groupe. En quelques années, je peux te former. Mettons cinq ou six. Tu seras fin prêt quand j'arriverai à l'âge de la retraite, c'est l'idéal. Alors, avant de changer d'avis, avant de m'attacher passionnément à l'enfant dont je viens de te parler, avant d'en faire d'autres, qui sait, il faut que je t'installe dans le rôle du dauphin. Pour le moment, je suis encore en mesure d'en parler froidement, de choisir. Après, ce sera trop tard, je risque d'être un père gâteux, partial, aveugle ! Parce que j'ai attendu ça trop longtemps et que je ne serai pas objectif. Est-ce que tu comprends ?

Stéphane secoua la tête, stupéfait de ce qu'il venait d'entendre. Exactement comme le jour où Simon lui avait confié son secret, il eut l'impression qu'on venait de le charger d'un trop grand poids.

— Pourquoi me faites-vous confiance ? murmura-t-il.

— J'y suis obligé. Tu es le seul pion que je puisse avancer sur l'échiquier pour le moment, et le temps travaille contre moi.

Dans le silence qui suivit, ils perçurent très distinctement le bruit du heurtoir sur la porte d'entrée.

— C'est Fabienne, va lui ouvrir.

Barth attendit, sans bouger, que Stéphane lui ramène sa sœur. Il en profita pour détailler la cuisine, autour de lui. Il faudrait des centaines d'objets pour remplir les placards de cette pièce, sans compter le reste de la maison. À la rigueur, en donnant à Jacqueline une semaine de congé, elle pourrait installer l'essentiel. Et Franklin ne demanderait sans doute pas mieux que courir les antiquaires à la place de son frère. Mais Barth espérait bien ne pas avoir recours à eux.

« C'est ridicule, elle n'acceptera jamais de revenir ici avec moi. »

Il ne pouvait pas s'empêcher d'imaginer Nicky à ses côtés même s'il savait que ce serait impossible.

— Magnifique demeure ! s'écria Fabienne en se précipitant vers lui. J'espère que tu ne vas pas la truffer d'horreurs vieillottes comme au Carrouges ?

Sans remarquer le mouvement de recul qu'il esquissait, elle se jeta à son cou. La dernière fois qu'elle avait vu son frère aîné, elle l'avait flanqué hors de son bureau.

— Voilà, dit-elle en lui tendant un papier plié. Adresse et téléphone. J'ai rappelé une deuxième fois et j'ai eu droit à la même réponse, elle n'est pas là pour le moment.

— Je la trouverai, murmura-t-il. Merci pour le renseignement.

Elle l'embrassa encore une fois avant de s'éloigner un peu.

— Tu n'es plus fâchée ?

— Non... J'ai changé d'idée, finalement c'est Gabriel que j'ai licencié.

— Il te coûtera cher en indemnités.

Peut-être, mais c'est un moindre mal.

— Comment s'appelle le prochain ?

Avec un haussement d'épaules, elle prit Stéphane à témoin.

— Toujours aussi désagréable... Au lieu de se concilier les bonnes grâces de tout le monde, à quelques heures du conseil d'administration !

— Je ne transige avec personne, je ne fais pas patte de velours, confirma Barth tranquillement. Vous voterez comme il vous plaira.

— Tu as besoin de ma voix, rappela-t-elle.

— Et vous avez besoin de moi, ne vous faites pas d'illusions.

— Oui, c'est ce que prétend Delphine.

Elle s'installa sur l'une des chaises et regarda alternativement les deux hommes.

— Vous ne vous quittez plus, on dirait…

— Stéphane accepte de jouer les chiens de garde en mon absence, ici et à Pont-Audemer. C'est un gentil neveu.

— Tu as mis un certain temps à t'en apercevoir.

Après avoir allumé une cigarette, elle se tourna vers le jeune homme et lui sourit. Malgré l'accident de chasse dont elle le croyait responsable, il lui était sympathique. Gagner l'affection de Barth tenait de l'exploit, d'autant plus que leur relation avait vraiment mal commencé. Stéphane ressemblait à son père et Victor avait toujours été un peu marginal, ce que Fabienne savait apprécier.

— Si nous allions dîner ? proposa-t-elle. Je vous invite dans un petit restaurant de pêcheurs, seulement il faut qu'on se hâte, il est tard.

Barth n'avait pas faim mais il ne voulait pas la vexer. Elle avait retrouvé la trace de Nicky pendant qu'il perdait son temps en vaines démarches auprès des agences, des notaires, de la poste, et même des parents de Nicky qu'il avait contactés et qui avaient refusé de lui parler.

— Allons-y, dit-il en récupérant son imperméable sur le dossier d'une chaise.

Mais elle ne se leva pas tout de suite.

— Attends une seconde, j'ai encore quelque chose à t'annoncer…

Son visage était devenu grave et elle chercha le regard de son frère.

— Daniel Martin a eu un accident de voiture.

— Sérieux ?

— Il est mort sur le coup.

Barth continuait de la fixer de ses yeux sombres.

— Comment est-ce arrivé ?

— Il était seul sur la route. C'est incompréhensible.

— Qui te l'a appris ?

— Maman, par téléphone. Elle était plutôt bouleversée.

— Parfait, dit Barth d'une voix calme.

Il y eut un petit silence et il répéta, délibérément :

— Je trouve ça très bien.

Barth !

Elle l'avait saisi par le bras et il se dégagea d'un mouvement sec.

— Dis-moi que tu n'y es pour rien, dis-le ! exigea-t-elle.

— Non, je ne peux pas te l'affirmer. Mais je n'ai pas scié sa direction !

— Arrête… Qu'est-ce que tu lui as fait, au juste ?

— Et lui ? explosa Barth. Quelqu'un se rend compte de ce qu'il avait fait, lui ? Oh, bon sang, Fabienne, je ne joue pas au petit soldat ! Ce type était une ordure, il m'a fait perdre près de la moitié de ma vie, et je lui aurais volontiers tiré une balle dans la tête. C'est clair ? Alors si c'est à cause de moi qu'il s'est foutu en l'air, j'applaudis des deux mains !

— Pas jusque-là, Barth…, souffla Fabienne.

La colère de son frère était intacte, brûlante, et Fabienne fut submergée par une émotion inattendue. Malgré toute son indépendance ou sa fantaisie, elle restait profondément attachée à lui et ne pouvait pas s'empêcher de le considérer comme le chef de famille. Sans lui, le groupe Beaulieu n'aurait jamais existé, les imprimeries auraient été vendues depuis longtemps à des étrangers. Or si personne n'avait eu le courage de reprendre le flambeau, personne ne souhaitait pour autant qu'il s'éteigne. Barth représentait leur survie, leur avenir. C'était son grand frère et elle l'avait toujours aimé.

— Je ne veux pas que tu sois…

— Quoi ? Un assassin ? Mais non, j'ai les mains propres ! ricana-t-il.

À l'autre bout de la cuisine, Stéphane se taisait, observant son oncle. Là où Fabienne ne percevait que de la fureur, le jeune homme avait décelé une certaine détresse. Barth était seul depuis longtemps, entouré de gens qui le craignaient sans l'aimer. Pour eux, il s'était obstiné malgré tout à maintenir des traditions, des habitudes familiales, une apparence de bonheur dont il n'avait que faire. Et, finalement, il devait encore payer cette addition vertigineuse de mensonges et de trahisons qui ne visaient que lui. Enfant détesté de sa mère, il se serait damné pour pouvoir aimer ses propres enfants. En le privant de paternité, Irène et Géraldine l'avaient beaucoup plus atteint qu'elles ne pourraient jamais l'imaginer. À présent, s'il voulait conserver un tant soit peu d'estime de lui-même, il était obligé de mener à bien sa revanche, de rendre coup pour coup. Il ne ferait grâce à personne, parce qu'il était forcé de détruire s'il voulait pouvoir rebâtir quelque chose. Mais il n'y prenait aucun plaisir, bien au contraire.

— On a parlé d'aller dîner, rappela Stéphane d'un ton qu'il essaya de rendre gai.

Les deux autres se retournèrent, surpris, comme s'ils avaient oublié sa présence.

— Oui, dit Fabienne en se reprenant la première. Dépêchons-nous.

Hélène Bernay toucha le bras de sa fille du bout des doigts.

— C'est… insensé ! s'écria-t-elle. Je ne sais pas ce que tu peux faire, ma chérie. Tu aurais dû m'en parler depuis longtemps.

L'incroyable récit de Géraldine l'avait médusée. Elle ne se sentait pas en état de porter un jugement. Ni sur sa fille ni sur son gendre ni même sur Irène Beaulieu. Toute cette histoire la dépassait.

— Mon Dieu, ton père va en faire une maladie.

Géraldine ne pleurait pas, pour une fois, ayant versé trop de larmes ces temps derniers. Elle leva les sourcils, un peu surprise par la dernière phrase de sa mère.

— Pourquoi ? hasarda-t-elle.

En tant que fille unique, elle avait été choyée par ses parents, au moins jusqu'à ce qu'elle se détache d'eux pour se consacrer à son mari. Mais lorsqu'elle était plus jeune, Maxime, son père, lui avait toujours passé ses caprices et donné raison contre le reste du monde. Qu'y avait-il donc de changé ?

— Si seulement tu étais venue me raconter ça, ne serait-ce qu'avant-hier ! soupira Hélène. J'avais pourtant mis ton père en garde. Hélas, tu le connais… Il était si pressé de vendre qu'il n'a rien voulu écouter. L'offre de Barth n'était vraiment pas intéressante, mais il faut bien avouer que c'était la seule.

— Quelle offre ?

— Pour l'entreprise ! Tu t'en souviens, quand même ? Il y a plus d'un an que nous cherchons à nous en débarrasser.

— Et c'est Barth qui l'a achetée ?

— Son groupe, oui. Ton père a signé le compromis hier.

Effarée, Géraldine se souleva à moitié puis retomba sur les coussins du canapé. Ses yeux la brûlaient de nouveau. Barth ne négligeait rien, il poursuivait toutes ses vengeances simultanément. Le Dr Martin, Irène, et à présent c'est elle qui était visée à travers ses propres parents. Il n'aurait pitié de personne.

— Je vais revenir habiter ici, maman. Je peux ? demanda-t-elle d'une voix misérable.

— Bien sûr, ma chérie, tu es chez toi ! Seulement, tu sais, nous pensions déménager, ton père et moi. Aller profiter de notre retraite au soleil…

— Vous m'auriez laissée seule ici ?

— Tu n'étais pas seule, tu avais ton mari.

Le reproche était à peine voilé. Géraldine avait passé des années à ne regarder que Barth, à ne vivre que pour lui.

— J'ai parfois eu l'impression que ta belle-mère comptait davantage à tes yeux que ta propre mère, acheva Hélène en prenant sa fille par les épaules. Or j'ai toujours pensé que c'était une mauvaise femme.

— Elle, oui… Mais pas lui !

Sa véhémence amena un sourire triste sur les lèvres d'Hélène.

— Tu l'aimes tant que ça ? Tu arrives à l'aimer encore ?

Géraldine se leva et fit quelques pas hésitants vers la fenêtre. Elle portait un tailleur bleu, très élégant, et Hélène admira sa silhouette mince. À quarante ans, elle était encore superbe. Rien ne l'empêcherait de refaire sa vie ailleurs, peut-être même d'oublier. Hélène détestait les drames, les complications, tout ce qui la sortait de son quotidien douillet, et elle commençait à échafauder des projets d'avenir lorsque la voix de sa fille la ramena brusquement à la réalité.

— J'en suis tombée amoureuse le jour où je l'ai rencontré et, depuis, je l'ai aimé un peu plus chaque matin. Je n'en revenais pas d'être devenue sa femme, maman ! Si je vous ai négligés, papa et toi, c'est parce que j'étais sur un petit nuage.

— Depuis vingt ans ?

— Oui ! Tu ne peux pas imaginer…

— Il t'a rendue si heureuse ?

— Mais non, même pas ! Il ne me regardait plus que de temps à autre. Et moi je ne vivais que pour les moments où il revenait à la maison. S'il me l'avait demandé, je lui aurais volontiers fait la danse des sept voiles tous les soirs…

— Géraldine !

— Si. C'est comme ça et je n'en ai pas honte. Je ne peux pas t'expliquer à quel point il me subjuguait.

— Arrête, ma chérie, reprends-toi. Tu es sous le choc parce qu'il a demandé le divorce. On se raccroche toujours à ce qui vous échappe. S'il ne faisait plus attention à toi, tu n'as vraiment rien à regretter.

— Rien ?

Géraldine éclata d'un rire amer qui se transforma en sanglots.

— Oh, que j'en ai assez de pleurer ! articula-t-elle à travers ses larmes.

Combien de mois ou d'années faudrait-il avant que la douleur s'estompe ? Elle se laissa aller dans les bras de sa mère qui était venue près d'elle.

— N'en parle plus, je t'en supplie, dit doucement Hélène.

Elle ne reconnaissait plus sa fille et ne savait que faire. Elle en était encore à chercher un moyen de la consoler lorsque Maxime entra dans le salon. Fronçant les sourcils, il les considéra toutes les deux avec stupeur avant de demander ce qui se passait. Hélène lui adressa un sourire machinal et lui fit signe de sortir. Dès qu'il eut refermé la porte, elle soupira de soulagement. Maxime avait beau adorer leur fille unique, elle n'était pas tout à fait sûre de sa réaction lorsqu'il apprendrait la vérité. La solidarité masculine n'était pas forcément un vain mot. Il détestait Barth en tant que gendre et en tant qu'homme d'affaires, mais de là à approuver le mensonge de Géraldine…

— On ne va peut-être pas tout dire à ton père dès ce soir, murmura-t-elle. En tout cas, tu restes avec nous.

Maxime allait devoir aider sa fille à se défendre contre les avocats de Barth, et Hélène n'était pas sûre qu'il serait en mesure de le faire lorsqu'il connaîtrait la vérité.

— Je vais appeler Irène pour lui dire que tu t'installes ici.

— Non, répliqua Géraldine d'un ton soudain plus assuré. Je m'en charge.

Ce message-là, elle ne voulait le déléguer à personne. Irène l'avait entraînée avec elle dans un gouffre. Durant quinze ans, elle avait pu exercer sa méchanceté sur son fils aîné, en toute impunité, tandis que Géraldine vivait un enfer de culpabilité, de remords et de terreur.

D'un geste calme, elle décrocha le téléphone. Elle avait les yeux tout à fait secs. Et elle n'avait plus rien à perdre.

Avec son habituel quart d'heure de retard, Barth pénétra dans la grande salle de réunions, suivi de Stéphane et de Jacqueline. Les onze membres du conseil d'administration étaient assis autour de la table ovale, une bouteille d'eau et un sous-main devant eux. Delphine se trouvait entre Fabienne et Laurent, mais Franklin s'était isolé, reculant son fauteuil, et il avait l'air d'être à la torture.

Avant de s'asseoir, Barth serra la main de chacun en prenant son temps. Ostensiblement, il évita Irène qu'il ne salua même pas d'un signe de tête, puis il désigna à Stéphane un siège vacant, juste en face d'elle. Tandis qu'il prenait place, il y eut un silence que personne ne chercha à rompre. Le registre circula pour que les membres du conseil puissent signer l'ouverture de la séance, et les pouvoirs des absents furent énoncés. Barth possédait celui de Clémence mais Géraldine n'avait fait parvenir le sien à personne.

— Je crois qu'on peut commencer, déclara Barth d'une voix posée. J'ai demandé cette réunion extraordinaire pour plusieurs raisons. D'abord je dois présenter mon neveu, Stéphane Lambert-Beaulieu, à ceux qui ne le connaissent pas.

Quand tous les regards se tournèrent vers lui, le jeune homme se sentit un peu gêné. Sa grand-mère lui adressa un petit sourire auquel il ne répondit pas. Il savait ce que Barth allait dire et il essayait de ne pas l'écouter. Ce serait pire qu'une partie d'échecs, sans doute aussi long et encore plus difficile à comprendre. Il s'obligea à penser à son père, se demandant ce qu'il aurait fait à sa place. Mais Victor n'avait jamais voulu subir la contrainte des affaires, préférant tout abandonner aux mains de Barth.

« Il le traitait de vautour mais il avait confiance en lui… »

Son père lui avait brossé un tableau sinistre et caricatural du métier d'imprimeur. Il prétendait mépriser le monde désuet du papier. Il se moquait ouvertement des affaires de la famille en général et de son tyran de frère en particulier. Mais il en parlait avec des inflexions affectueuses, et surtout il en parlait trop. Comment aurait-il pu supposer que Stéphane se prendrait un jour de passion pour l'odeur de l'encre, pour le bruit des presses, et pour cet oncle redoutable ?

Irène s'agita un peu sur son fauteuil. Elle avait beaucoup hésité à venir et n'avait cédé qu'aux exhortations de son homme de loi. L'entreprise était le territoire de Barth et il ne la laissait pas s'y aventurer depuis longtemps. Mais comme il n'avait pas caché son intention de se débarrasser d'elle, une absence aurait été mal interprétée. Elle était prête à se défendre bec et ongles. D'ailleurs elle était presque certaine qu'il ne ferait pas d'esclandre devant des tiers. Il l'avait prouvé lors de l'enterrement de Simon. Comme quoi une éducation solide pouvait résister à toutes les tempêtes. Même lorsqu'il avait giflé cette idiote de Géraldine, il avait su s'en tenir là. Ce qu'elle déplorait, d'ailleurs, depuis l'odieux coup de téléphone reçu la veille au soir. Sa belle-fille n'avait aucune reconnaissance, elle s'effondrait au moindre problème, et n'avait rien trouvé de mieux que se réfugier chez ses parents comme une gamine fautive. Une vraie dinde !

Barth continuait à parler, très maître de lui, et Stéphane l'observait, fasciné. Est-ce qu'il posséderait un jour une telle assurance, une telle habileté ? Était-il concevable qu'il puisse se retrouver, dans quelques années, à la tête de cet immense navire qu'était le groupe Beaulieu ? Cette idée était si effrayante – et si séduisante – que le jeune homme redressa machinalement son nœud de cravate. Il s'était vite habitué aux costumes et aux chemises sobres que son oncle exigeait. Aucun des directeurs ou des cadres supérieurs ne serait venu travailler dans une tenue négligée, et il n'avait plus de raison de se singulariser. Ni de chercher une quelconque consolation dans l'alcool ou la drogue. La vie l'intéressait prodigieusement depuis quelque temps.

— … en conséquence, et puisque Mme Irène Beaulieu nous a suggéré sa démission du conseil…

À ce point de son interminable discours, Barth marqua une pause, releva brusquement la tête de ses notes et fixa sa mère. Elle reçut l'éclat de ses yeux sombres comme une menace tangible. Il lui laissait le loisir de protester, de contester cette énormité qu'il venait de proférer. Affolée, elle se demanda quel genre de piège il lui tendait. De toute façon, il voulait l'éjecter, mais peut-être lui offrait-il la possibilité de sauver la face ? Avec son homme de loi, elle avait passé en revue un certain nombre d'hypothèses, toutefois il n'avait jamais été question qu'elle offre une quelconque démission. Elle essaya en vain de trouver une parade et se tourna vers ses autres enfants. Elle ne rencontra que des regards fuyants.

— Elle pourrait donc être remplacée par son petit-fils, Stéphane Beaulieu, qui est également l'un de nos actionnaires, conclut Barth. Pour nous prononcer sur ces deux points, nous allons procéder à un vote à main levée.

Franklin pâlit. Comme prévu, son frère les obligeait à prendre ouvertement position. À moins d'un éclat, Irène serait contrainte de céder sa place. Il lui jeta un coup d'œil furtif et vit qu'elle s'apprêtait à prendre la parole, mais Barth la devança.

— J'ai toujours souhaité, vous le savez, que les membres de ce conseil prennent une part active à l'administration du groupe. Nous n'accomplissons pas une simple formalité légale, nous gérons effectivement. Arrivé à un certain âge, je pense légitime le désistement de ces lourdes responsabilités, et je serai donc très heureux d'accueillir un élément jeune parmi nous, tout en conservant l'esprit de famille que nous devons à la mémoire des Beaulieu fondateurs.

Stéphane était devenu le point de mire mais il s'efforça de rester calme. Plus personne ne bougeait, hormis Jacqueline qui prenait le compte rendu de la séance en sténo sur son bloc. Malgré tous ses efforts, Irène ne trouvait rien à dire pour contrecarrer Barth. Il l'avait mise au pied du mur et elle finit par adresser un sourire froid à son petit-fils, acceptant le rôle qu'on voulait lui faire jouer : celui de la grand-mère qui s'efface. De toute façon, elle avait perdu cette manche, elle le savait, puisqu'elle n'avait pas réussi à s'allier Delphine ni Fabienne.

— Place aux jeunes ! dit-elle d'une voix sans timbre.

— Nous votons, annonça le secrétaire général.

Les mains se levèrent lentement, les unes après les autres, et quelqu'un compta les voix. Irène toisa ses enfants, s'attardant sur Franklin, puis elle revint à Stéphane qui restait immobile et qui fut le seul à soutenir son regard.

— Parfait, passons à autre chose, reprit Barth sans émotion apparente.

Cette première victoire n'était qu'un commencement, Irène en eut le pressentiment. Mais, cette fois, elle était prête à se défendre. Son fils ne pouvait pas la déposséder de ses actions ou l'empêcher de toucher ses bénéfices, or c'était l'essentiel. Après tout, elle était la veuve d'Octave. Cette idée la réconforta un moment. Elle disposait d'importants revenus et elle pourrait garder le Carrouges quoi qu'il arrive. Hélas, le pauvre Daniel ne viendrait plus l'y rejoindre l'après-midi pour bridger. En apprenant sa mort, elle s'était sentie choquée mais, curieusement, un peu soulagée aussi. Il lui rappelait beaucoup de mauvais souvenirs qu'il évoquait parfois avec maladresse, au détour de leurs conversations. Dorénavant, elle pourrait se consacrer à d'autres amis sans avoir à se surveiller. Elle avait perdu un admirateur, certes, mais aussi un vieil amoureux transi dont l'âge n'avait rien de flatteur.

— ... des investissements très lourds que je prévois pour l'année à venir. Le rachat de l'entreprise Bernay nous offre le terrain et le local nécessaires, sous condition d'aménagements appropriés.

Irène reporta son attention sur Barth. Il avait acquis l'affaire de ses beaux-parents ? Dans quel but ? Pour mieux dépouiller Géraldine ? Pour agrandir son empire ? Il avait la folie du pouvoir et, un jour ou l'autre, ses coups de poker les conduiraient tous à la faillite. Elle aurait dû s'intéresser de plus près aux activités du groupe mais c'était tellement assommant !

— … la survie de La Roque, à moyen terme, passe par une presse supplémentaire. Une commission se rendra aux États-Unis pour examiner en détail le coût et les performances de la dernière-née des machines Cameron. Mais les conclusions de l'étude de marché sont limpides ! Entre nos concurrents et nous, le seul qui tirera son épingle du jeu sera le premier à se décider. Il n'y a pas de place pour tout le monde.

— Nous prendrions un risque énorme, déclara Fabienne qui tripotait nerveusement un stylo.

— C'est ce que je me suis entendu dire à chaque fois, répliqua Barth. Et dans cette même salle, il y a bien des années, pour la première Cameron.

Étouffant un soupir, Irène consulta sa montre. Combien de temps cette discussion allait-elle s'éterniser ?

— J'ai préparé une ébauche de budget prévisionnel que je vais vous soumettre à titre d'information, ajouta-t-il en prenant une liasse de feuilles devant lui. Ce n'est qu'une base de réflexion…

Un silence studieux s'abattit sur l'assemblée. Irène déboucha la bouteille d'eau qui lui était destinée et se servit un verre qu'elle but à petites gorgées. Elle ne prit pas la peine de s'intéresser au papier qu'on avait glissé sur le sous-main de cuir vert. Elle ne comprenait rien aux chiffres et ne pouvait tirer aucune conclusion des calculs abstraits qui s'alignaient.

— C'est vertigineux, lâcha Franklin.

C'était tout ce qu'il avait trouvé pour alerter sa mère mais elle ne réagit pas, ne tourna même pas la tête. Barth le toisait, attendant la suite, mais il n'osa rien ajouter.

— C'est en effet très… ambitieux, murmura Fabienne.

Ils avaient compris où voulait en venir leur frère. Sa manœuvre était claire et reposait sur l'incompétence de leur mère. Il avait souvent affirmé qu'elle était trop futile pour posséder un tel capital, qu'on ne pouvait pas être riche sans même se demander d'où venait l'argent, et que vivre de ses rentes dans une époque aussi difficile tenait de l'imbécillité ou de la provocation. Il y avait eu des passes d'armes éprouvantes sur ce sujet, certains soirs au Carrouges mais, si Irène s'était vexée, elle ne s'était pas davantage intéressée aux imprimeries.

— Je trouve cette proposition très stimulante pour le groupe, déclara Delphine d'une voix claire. Si j'ai bien compris, c'est ça ou la régression ?

— À peu près, oui, répliqua Barth en souriant.

Lors des conseils, Laurent ne parlait jamais et Delphine très rarement. Sa prise de position était complètement inattendue.

— Bien entendu, nous mesurons tous les conséquences de ce genre de décision, souligna Barth.

Sa phrase ne l'engageait à rien et n'éveilla pas la curiosité d'Irène. Fabienne eut un imperceptible haussement d'épaules. Franklin se résigna, gardant la tête baissée. Non seulement les bénéfices du groupe allaient se trouver réinvestis, mais il faudrait contracter immédiatement de lourds emprunts pour réaliser les investissements souhaités par le P-DG. N'importe qui pouvait comprendre que, dans les années à venir, il n'y aurait probablement pas de dividende pour les actionnaires.

Exaspérée par la lenteur de toutes ces discussions, Irène s'impatientait. Elle avait imaginé un affrontement, or il ne se passait rien de concret. Elle surprit l'expression navrée de Franklin et supposa qu'il s'ennuyait autant qu'elle.

« C'est bientôt mon anniversaire, je vais organiser quelque chose à la maison, histoire de leur montrer que la vie continue, même sans Barth ! Il a très mauvaise mine et il devrait se surveiller, ou bien il mourra jeune, exactement comme Octave... Les autres n'oseront pas refuser, y compris le petit Stéphane. Il faudrait que Clémence vienne passer quelques jours avec nous... »

Les gens se levaient, autour d'elle, et elle sortit de sa rêverie. Le pensum était terminé, rien ne l'obligerait plus à remettre les pieds à Pont-Audemer. Son voisin l'aida obligeamment à enfiler son manteau. Elle se sentait morte de faim mais Renée avait dû débarrasser son couvert depuis longtemps, hélas ! Et, à peine rentrée, il lui faudrait appeler son homme de loi pour tout lui raconter. Tout quoi ? Elle n'avait pas retenu grand-chose de cet insupportable conseil d'administration.

Alors qu'elle tendait la main vers son sac, elle vit que Barth longeait la table et serait obligé de passer près d'elle. Par provocation, elle attendit sans bouger qu'il arrive à sa hauteur. Contrairement à ce qu'elle supposait, il s'arrêta un instant. La salle était presque vide et il n'eut pas besoin d'élever la voix pour lui demander, avec une ironie glaciale :

— Vous avez des économies, j'espère ?

Sans se donner la peine de prendre congé, il s'éloigna. Comme elle restait immobile, la bouche pincée, dénuée de réaction, Franklin comprit qu'il allait devoir tout lui expliquer.

13

Stéphane entra sans allumer, tâtonna pour trouver le bord du lit, puis posa sa main sur l'épaule de Barth qu'il secoua doucement.

— Votre avion décolle dans une heure. J'ai fait du café…

Après un premier élan pour se recroqueviller sur lui-même, son oncle s'assit.

— Je me suis endormi ? demanda-t-il, incrédule.

La veille au soir, les conditions climatiques avaient empêché tout décollage de l'aéroport de Saint-Gatien, à Deauville, et son vol avait été reporté. En se couchant, il était dans un tel état d'énervement que, malgré sa fatigue, le sommeil l'avait fui. Il s'était relevé vingt fois, en sueur, oppressé, malade d'angoisse, et n'avait dû sombrer que peu de temps avant l'aube.

— J'en ai pour cinq minutes, murmura-t-il en repoussant les couvertures.

Stéphane gagna la cuisine, sortit deux gobelets et une boîte de sucre en poudre. Il aurait volontiers bombardé Barth de questions tant ce voyage à Londres l'intriguait avec ce fils inconnu et cette mystérieuse jeune femme qu'il fallait retrouver.

— Où est-il, ton café ? demanda Barth en se laissant tomber sur une chaise à côté de lui.

Sous la lumière ingrate du plafonnier, ses traits semblaient très marqués. En revanche, il était habillé avec son élégance habituelle.

— Combien de temps serez-vous absent ?

— Aucune idée.

Il but quelques gorgées, esquissa une grimace de dégoût.

— Il y a de quoi réveiller un mort… c'est infect !

Mais il avait souri en le disant, d'un sourire étonnamment juvénile. Il regarda sa montre et se leva.

— Allons-y.

Stéphane le suivit à travers les grandes pièces désertes. Le sac de voyage était resté dans la voiture depuis la veille et Barth n'eut que son imperméable à prendre. Après avoir fermé la porte principale, il tendit les clefs à son neveu.

— Je te les confie…

Une fois installés dans le coupé, Barth ne démarra pas tout de suite.

— C'est bien convenu, dit-il lentement, je te téléphonerai. Ne m'appelle qu'en cas de problème, je hais ce portable et tu serais capable de le faire sonner au moment crucial… Si tu as une décision à prendre, n'écoute personne. Ni Franklin ni les autres.

— Ils ont quand même voté pour vous, finalement, et vous n'avez plus aucune raison de croire que…

— Si ! Devant moi, ils n'osent pas. C'est pour ça que je n'aime pas les laisser seuls. Mais n'aie pas peur, dans les affaires c'est souvent une simple question de bon sens et, en principe, rien ne te tombera dessus. Au pire, consulte plutôt George ou Jacqueline. Et ne fais pas l'idiot avec ma signature, le pouvoir monte vite à la tête ! Je vais aussi te laisser ma voiture mais c'est comme pour le reste, un prêt, pas un don !

Il mit le contact et s'engagea dans l'allée.

— Je voudrais que vous soyez déjà revenu, soupira Stéphane.

Sa sincérité parut amuser Barth qui n'ajouta plus rien jusqu'à l'aéroport. Une fois arrivé, il descendit, prit son sac dans le coffre et tint la portière ouverte pour que son neveu change de place.

— Vous ne voulez pas que…

— Non. Je n'ai pas besoin d'un chaperon.

Quand le jeune homme fut installé au volant, il se pencha vers lui.

— Tu as du pain sur la planche, alors ne rentre pas te coucher ! Je voulais aussi te dire que…

Il se redressa, secoua la tête, parut chercher ses mots.

— Je ne t'ai pas manipulé.

— Je sais.

— Tant mieux. Je t'aime bien.

Avant que Stéphane puisse répondre, il se détourna et se dirigea vers l'entrée. À moins d'une grosse catastrophe, le gamin s'en sortirait, il en était certain. Personne ne serait vraiment content d'avoir un patron intérimaire d'une vingtaine d'années mais chacun continuerait, à son poste, de faire avancer le bateau.

Il prit place dans le bimoteur qui attendait en bout de piste et qui ne transportait que neuf passagers. Il n'avait pas souvenir d'être jamais monté en avion avec autant d'anxiété, mais ce n'était pas la traversée de la Manche qui l'inquiétait. Une fois en Angleterre, qu'allait-il faire ? Se rendre chez Nicky, la corde au cou, comme un

Bourgeois de Calais ? Et puis ? Même si elle l'écoutait sans le flanquer dehors, même si elle ne se tordait pas de rire, qu'espérait-il donc ? Qu'elle lui laisse voir son fils, ne serait-ce qu'une fois, pour qu'il emporte davantage de regrets ?

Fermant les yeux, il revécut pour la millième fois cette sinistre nuit où elle lui avait annoncé la nouvelle. C'était l'image qu'il gardait d'elle, ce formidable espoir de l'enfant à venir qu'elle lui révélait, vêtue de sa chemise à lui et pelotonnée au pied du lit. Juste après, il l'avait quittée définitivement... en l'insultant ! Pourtant elle lui avait couru après, affolée. Parce qu'elle *l'aimait*. Il avait eu cette chance inouïe – être aimé de cette femme-là – et qu'en avait-il fait ? Du gâchis. Comment pouvait-il croire aujourd'hui qu'il parviendrait à effacer quoi que ce soit ? Si elle était restée celle qu'il connaissait, elle ne lui pardonnerait pas. À cause de l'enfant, et c'était normal. Un enfant qui avait grandi sans père, jusque-là. Sauf si un certain Louis...

L'atterrissage le surprit tant le vol avait été bref. Il se rendit au comptoir de location de voitures où Jacqueline avait effectué une réservation, et il récupéra une stricte Rover noire sur le parking. Ensuite il prit la direction de Chelsea au cœur de Londres. Il y était venu assez souvent pour affaires et il pensait trouver facilement Fulham Road, mais il décida qu'il était un peu tôt. Sur la route, il s'offrit donc un breakfast qu'il fit traîner en longueur jusqu'à ce qu'il n'ait plus aucun prétexte pour différer sa visite.

Lorsqu'il fut garé dans Chelsea et qu'il dut quitter l'abri de la voiture, il s'aperçut que le froid était devenu mordant et que l'eau gelait dans les caniveaux. Pourtant il descendit la rue à pas lents, négligeant de fermer son imperméable. À vingt mètres du restaurant, il s'arrêta pour étudier la façade. C'était donc là qu'elle avait choisi de vivre et de travailler. Au Saint-Louis ! Eh bien, le nom était assez évocateur des bouleversements personnels qu'elle avait dû connaître…

Il traversa sans tenir compte des voitures qui freinaient autour de lui, et se dirigea résolument vers la double porte à petits carreaux. Mais c'était fermé et il n'y avait aucune sonnette. Décontenancé, Barth hésita puis finit par frapper. Nicky n'habitait sans doute pas là et les heures d'ouverture n'étaient pas affichées. Il sursauta quand quelqu'un lui adressa la parole, en anglais, mais il s'agissait d'un livreur qui lui indiqua obligeamment l'entrée de service, un peu plus loin. Barth le suivit et pénétra derrière lui dans l'office puis dans les cuisines du restaurant.

Louis était de dos, en jean et en col roulé noir, occupé à fermer l'un des réfrigérateurs. Quand il se retourna, il découvrit Barth et sembla frappé de stupeur. Après quelques instants de flottement, il prit le paquet des mains du livreur, signa la fiche puis le raccompagna jusqu'à la porte qu'il ferma avec soin et à laquelle il s'adossa.

— Qu'est-ce que vous faites là ? dit-il d'une voix altérée par la colère.

— Je suis venu voir Nicky.

— Elle n'est pas ici !

— Eh bien, je vais l'attendre.

— Où ça ? Dans ma cuisine ? Et vous allez l'attendre combien de temps ?

— Jusqu'à ce qu'elle arrive.

— Non ! Sûrement pas, non…

405

Louis fit deux pas vers Barth mais s'arrêta. Il avait une telle envie de le frapper et de le jeter sur le trottoir qu'il en bafouilla.

— Elle vous a assez vu. Foutez-lui la paix, allez-vous-en !

Il reprit sa respiration en dévisageant Barth qui n'avait pas bougé.

— Je ne vous laisserai pas l'approcher. Elle est à la maison, *chez nous*. Avec son fils.

— Il faudra pourtant que je lui parle, déclara Barth qui restait imperturbable.

— Elle n'a rien à vous dire. Depuis des années ! Vous êtes inconscient ou quoi ? Sortez tout seul, sinon c'est moi qui m'en charge.

— Je veux bien sortir, je n'aime pas les odeurs de cuisine. Mais je la verrai quand même, et je me passe de votre permission.

Parce que Louis avait utilisé ces mots de « chez nous », Barth n'hésitait plus à le pousser à bout. Il pensait qu'il n'avait pas grand-chose à perdre, de toute façon, devant l'assurance dont cet homme de trente ans faisait preuve, son indiscutable charme, et surtout son attitude de propriétaire pour défendre Nicky. Autant finir en beauté et provoquer une bagarre, dans son état de fatigue ça ne durerait pas longtemps.

Cédant à la fureur, Louis empoigna l'épaule de Barth pour le pousser dehors. Le premier coup partit aussitôt, avec violence, et prit Louis par surprise. Déséquilibré, il heurta une pile d'assiettes qui s'écroulèrent sur le carrelage dans un fracas épouvantable. Ivre de rage, il riposta en y mettant toute sa force, cognant jusqu'à ce que Barth s'effondre. Il se serait sans doute acharné si un cri aigu, perçant, ne l'avait stoppé net dans son élan.

Accroché au bras de sa mère, Guillaume hurlait de terreur sur le seuil de la cuisine. Nicky le souleva pour le serrer contre elle et le protéger. À son côté, Bernadette reculait vers la porte en murmurant :

— J'appelle un policeman…

Il y eut quelques secondes de confusion jusqu'à ce que Barth se remette debout et que Nicky, effarée, le reconnaisse. Livide, il dut s'appuyer à un comptoir pour reprendre son souffle. Une insupportable douleur lui broyait les côtes et l'estomac, là où Louis avait frappé plusieurs fois. Il s'obligea à regarder d'abord l'enfant mais celui-ci gardait son visage dans le cou de sa mère et il ne vit que des cheveux châtains, un blouson rouge.

— Qu'est-ce qui se passe ? murmura Nicky.

C'était à Louis qu'elle posait la question et Barth se sentit complètement étranger à la scène qu'il avait provoquée. Des débris de vaisselle jonchaient le sol et Nicky n'osait pas reposer Guillaume. Elle le confia à Bernadette pour pouvoir s'approcher des deux hommes. La présence de Barth dans cette cuisine dévastée était une telle aberration qu'elle ne parvenait pas à comprendre.

— Je ne supporte pas que ce pauvre type te relance jusqu'ici ! s'écria Louis en enfonçant ses mains dans les poches de son jean. Mets-le dehors…

Nicky tourna enfin la tête vers Barth et ils échangèrent un premier coup d'œil.

— Pourquoi êtes-vous… Est-ce que ça va ?

Abandonnant l'appui du comptoir, il avança vers elle.

— Il faut qu'on se parle, c'est important, dit-il d'une voix presque normale.

Il devina le mouvement de Louis mais n'y prêta aucune attention. Prenant Nicky par le bout des doigts, il ajouta :

— Ce ne sera pas long.

Il se sentait assez mal et aurait donné n'importe quoi pour respirer un peu d'air frais.

— Lâchez-la ! Elle n'ira nulle part avec vous !

Louis n'avait pas crié, sans doute pour ne pas effrayer davantage le petit garçon, mais ses intentions ne laissaient pas le moindre doute. Nicky se libéra pour s'interposer entre eux.

— Tout ira bien. Je reviens.

Elle l'avait dit assez calmement pour empêcher Louis d'insister et il s'écarta, à contrecœur. Elle traversa la cuisine à côté de Barth, les débris de porcelaine crissant sous leurs chaussures.

— Je reviens, mon amour, répéta-t-elle à son fils en passant près de Bernadette.

Ses doigts effleurèrent les cheveux de l'enfant qui leva les yeux vers elle. Barth se figea en découvrant le regard bleu sombre, assez rare pour être remarquable, et tellement semblable au sien. Nicky attendit délibérément quelques instants, immobile, puis franchit la porte. Dehors, le vent soufflait avec force et elle se dépêcha de nouer la ceinture de son manteau. Barth était juste derrière elle mais elle lui laissa le temps de retrouver une contenance avant de se mettre en marche. Elle avait souvent rêvé du jour où il serait face à Guillaume, où il prendrait enfin conscience de ce qu'il avait fait, pourtant elle n'éprouvait rien d'autre qu'une angoisse lancinante.

Ils parcoururent une centaine de mètres sans prononcer un mot puis il demanda :

— Est-ce qu'il y a un pub, quelque part, où nous pourrions…

Elle s'arrêta pile et il buta contre elle.

— C'est vraiment si grave ? questionna-t-elle d'une voix impatiente. Au point de venir mettre la pagaille dans ma vie ?

Frémissante, elle paraissait soudain prête à repartir en courant vers le Saint-Louis.

— Ils peuvent attendre un moment, murmura-t-il. Viens avec moi.

Il s'était un peu reculé, comme pour la laisser libre, mais elle se sentit obligée de céder parce qu'il l'avait tutoyée.

— Là-bas, au coin de la rue…, dit-elle en esquissant un geste vague.

Deux minutes plus tard, ils se retrouvèrent installés face à face dans une taverne assez sombre où ils étaient les seuls clients. Barth desserra un peu sa cravate, ouvrit le col de sa chemise, puis il débita ses premières phrases d'une traite.

— Voilà, tu avais raison et j'avais tort, c'est une longue histoire où je n'ai pas le beau rôle. J'ai su la vérité il y a très peu de temps, seulement tu étais déjà partie.

Sourcils froncés, elle tenta de trouver un sens à ce qu'elle venait d'entendre.

— Je ne comprends rien à ce que tu racontes, dit-elle. Bois quelque chose.

Trop émue pour se laisser aller, elle restait tout au bord de son siège en évitant de le regarder et il protesta :

— Nicky, je t'en supplie, même si tu ne me donnes qu'un quart d'heure, donne-le-moi vraiment !

— D'accord, répondit-elle après une courte hésitation.

Elle se débarrassa de son manteau tandis qu'il faisait signe au serveur.

— Tu crois qu'il est possible d'obtenir autre chose que du thé ?

— Oui, sûrement.

L'odeur de bacon et de poisson frits qui régnait dans le pub était insupportable à Barth. Il commanda du scotch et renvoya le serveur tandis qu'elle posait ses coudes sur la table et croisait ses mains sous son menton. Ils s'examinèrent mutuellement durant quelques instants, puis elle rompit le silence.

— Je t'écoute. En quoi avais-je raison ? Pour Guillaume ?

— Pour tout. Mais j'étais de bonne foi. Quand je t'ai rencontrée, je ne pouvais pas… du moins je croyais que je ne pouvais pas avoir d'enfant. C'était moi le responsable, pas ma femme. Je ne t'en ai pas parlé à l'époque parce que… eh bien, stérile c'est comme fruit sec, à peu près aussi flatteur qu'impuissant, et je ne voyais pas l'intérêt de te raconter mes misères.

Éberluée, elle ne sut que murmurer :

— Mais enfin, Barth…

— Oui, reprit-il, c'est ridicule, je sais. Alors, le jour… enfin la nuit où tu m'as annoncé que… puisque ça ne pouvait pas être moi, c'est que tu… enfin tu vois.

— Non. Vraiment pas.

— En fait, c'était ma femme, Géraldine, pas moi. Elle m'avait monté tout un bateau, sur les conseils de ma mère et d'un médecin véreux. Et ça, je ne l'ai appris que… à la mort de Simon. Mais je leur ai réglé leur compte depuis.

— Qui est Simon ? interrompit-elle.

— Le gardien.

410

— Parce que lui, le gardien, il savait ce que tu ne savais pas ? Vraiment, Barth, je n'ai jamais rien entendu de plus dément.

Il soupira profondément et son estomac se révulsa. Il dissimula sa grimace par un sourire crispé.

— Sympa, ton fiancé, dit-il dans un souffle, mais il tape trop fort.

Comme elle continuait de l'observer en silence, il vida son verre et fit signe qu'il en voulait un autre. Il était toujours très pâle.

— Tu te sens mal ? s'enquit-elle d'un ton inquiet.

— C'est un euphémisme !

Mais ce n'était pas sa bagarre avec Louis qui le préoccupait le plus.

— Écoute, Nicky, j'ai commis une erreur que tu ne pourras pas me pardonner, j'en ai conscience, et je voudrais seulement faire quelque chose pour... pour ton fils.

— Guillaume, répondit-elle durement. Il s'appelle Guillaume !

— Je sais.

Pour ne pas s'attendrir, elle se défendit aussitôt en l'agressant :

— Oh, tu ne sais rien du tout ! Ni de lui ni de moi. C'est quoi, faire quelque chose ? Tu débarques ici dans quel but ? Je n'attends rien de toi, j'ai fait une croix il y a longtemps !

Il accusa le coup tout en soutenant son regard.

— Je comprends, oui. Mais je suis en mesure de mettre cet enfant à l'abri, en ce qui concerne son avenir. Je ne te demande rien d'autre que me laisser réparer un peu. Un tout petit peu si c'est possible.

Brusquement, elle se pencha au-dessus de la table et saisit la manche de Barth.

— Mon fils, je l'ai attendu seule. J'étais seule à la maternité et je suis rentrée seule chez moi. Tu n'as même pas idée de ce que ça signifie. Je t'imaginais bien tranquille dans ton bureau de président, tout heureux d'avoir échappé au scandale !

— Je t'imaginais dans la peau d'une garce qui m'avait fait cocu avant de me servir un gros mensonge ridicule !

Ils avaient haussé la voix l'un comme l'autre et Barth reprit, beaucoup plus bas :

— J'ai failli en crever, Nicky. Je te le jure. Et tout ça pour rien, ce n'était pas toi qui mentais. Je me retrouve comme un idiot parfait. Si j'avais eu moins d'orgueil…

— Surtout si tu n'avais pas douté de moi. Je t'aimais à la folie.

Parce qu'elle avait mis le verbe à l'imparfait, il dégagea sa main, se recula jusqu'au dossier de la banquette pour demander :

— Tu vas l'épouser ? Il va reconnaître Guillaume ?

Il n'avait pas besoin d'entendre la réponse. Il avait compris à la réaction de Louis, à la froideur de Nicky. Au bout de quelques instants, il parvint à se dominer.

— Bon, je crois que le quart d'heure est fini. En tout cas ma proposition est sérieuse et ne t'engage à rien.

Sortant de la poche de sa veste un stylo, il se servit de sa boîte de petits cigares pour griffonner son adresse.

— J'habite là, maintenant, mais tu peux me joindre aux imprimeries aussi. Si tu as un notaire, demande-lui de contacter le mien. Tu es installée définitivement à Londres, je suppose ?

Pour maîtriser son désarroi, il s'obligeait à rester neutre, presque mondain.

— Je… Nous avons acheté cette affaire ensemble, Louis et moi.

La voix de Nicky manquait d'assurance et il releva la tête vers elle, surpris. Elle avait les yeux brillants, les mâchoires serrées comme si elle cherchait à refouler ses larmes. Il s'excusa aussitôt.

— Je suis désolé, je n'aurais pas dû venir. J'aurais mieux fait de t'écrire pour…

— Tu ne vis plus dans cet horrible manoir dont tu me parlais ? coupa-t-elle. Tu as déménagé ?

— En catastrophe, oui. Inutile de te dire que je ne veux plus les voir. J'ai trouvé un endroit qui… enfin, c'est bien.

Une infinie tristesse l'avait submergé en pensant à sa grande maison blanche que Nicky ne verrait sans doute jamais. Il aurait voulu avoir le courage de regarder ailleurs mais elle l'attirait comme un aimant et, une nouvelle fois, il croisa son regard.

— Alors tu as fait le voyage uniquement pour me proposer de l'argent ? demanda-t-elle en détachant ses mots.

Elle lui parut distante et il voulut se justifier.

— Oh, non ! J'avais… Il n'y a rien de pire qu'un malentendu, n'est-ce pas ? Toi, tu es une femme bien. Je pense que tu es une femme vraiment bien et que je t'ai mal traitée. Il fallait que je te le dise en face. Mais je ne suis pas un monstre, juste un pauvre mec trop vaniteux et trop naïf. C'est moi le perdant, tu sais… Je te raccompagne ?

À la fatigue s'ajoutait un désespoir aigu qu'il n'était pas sûr de pouvoir contenir encore longtemps.

— Pas jusqu'à ta porte, rassure-toi, j'ai vu que le chef est très jaloux ! À mon âge, c'est plutôt flatteur, non ? Montre en main, il a mis trente secondes pour prendre le dessus.

Il essayait de plaisanter avec tant de maladresse qu'elle en fut bouleversée. Elle ne se sentait pas capable de réfléchir à ce qui était en train de se produire. La présence de Barth l'empêchait de raisonner normalement. Il était arrivé trop de choses en une heure, elle était dépassée.

— Tu as toujours fait des histoires à propos de ton âge, murmura-t-elle en se levant.

Il l'aida à passer son manteau puis remit son imperméable. En déposant quelques billets sur la table, il constata qu'elle avait négligé la boîte de petits cigares restée près du cendrier, ce qui était sans doute dans l'ordre des choses. Résigné, il traversa la salle derrière elle, mais, juste avant de sortir, elle se tourna vers lui.

— À part mettre Guillaume à… à l'abri du besoin, comme tu dis, tu ne voulais rien d'autre ? insista-t-elle.

— Oh, si ! Des tas de choses impossibles. Risibles… Et qui n'ont plus aucune importance pour toi.

— Qu'est-ce que tu en sais ?

Il tendit la main vers elle mais renonça à achever son geste.

— Tu es de plus en plus jolie, j'espère que tu seras très heureuse. Ce n'est pas une formule de politesse.

Au lieu de la prendre dans ses bras, comme il en mourait d'envie, il lui ouvrit la porte.

Stéphane était en train de manger un sandwich, assis par terre devant le téléviseur géant, quand Barth lui tapa sur l'épaule.

— C'est vraiment un moulin, ici ! Tu pourrais fermer la porte.

Surpris, son neveu avala de travers, se mit à tousser, puis finit par articuler :

— Vous m'avez fait peur ! Pourquoi êtes-vous là ?

— Voyage éclair, c'est comme ça que ça s'appelle. J'ai pris un taxi à l'aéroport.

— Mais… j'aurai assuré l'intérim le plus court de l'histoire du patronat ! Il ne s'est évidemment rien passé en si peu de temps.

— Tu le déplores ?

— Non ! Vous êtes seul ?

— Comme tu vois.

Stéphane le dévisagea, lui trouva une mine épouvantable mais ne dit rien.

— Je vais me faire couler un bain, déclara Barth. Tu devrais te nourrir correctement et ne pas t'abrutir devant ces séries américaines.

— J'avais espéré que vous me laisseriez m'amuser avec vos imprimeries pendant des semaines, que j'aurais une paix royale ici, et qu'au bout du compte vous me ramèneriez un cousin ! riposta le jeune homme en souriant.

— Ta gueule, maugréa Barth.

Il fila jusqu'à sa chambre où il découvrit que le lit avait été fait et le cendrier vidé. La gentillesse de Stéphane le touchait, forçait son affection malgré lui. S'il avait dû affronter une maison vide et silencieuse après cette horrible journée à Londres, il se serait saoulé. Avec un soupir de lassitude, il se déshabilla entièrement et passa dans la salle de bains. C'était une jolie pièce dallée de marbre rose et gris, avec une grande baignoire ronde en plein milieu. Il ouvrit les robinets puis entreprit de se raser. Il avait un bleu sur la pommette mais son estomac ne le faisait plus souffrir. Ce salaud de cuistot n'était pas si fort que ça, après tout.

Le contact de l'eau trop chaude le fit frissonner. Il s'allongea, ferma les yeux et essaya de se souvenir du visage de l'enfant. Son fils. À qui il avait donné son regard bleu nuit pour seul cadeau dans l'existence.

— Vous avez semé vos fringues partout, il faut vraiment qu'on engage une femme de ménage !

Se redressant, Barth considéra Stéphane qui se penchait et déposait un verre à portée de sa main.

— Du jus d'orange. Pour les vitamines. Il n'y a rien à manger ici, où allons-nous dîner ?

— Ne te crois pas obligé de me materner ! Je pense qu'on va demander à Franklin de prendre notre petit intérieur en main, parce qu'on n'est pas doués, toi et moi… Je t'emmène où tu veux.

— Non, c'est moi qui régale ! J'ai touché cette paie ridicule que vous m'octroyez généreusement et je suis pressé de la dépenser.

Barth lui sourit et fit signe qu'il voulait une serviette de bain.

— La vie de célibataire est une question d'organisation. En attendant, j'accepte ton aimable invitation. Je suppose qu'il n'y a plus une seule goutte de whisky dans la maison ?

— Désolé, Conchita n'a pas fait les courses !

Dans sa chambre, Barth prit une chemise propre, un blazer et un jean.

— Maman a téléphoné, elle vous embrasse, annonça Stéphane.

— Comment va-t-elle ?

— Elle est sur un tournage.

— Tu lui as appris que tu comptais faire carrière au sein du groupe ?

— Bien sûr.

— Et qu'en dit-elle ?

— Elle est contente. Soulagée.

Une cravate à la main, Barth hésita puis finit par la jeter sur le lit. Il s'approcha de son neveu et lui donna une tape sur l'épaule.

— Tant mieux pour elle mais je voudrais savoir si tu es content aussi. Je ne suis pas sûr de t'avoir laissé le choix. Surtout ces derniers temps.

— Tout le monde m'avait mis en garde contre l'ours mal léché que vous êtes. D'ailleurs vous avez voulu me faire claquer d'une overdose ! J'en ai pris mon parti, vous êtes odieux. Toutefois… eh bien, je n'aurais jamais cru que vous m'en offririez autant.

— Simon avait de la tendresse pour toi, rappela Barth avec un drôle de sourire. Et il ne la distribuait pas à n'importe qui ! Tu as même endossé sa mort pour que ta cousine n'ait pas à porter cette responsabilité, c'est assez encourageant…

Moins d'une demi-heure plus tard, ils se retrouvèrent attablés dans une crêperie enfumée, trinquant avec un gros-plant glacé. Stéphane raconta sa journée à Pont-Audemer en essayant de garder le ton humoristique qui semblait convenir à l'humeur de son oncle, mais il constata vite que celui-ci ne l'écoutait que distraitement. Pourtant, Barth faisait de louables efforts pour ne pas penser à Londres, ni au petit garçon de deux ans, ni même au Saint-Louis dont il n'avait vu que les cuisines. Et surtout pas à Nicky, si mince dans son long manteau, avec son visage expressif et changeant, sa démarche inimitable, son timbre de voix un peu rauque.

— Où êtes-vous encore parti ?

— Si on te le demande…

— Franchement, Barth, vous avez échoué là-bas ? Si vous avez envie d'en parler…

— Ah, non ! Oh, bon Dieu, non, je ne vais pas m'étendre sur le sujet, et surtout pas avec un petit con comme toi qui as toute la vie devant lui pour me narguer.

— Merci du compliment. Vous êtes plutôt amer, on dirait ?

— Toi, tu es curieux comme une vieille fille ! Et tiens, laisse donc tomber le vouvoiement.

— Je croyais qu'on n'avait pas gardé les cochons ensemble ? riposta Stéphane en imitant les intonations rageuses de son oncle.

Barth remplit leurs verres et trinqua bruyamment.

— En tout cas, pas les petits cochons roses dont tu raffolais il n'y a pas si longtemps ! Je me demande ce que ton père pense de toi, là-haut. J'espère qu'il apprécie mes efforts.

— Vous étiez son frère, vous ne faites que votre devoir.

— Méfie-toi, à force de t'embourgeoiser, tu finiras par parler comme ta grand-mère !

S'il pouvait évoquer Irène, même pour la tourner en dérision, c'est qu'il allait un peu mieux. Il mâchonna une bouchée de sa crêpe au jambon tout en observant son neveu d'un air ironique.

— Dépêche-toi de te trouver une fille et marie-toi avant Clémence, ça lui fera les pieds, déclara-t-il tranquillement.

D'abord stupéfait, Stéphane éclata de rire.

— Vous dites les choses les plus ahurissantes qui soient sur le ton de la conversation.

— Oui. Hélas, c'est ce ton-là que j'ai utilisé aujourd'hui, et ça ne m'a pas réussi.

— Vous n'avez pas convaincu la dame ?

— Je n'ai pas tenté ma chance.

— Dommage ! Et le bleu sur la joue, c'est elle ?

— Ce n'est pas une virago ! Non, ça c'était un geste d'humeur de son petit copain. Celui qui a pris ma suite, car nul n'est irremplaçable, comme tu sais.

Éparpillant les morceaux de sa crêpe dans son assiette, Barth soupira et reprit, d'un ton d'où toute gaieté avait disparu :

— C'est la seule femme que j'ai aimée... que j'aime. Je n'ai fait que son malheur, et il est temps que je lui foute la paix. Tu as vu ma tête ? Tu imagines ce que ce sera dans dix ans ? Elle est jeune, elle est belle, elle est intelligente, volontaire... et elle s'est associée avec un type de son âge qui a l'air de l'adorer, gamin compris. Je ne peux pas arriver là-dedans comme un chien dans un jeu de quilles.

— Mais qu'est-ce qu'elle vous a dit ? insista Stéphane.

— Je ne lui ai rien demandé.

— Barth ! Vous vous prenez pour un vieillard ? Pour un type fini ?

— Non, pas du tout. Seulement cette histoire-là est finie.

Déçu sans trop savoir pourquoi, Stéphane secoua la tête avec obstination. Puis il désigna la bouteille vide :

— On en commande une autre ?

— Pourquoi pas…

Barth attendit que leurs verres soient pleins pour lever le sien.

— À toi, neveu. À tes amours.

— Aux imprimeries, répondit Stéphane. C'est ça le plus important, non ?

— Eh bien… Je n'en suis plus aussi certain qu'avant. Mais demain est un autre jour, ça ira mieux.

Il était capable de se reprendre, Stéphane n'en doutait pas. Après tout il avait surmonté pire que ça depuis quelques semaines, et en était sorti gagnant – même s'il n'en était pas sorti intact.

— Allons nous coucher, dit Barth d'une voix sourde.

Sur la route du retour, il resta silencieux, conduisant prudemment pour une fois, et ce ne fut qu'en coupant le contact, devant la maison, qu'il murmura :

— Merci pour la soirée entre hommes, ce n'était pas gastronomique mais ça m'a fait du bien. Ne me réveille pas trop tôt demain matin, j'ai besoin de récupérer.

Le sommeil n'arrangerait pas tout, mais au moins il pourrait oublier durant quelques heures qu'il avait perdu la partie la plus importante qu'il ait jamais jouée.

Emmitouflée dans un blouson fourré, Nicky descendit de voiture et leva la tête pour contempler la maison qui blanchissait dans le jour naissant. Elle resta immobile une ou deux minutes, indécise. Puis elle tourna la tête vers le parc qui semblait à l'abandon avec ses allées jonchées de feuilles mortes et ses bancs de pierre recouverts de mousse. Elle se demanda ce qu'elle devait faire, à présent, et si elle n'avait pas commis une folie en venant.

Le coupé italien, garé devant le perron, attestait la présence de Barth à l'intérieur de la maison. Elle l'avait rattrapé un jour à Deauville près de cette même voiture, l'appelant « monsieur Beaulieu » et lui trouvant l'air si malheureux qu'elle avait failli se jeter à son cou malgré toute sa rancune.

Elle fit quelques pas vers la porte mais s'arrêta. Si elle sonnait, elle ne pouvait pas savoir qui lui ouvrirait et elle risquait de se retrouver dans une situation impossible. Afin de gagner du temps, elle entreprit une petite ronde de reconnaissance autour du bâtiment. Puisque Barth avait acheté cette propriété, c'est qu'il s'était libéré de sa famille et de sa femme, mais y vivait-il seul ? Toutes les fenêtres étaient obscures et il n'y avait aucun bruit hormis celui de ses propres pas sur le gravier. La route lui avait posé quelques problèmes depuis Le Havre où son avion avait atterri à l'aube. Comme Barth la veille, elle avait dû louer une voiture avec laquelle elle avait gagné l'autoroute, franchi le pont de Normandie. Mais ensuite elle s'était trompée vingt fois, s'énervant aux intersections, faisant demi-tour sur des chemins de campagne. Elle avait mémorisé l'adresse à l'instant où il l'avait écrite sur la boîte de cigares, même si elle ne pensait pas alors s'en servir aussi vite. Louis ne s'y était pas trompé, lui. Dès qu'il l'avait vue revenir du pub, il avait compris. Il s'était muré dans un silence hostile et c'était Bernadette qui avait été la plus conciliante en proposant de garder

Guillaume un jour ou deux. Le temps nécessaire à Nicky pour savoir.

Le froid était pénétrant et elle ne pouvait pas rester dehors indéfiniment. Elle se dirigea vers la porte mais recula une nouvelle fois, prise de panique. Barth n'avait rien dit de ses sentiments. Il n'avait été question que de l'enfant. Il n'avait pas prononcé les mots qu'elle attendait, paraissant se résigner avec fatalisme devant leur histoire manquée. Pourtant, s'il avait dit la vérité, s'il n'était pas responsable de ce qui était arrivé entre eux, pourquoi n'avait-il rien tenté ? Au Bathyscaphe, quelques mois plus tôt, il avait avoué qu'il l'aimait toujours, alors qu'est-ce qui motivait cette attitude de vaincu maintenant qu'il pouvait se disculper ? Il n'avait quand même pas inventé toute cette folle histoire de complot et de mensonges ! Mais il s'était montré si confus qu'elle n'avait pas compris grand-chose. D'ailleurs elle l'avait davantage regardé qu'écouté. Elle l'avait trouvé tellement émouvant, dans ce sinistre pub, qu'elle s'était sentie atteinte au plus profond d'elle-même. À l'époque de leur séparation, elle aurait donné n'importe quoi pour qu'il y ait une explication logique au comportement de Barth. Avant de s'incliner, elle avait cherché en vain à lui trouver des raisons, à lui inventer des excuses. S'il en existait une, elle était prête à lui pardonner et à tout recommencer, contrairement à ce qu'il avait l'air de croire.

Prenant une profonde inspiration, elle tendit la main vers le heurtoir juste au moment où la porte s'ouvrait sous son nez. Un jeune homme d'une vingtaine d'années la dévisagea d'un air intrigué avant de lui adresser un large sourire.

— Vous désirez ?

— Est-ce que Barth…

— Il est là ! Entrez, je vous en prie.

Elle pénétra dans un grand hall vide, sans meubles ni tableaux, ni aucun objet susceptible d'indiquer que quelqu'un habitait là.

— On ne peut s'asseoir qu'à la cuisine, je vous précède.

Un peu étonnée, elle suivit l'inconnu le long d'un couloir sombre.

— Je suis navrée de vous déranger, murmura-t-elle machinalement.

— Pas du tout ! Je m'appelle Stéphane, je suis le neveu de Barth. Installez-vous, je vais le chercher.

— Attendez une seconde ! Je voudrais…

Cherchant une formule, elle ne trouvait rien à dire pour se présenter.

— Est-ce que vous arrivez de Londres ? demanda-t-il d'un air réjoui.

— Oui. Je…

— Parfait, je reviens !

Il avait déjà disparu et elle se retrouva seule. La cuisine était en désordre mais il y avait du café frais. Elle ouvrit son blouson, enleva ses gants tout en guettant les bruits de la maison. Elle avait imaginé beaucoup de choses mais pas ce désert. Même les chaises paraissaient perdues dans la trop vaste pièce. Elle sursauta en entendant des voix d'hommes et se prépara à affronter Barth, oubliant sur-le-champ tout ce qu'elle avait prévu de dire.

— Nicky ! C'est vraiment toi ?

Il la regardait, abasourdi, n'ayant pas cru un instant ce que lui avait annoncé Stéphane. Celui-ci s'apprêtait à sortir discrètement mais il lui barra l'accès de la porte, soudain très intimidé par la présence de Nicky. D'autant plus qu'elle le regardait d'une étrange façon, attendrie de le découvrir avec une chemise qu'il n'avait pas eu le temps de boutonner et qui flottait sur ses épaules.

— Si tu avais été moins pressé, hier, on aurait pu faire le voyage de retour ensemble ! lui lança-t-elle avec un sourire de défi. Il y a des choses qui méritent d'être un peu éclaircies, non ?

Pris de court, Barth se demanda s'il avait bien entendu.

— Laissez-moi passer, chuchota Stéphane.

Jamais il n'avait vu son oncle embarrassé, encore moins paniqué, devant qui que ce soit. Aussi, avant de sortir, il regarda encore Nicky en lui adressant un nouveau sourire encourageant. Barth se décida à avancer d'un pas mais il bifurqua vers l'évier pour se saisir de la cafetière. Il resta là quelques instants, incapable d'esquisser un autre geste, jusqu'à ce qu'il sente la jeune femme approcher, s'arrêter juste derrière lui.

— Tu ne m'as rien expliqué, en ce qui nous concerne tous les deux, déclara-t-elle d'une voix très douce.

Avec ses bras, elle lui entoura la taille, appuya sa joue contre son dos, glissa ses mains sous les pans de la chemise ouverte. Elle n'avait rien prémédité et s'étonna d'avoir un tel besoin de le toucher.

— Arrête ! dit-il très bas, figé.

Il eut peur de ce qui allait suivre et demeura immobile. Quand elle parla, son souffle dans sa nuque le fit tressaillir.

— Je t'écoute, Barth, je suis venue pour ça. Finis ce que tu as commencé, il faut que je sache.

Il se retourna lentement, sans parvenir à lui faire lâcher prise.

— Alors je vais te le dire en face, murmura-t-il, même si je crève de trouille. Ce n'est peut-être pas ce que tu as envie d'entendre. Je n'ai plus ta jeunesse mais je t'aime. Reviens ou emmène-moi avec toi, ça m'est égal. Quitte ce type, épouse-moi, rends-moi mon fils et fais-m'en d'autres. Je ne vaux rien sans toi, je ne m'en sors pas. Ce sera exactement comme tu veux que ce soit, tu m'as mis à genoux.

Un bel aveu, exactement celui qu'elle attendait. Il la fixait avec une telle intensité, ses yeux tout près des siens, qu'elle se contenta de hocher la tête une seule fois. Ensuite, elle se haussa sur la pointe des pieds pour effleurer ses lèvres. Elle le serrait toujours, l'empêchant de respirer, mais brusquement il se raidit et apostropha Stéphane qui venait d'apparaître sur le seuil.

— Tu es encore là, toi ?

— Euh… si vous me donniez vos clefs de voiture, je pourrais peut-être aller travailler…, bredouilla le jeune homme. Vous me rejoindrez plus tard ?

Barth mit deux secondes à réagir puis, avec un soupir excédé, il fouilla sa poche et lança le trousseau que Stéphane attrapa au vol. Avant de s'éclipser, celui-ci jeta un dernier coup d'œil approbateur vers Nicky qu'il trouvait décidément superbe. D'autant plus qu'il n'avait jamais vu une femme étreindre un homme de cette manière.

— La prochaine fois que tu la regardes comme ça, gronda Barth, tu retournes balayer les hangars !

Le plus rassurant, pour Stéphane, fut de constater que son oncle ne plaisantait pas. Son mauvais caractère reprenait le dessus, c'était très bon signe.

Dehors, le soleil luisait sur le givre. À quelques kilomètres de là, les presses Cameron devaient rouler à leur cadence infernale. Et du côté de Honfleur, face à l'estuaire de la Seine, Irène ouvrait sans doute les volets du Carrouges où elle vivait seule désormais.

Le jeune homme se glissa derrière le volant du coupé, démarra et prit la direction de La Roque. Parce que c'était toujours par là que les imprimeurs du nom de Beaulieu commençaient leur journée, qu'il y avait près de deux siècles que cela durait, comme le lui avait appris George, et qu'il n'était pas question que ça s'arrête.

Vous avez aimé ce livre ?

Partagez vos impressions sur la page Facebook
de Françoise Bourdin
www.facebook.com/Francoise.Bourdin.Officielle

*Vous souhaitez recevoir la newsletter
de Françoise Bourdin ?*

Rendez-vous sur son site
www.francoise-bourdin.com, rubrique « Le Club ».

Faites de nouvelles rencontres sur pocket.fr

- Toute l'actualité des auteurs : rencontres, dédicaces, conférences...
- Les dernières parutions
- Des 1ers chapitres à télécharger
- Des jeux-concours sur les différentes collections du catalogue pour gagner des livres et des places de cinéma

Composé par Facompo
à Lisieux (Calvados)

Imprimé en France par CPI
en septembre 2016
N° d'impression : 3019021

POCKET - 12, avenue d'Italie - 75627 Paris Cedex 13

Dépôt légal : janvier 2016
S24348/03